Duelo en el Paraíso

A Blaisdell Book in the Modern Languages

CONSULTING EDITOR
Joseph Schraibman, Indiana University

 *Duelo*

By
JUAN GOYTISOLO

Edited by
DONALD W. BLEZNICK

University of Cincinnati

en el Paraíso ⤳

BLAISDELL PUBLISHING COMPANY

A Division of Ginn and Company

WALTHAM, MASSACHUSETTS / TORONTO / LONDON

PQ6613
O79
D8
1967

A Jordán y Susana

con la esperanza de que guarden siempre,
mis preciosos y queridos hijos, la nobleza de
la vida humana.

 PREFACE

    Duelo en el Paraíso, written in 1955 by one of Spain's leading novelists, deals with a group of displaced young adolescents whose social order, attitudes and activities reflect those of the Spanish soldiers caught in the bloody Spanish Civil War (1936 – 1939). Goytisolo's intriguing narration and the simplicity of style make this novel exceptionally suitable for second-year students.

    The third edition of this novel (1964) has been used as the basis of the present text. Some sections have been deleted in order to achieve a book of reasonable size. The editor suggests three additional breaks in the book on pages 16, 45, and 75, for the convenience in assigning study portions smaller than the six chapters. However, great care was taken to preserve the novel's essential unity. The ample footnotes and the completeness of the end vocabulary serve to facilitate the students' reading. The *cuestionarios* are intended to guide the student in his reading and the suggested *temas* may be used for conversation or written themes.

    Deletions (by the editor) of a whole paragraph or more are indicated by the group of three asterisks between paragraphs. The ellipsis dots in the text are those of Goytisolo and are reproduced literally from the original. The solid horizontal ornament between paragraphs indicates Goytisolo's original breaks to show passage of time.

    I am indebted to both Juan Goytisolo and Ediciones Destino of

vii

Barcelona for permission to publish this student edition. Furthermore, I wish to express my gratitude to Professor Joseph Schraibman for his helpful suggestions. And, finally, I must thank Anne S. La Vietes for her valuable secretarial assistance in the preparation of the manuscript.

DONALD W. BLEZNICK

 INTRODUCTION

        Juan Goytisolo was born in Barcelona on January 5, 1931. Some episodes in *Duelo en el Paraíso* are undoubtedly based on the author's experiences in the Spanish Civil War (1936–1939). In 1938, the year in which *Duelo en el Paraíso* takes place, he lived in a Catalonian camp for refugee children which was probably similar to the one in the novel. Misfortune overtook his parents as in the case of the novel's protagonist: His mother was killed in an air raid and his father was imprisoned.

        Goytisolo was educated in a Jesuit school and later studied law in Barcelona and Madrid. However, writing has been his true *métier* since childhood. A literary bent runs in his family. One of his great-uncles was a poet, as is his older brother José Agustín (born 1928), and his younger brother Luis (born 1935) is a short story writer and novelist.

        In January 1951, while studying law in Barcelona, Goytisolo joined Ana María Matute and three other writers to found the Turia literary group. He read his first short stories to the members of this *tertulia*. One of these stories, "El mundo de los espejos," won the Janés Premio de Joven Literatura in 1952. Goytisolo spent several months in Paris during 1953–1954, and since 1956 he has been living there most of the time in what he has called his "voluntary exile."

        Goytisolo is the leading figure of the Spanish novelists of the "generación del medio siglo" which includes those writers who began to publish their works in the 1950's.[1] These novelists, born between 1925 and 1935, were children during the Civil War, and their early works ineluctably record the violence of the holocaust that swept Spain. Their succeeding novels treat postwar accomodations, often with brutal realism. The social realism that pervades the new Spanish novel also permeates the writings of young Spanish dramatists and poets.

In *Problemas de la novela* (Barcelona, 1959), a collection of literary essays, Goytisolo essentially performs the function of spokesman for the new generation. He counters Ortega y Gasset's advocacy of dehumanized art—which Goytisolo considers devoid of concrete quotidian problems and directed toward a select minority—and proposes instead a Spanish novel imbued with contemporary Spanish reality and destined to be read by a wide audience. The new novel, authentically Spanish and accessible to the public, "debe esforzarse en reflejar la vida del hombre español contemporáneo, tal como hicieron en su día Baroja, Galdós, y los grandes *maestros de la Picaresca*."[2] Moreover, the novelist should be as "objective" as possible in confronting the true realities of Spanish life no matter how unpleasant they may be. It is revealing to observe that Goytisolo, in a newspaper article that appeared a year after *Problemas de la novela*, identified himself with one of Spain's greatest essayists, the probing, devastating Larra who bitterly criticized Spanish life of the 1830's. Like Larra, he wants "una literatura hija de la experiencia y de la historia [. . .] enseñando verdades a aquellos a quienes interesa saberlas, mostrando al hombre no cómo *debe ser* sino *cómo es*, para conocerle. . ."[3] Goytisolo's critical appraisal of Spain today has earned him the epithets "nonconformist" and "revisionist." Several of his novels have been banned in Spain.

Goytisolo's first novel, *Juegos de manos* (Barcelona, 1954), translated in English as *The Young Assassins*, presents the ghastly experiences of adolescents whose tribulations during the Civil War have turned them into rebellious, amoral hellions. This "objective" picture of the sordid condition of postwar Spain, characterized by an inversion of traditional Spanish morality, merited the acclaim of Spanish and foreign critics.

Duelo en el Paraíso (Barcelona, 1955) won the Índice prize and also

---

[1] It is interesting to note that Camilo José Cela and Juan Goytisolo are the only two Spanish postwar novelists discussed in *Breve historia de la literatura española* (New York, 1966) by Diego Marín and Ángel del Río. They consider Goytisolo to be the most prolific and most translated of the "new wave" of novelists who began to publish in the 1950's (p. 329).

[2] *Problemas de la novela*, p. 86.

[3] "Actualidad de Larra," in *Novedades* (Mexico City), October 16, 1960.

took third place in the Planeta competition. This novel was written to answer those who, in criticizing *Juegos de manos,* accused Goytisolo of having a marked taste for blood and tragedy. As in his early novels, many of the characters are vicious adolescents who are products of a deteriorated society. However, the brutal reality of *Juegos de manos* is tempered in *Duelo en el Paraíso* by lyricism in descriptions and treatment of characters. Eugenio de Nora has coined the apt expression "poetic realism" to designate Goytisolo's technique in this work.

El circo (Barcelona, 1957) is the first novel of the trilogy *El mañana efímero (The Short-Lived Tomorrow)* whose title is taken from a poem by Antonio Machado, a twentieth-century Spanish poet admired by Goytisolo and a number of his contemporaries. The title of this trilogy essentially denotes the emptiness, hopelessness, and absurdity of Spanish contemporary life. *El circo* concerns the murder of a wealthy man in a poor Catalonian town. A half-mad painter, who cannot distinguish reality from fantasy, confesses to the murder committed by a young man. This loosely constructed novel displays the poverty and moral degradation still rampant in Spain almost two decades after the termination of the Civil War.

Fiestas (Buenos Aires, 1958), the second volume of the trilogy, was banned in Spain. This novel exposes the tragic lives of an impoverished people hopelessly ensnared in the degeneration and misery of Barcelona. The despair and meaninglessness of the characters' lives sharply contrast with the costly splendid pageantry of the religious festival organized by city officials unmindful of the inhabitants' plight. *La resaca (The Surf),* the final novel of *El mañana efímero,* was published in Paris (1958) after having been banned in Spain. In this excellent example of objective realism Goytisolo continues to bring to the surface the nefarious actions of the lawless and the degenerate who are wallowing in squalor. Although Goytisolo seems to share with Machado a vision of the birth of a new Spain, these novels do not offer tangible evidence of the imminence of such a renaissance.

Campos de Níjar (Barcelona, 1960) is Goytisolo's first documentary or travel book, a type of prose writing cultivated by Cela and other postwar novelists. In this work, he captures the life of the poverty-stricken people who live in the remote villages of the Almería region in Andalusia. In *La Chanca* (Paris, 1962) Goytisolo revisits Almería and specifically La Chanca district where the inhabitants endure inhuman evils—hunger, disease, filth, and injustice. In another documentary book, *Pueblo en marcha* (Paris, 1963), Goytisolo gives his impressions of Castro's Cuba gleaned from intimate contacts with the Cubans during a visit that lasted two and a half months.

Hopeful that the Cuban revolution will succeed, he envisions it not only as the triumph of liberty for the people of that island but also as a ray of promise for all the tyrannized Hispanic countries and especially for his own country whose revolution failed.

Para vivir aquí (Buenos Aires, 1960) is a collection of narratives written between 1957 and 1959. Like Azorín he displays more interest in details which he seems to consider more significant than plot development. The corruption existing in present-day Spain continues to be his central theme in this work. *La isla* (Mexico, 1961), the last of Goytisolo's novels, reveals the shameful and senseless life of Spaniards who abandon their traditional honor code and emulate the perverse behavior of the international rich middle class that seeks the *dolce vita.* Goytisolo dwells on the same topic in *Fin de fiesta* (Barcelona, 1962), four separate stories depicting the aimlessness, frustration and unhappiness of Spain's upper middle class.

The action of *Duelo en el Paraíso* takes place in a small Catalonian town toward the end of the Civil War. The situation is particularly chaotic for those who are living in this area since the conquering Nationalist forces—under Franco's leadership the Nationalists were victorious over the Republicans—are in the process of taking control over the territory evacuated by the retreating Republican troops. Although the actual events of the story occur within the space of a few hours, Goytisolo very skillfully utilizes a flashback technique to achieve a dimension of totality. The past, the present and even the future intertwine in this novel to create an intricate web tantamount to man's real life experience.

The plot transcends the simple fact that Abel,[1] a boy of 12, has been shot to death, a cruel and absurd act perpetrated by a group of refugee children whose behavior yields to the most primitive instincts. The lawlessness and sadism of these children—they are young adolescents and pre-adolescents—naturally stem from the imitation of their elders who are sowing confusion and death. It has immutably scarred the minds and hearts of the survivors; the shattered dreams cannot be restored. Martín's decision not to continue his law studies, expressed in the last chapter, reveals the will-lessness of the Spaniards who have undergone a costly yet futile experience.

Goytisolo's adroit temporal and topographical shifts contribute to the attainment of depth in the portrayal of his characters and the recreation in fuller perspective of the war's desolation in different

---

[1] The name chosen for the protagonist is probably symbolic of the Biblical Cain–Abel episode as it was for Unamuno in *Abel Sánchez.*

parts of Spain. This cinematographic technique unfolds for the reader a flesh-and-blood boy whose experiences range in time from his Barcelona days to the events that transpire immediately before his murder. The boy's behavior, thoughts, and hopes are admirably exposed in his relationships with Martín, the women in *El Paraíso*, the *Gallego*, and the members of the gang. Uprooted from his civilized, middle-class environment in Barcelona, the intelligent, sensitive Abel cannot cope with the primitive life into which he is violently thrust and so, despite his yearning to belong to the lawless gang of peers, he is relegated to the role of an outsider.

Abel's frustrated attempts to participate actively in the happenings of his time contrast vividly with Estanislaa's constant striving to isolate herself from the realities of life. She quixotically fashions her own version of an ideal world which only admits beauty, love, and nobility of action and spirit. Estanislaa's mystical visions, her insulation from life's realism and her fear of change encarnate the attitudes and behavior of a strong, traditional segment of the Spanish people. The interplay of reality and fantasy, in the lives of Estanislaa and other characters—Águeda, the *Gallego*, Abel, and Martín are prominent examples—serves to heighten the agonizing crisis of the war. Students of Spanish literature will recall the reality-fantasy constant in the mystics, Cervantes, Quevedo, Larra, Unamuno, Lorca, Casona, and many other writers.

Duelo en el Paraíso contains many incidents reflecting the absurdity of the war and the lives of the characters. The author has the characters themselves think of the nonsensicality of events. The idea that everything is absurd occupies Filomena's thoughts when she first learns of Abel's death. When Quintana is informed of the boy's murder, his first words are: "es absurdo. . . , todo es absurdo." The irony inherent in the name of the estate, *El Paraíso*, contributes to the creation of an absurd environment. In the first chapter, the ridiculous squabbling of the old Rossi sisters over the enormous red and yellow Nationalist flag is symbolic of a divided Spain. The lieutenant of the gang pursues the irrational task of exterminating all the trees in the woods. Abel is executed because he is an outsider and, before the war, his family had land and money while the members of the gang were starving. And, resigned to his fate, Abel gave the boys the hunting rifle with which he was shot! The phrase "Dios nunca muere," associated with the funeral ceremony for David, becomes, at the time of Abel's death, an indictment of the irreligious activities of the young assassins — does their society portend Spain's future society in the author's judgment?—who like their adult counterparts, are apparently oblivious of their Catholic heritage.

The term "poetic realism" aptly describes Goytisolo's technique in *Duelo en el Paraíso*. Lyrical passages containing exquisite images of nature are at times closely interwoven with depictions of destruction wrought by human beings. An excellent example of this is found in Chapter II when the soldiers are pursuing the gang. First, the author captures the beauty and magic of the spot through which the Army truck passes: "A través de la bóveda de encinas y alcornoques, el sol se filtraba como un polvo de oro e inscribía en el suelo del camino un minucioso diseño de luces y de sombras." Then, man's engines of war threaten the idyllic scene and the effects of the ravage of war parade before the reader's eyes. Finally, man's brutal desecration of nature stands fully revealed: "Un estremecimiento de pánico parecía haber sacudido el paisaje entero. Las hierbas de la cuneta estaban despeinadas, polvorientas, y la tolvanera había cubierto los árboles vecinos como un velo de recién casada."

The salient characteristics of this novel are the author's narrative skill, his creative imagination, the simplicity and vividness of his language, the successful use of cinematographic images, and a well-constructed, authentic Spanish plot. A number of critics consider this to be Goytisolo's best novel from the artistic point of view. Eugenio de Nora has written that it is "la más personal y, en conjunto, la más lograda por hoy (1960) de las novelas de Goytisolo. . ."[1] More recently, Martínez Cachero has written regarding this novel: "Nunca más hasta hoy ha conseguido Goytisolo logro tan rico y seductor. . ."[2]

---

[1] Eugenio de Nora, *La novela española contemporánea* (Madrid, 1962), II, 321.

[2] José María Martínez Cachero, "El novelista Juan Goytisolo," *Papeles de Son Armadans*, Vol. XXII, No. 94 (1964), p. 142.

CAPÍTULO PRIMERO

En la ladera del bosque de alcornoques, el disparo de un arma de fuego no podía augurar nada bueno. Al oírlo, Elósegui despertó de su modorra y se incorporó sobresaltado. Hacía sólo dos horas que acababa de dejar a sus compañeros y, por un momento, imaginó que venían a buscarle. Aunque estaba en lo 5 hondo de una cueva, a cubierto de todas las miradas, tomó el fusil por el cañón e introdujo un cartucho en la recámara.

El disparo procedía del Sur, en dirección a *El Paraíso* y no parecía por el sonido el de un fusil del ejército. Se hubiera dicho más bien que un cazador desorientado acababa de cobrar una pieza en medio 10 de la zona de combate. Pero ni en el fortín ni en la escuela había quedado nadie. Aquella madrugada, antes de que amaneciera, los soldados de la batería habían engrosado el alud de fugitivos que se encaminaba a la frontera en la vieja camioneta de Intendencia, después de haber inutilizado todas las armas. 15

La deserción—preciso era reconocerlo—había sido fácil. La anarquía que desde hacía cierto tiempo reinaba entre la tropa, se contagiaba poco a poco a la totalidad de los mandos: nadie parecía preocuparse de lo que hacía el prójimo; cada cual miraba por sí mismo. Aquella mañana, con los dos andaluces del servicio cos- 20 tero, habían minado el fortín de la ensenada después de cubrir a

---

8 **El Paraíso**   the estate which is the focal point of the story
9 **Se hubiera dicho**   One might have said
16 **preciso era reconocerlo**   it had to be recognized as such

1

pie el trayecto de cuatro kilómetros que separaba el mar de la escuela
de niños refugiados, a través de una rambla encharcada y arenosa.
En el colegio aguardaba la camioneta, cargada hasta los topes de
armamento, víveres y uniformes. Encima, el sargento había colo-
5 cado ramas de pino y de eucalipto: «Para que no nos localicen los
aviones», explicó.

Hacía bastante tiempo que lo tenía todo dispuesto: en la mochila
guardaba un paquete de provisiones y el papeleo necesario para el
momento de la entrega. Desde el vestíbulo dirigió una ojeada al
10 antiguo dormitorio de Dora; allí estaban, intactos, el armario de luna
en que guardaba sus maletas y sus trajes; el tocador, vacío de
colonias y de peines; la cama de muelles, con sus columnas es-
maltadas. En las mesitas había un florero antiguo con la rosa que
ella había cortado un día. Martín alargó la mano y la estrujó: estaba
15 lacia y reseca, y en torno a la jarra había sembrado una corona de
sucios, marchitos pétalos. Martín la guardó en el bolsillo del capote.
Era todo lo que quedaba de ella. El angelito de porcelana que Dora
le había regalado, estaba en el fortín y se olvidó de sacarlo con sus
restantes efectos: debía de haber volado hacia el cielo, entre latas
20 vacías, metralla y cascotes de cemento, liberado y feliz, con sus alitas
rosas y azules.

El camión partió a las ocho con el sargento y los andaluces.
Elósegui lo oyó traquetear por el camino de *El Paraíso* y no se sintió
tranquilo hasta que desapareció tras el recodo. Desde entonces
25 habían transcurrido más de dos horas. Hasta la gruta llegaba el
ruido de las bocinas de los automóviles y las imprecaciones de la
gente que huía y se veía obligada a abandonar sus medios de
transporte. El griterío, sin embargo, había disminuido, y los
vehículos pasaban cada vez más distanciados. «Son las vanguardias
30 que se acercan», pensó.

El día antes, la chiquillería de la escuela se entretuvo en pillar
los carruajes que el río de fugitivos abandonaba al borde de la
cuneta. Eran coches de todas clases, colores, edades y marcas:
viejos Renault del año veinticinco, con los radios pintados de amarillo
35 y la capota de cuero desgarrada; otros, más modernos, detenidos a
causa de un simple pinchazo y que sus dueños dejaban con todo su
cargamento de sorpresas: colchones, mantas, cochecillos de niños,
jaulas de pájaros con la puertecilla abierta («Volad, volad, palomas»),
paquetes de provisiones (Darío había encontrado un pavo asado re-
40 lleno de guindas y ciruelas), muñecas destripadas («que no se las
queden sus hijas, que no se las queden»), etc.

---

[29] **Cada vez más distanciados** at longer and longer intervals

Aquella mañana, en la escuela, había sido testigo de una escena extraordinaria: uno de los soldados andaluces se permitió insultar al teniente que intentaba requisar la camioneta. Era alto y robusto y estalló en carcajadas cuando el teniente quiso recordarle las estrellas de la manga. «Sus estrellas me tienen sin cuidado—dijo—. Ahora 5 es usted un tipo reventado como yo y hará bien en largarse antes que esto se dispare.» Llevaba un revólver en el cinto y lo acarició con el pulgar. El teniente comisario regresó a su automóvil y los soldados celebraron el incidente con palmas y con risas.

Con la huida, todo perdía su valor: las cosas pequeñas y de 10 transporte fácil sustituían a las de mayor tamaño, cuyo precio disminuía al ritmo de avance. Las gentes que habían abandonado en Barcelona sus pisos y sus villas, confiando la salvación al automóvil, lo dejaban luego junto a la frontera, para seguir el camino con su bolsita de joyas cosida a los pliegues de la chaqueta o de la falda. 15 «Si se las apretase mucho—pensó Elósegui—, renunciarían también a eso.» Un saco de monedas por un lugar en la barca. Una mujer honesta entregándose a los conductores con tal que la llevaran. Todo era sorprendente y, al mismo tiempo, mágico. Los símbolos perdían su valor y no quedaba más que eso: el hombre, reducido a 20 sus huesos y a su piel, sin nada extraño que lo valorizara.

Aunque el disparo había sonado cerca—trescientos metros a lo sumo—, Martín vaciló antes de salir. La carretera quedaba detrás, hacia el sur y, fuera de los límites del bosque, ofrecía blanco fácil. En aquellos momentos, además, resultaba imposible saber a ciencia 25 cierta a quién pertenecían los automóviles que la enfilaban: si a los últimos refugiados que volaban los puentes con dinamita o a las avanzadillas de reconocimiento de las vanguardias nacionales.

Había traído consigo su equipo de soldado: el fusil, la cartuchera repleta de municiones y el uniforme de campaña. Desde la boca 30 de la gruta dominaba el sector del bosque que bajaba hasta el barranco, pero ignoraba lo que podía ocurrir a su izquierda. Le parecía oir el rumor de unos pasos acolchados por la alfombra de musgo y de pinocha. Sin resolverse aún a abandonar el escondrijo, apartó con un movimiento de la mano las ramas de encina que ocultaban la 35 entrada de la gruta, y arriesgó una mirada lateral.

El día prometía ser templado y suave. El sol estaba a punto de

---

9 **con palmas** with clapping
12 **al ritmo de avance** with the rhythm of the advance
16 **Si se las apretase mucho** If they were hard pressed
21 **sin nada . . . valorizara** with nothing external to show his value
25 **a ciencia cierta** for certain
28 **avanzadillas de reconocimiento** advance reconaissance groups

alcanzar su cenit y acurrucaba las sombras a los pies de los árboles. Las gotas de rocío que moteaban el mantillo del bosque habían desaparecido con el relente. Una mariposa blanca voló hasta su hombrera y agitó perezosamente las alas. Elósegui avanzó unos
5 pasos por el camino, sin perder de vista la entrada de la gruta.

Había algo en todo aquello que no marchaba como era debido. Los soldados de retaguardia no habían volado aún el puente que conducía al pueblo y las avanzadas no podían, por tanto, haber alcanzado la escuela. En todo el valle, lo sabía, no quedaba un alma.
10 Sin embargo *el disparo había sonado* y, tras él, un rumor de pasos incomprensible y desafiante.

Una extraña inquietud le hizo estremecer. Recorría el sendero lentamente, procurando no hacer ruido, cuando el murmullo de las voces le puso de nuevo en guardia. Martín tuvo la impresión de
15 que un rebaño de animales asustados acechaba en la espesura la proximidad del cazador.

Oculto entre unas matas de retama, abarcó la ladera con una ojeada circular. Pero no pudo descubrir sino el revoleteo de unos pájaros que huían, como temiendo la repetición de aquel disparo.
20 Los vio volar, por grupos, con las alas desplegadas en lo alto, como pequeños acentos circunflejos.

Había dejado el fusil en la gruta y decidió ir a buscarlo. El silencio era demasiado profundo para ser ordinario: a Elósegui no le anunciaba nada bueno. Se disponía a volver sobre sus pasos,
25 maldiciendo su imprudencia, cuando distinguió la cabeza de un chiquillo entre las ramas de un madroño.

La cabeza, tiznada de pintura de colores, se había ocultado otra vez en la espesura, pero Elósegui se aproximó allí de un salto.

—¡Eh, tú, pequeño!
30 Descubrió al niño, encogido como un feto, y lo contempló con asombro. Como en un acceso de locura, había distribuido una caja de colores sobre la piel de su rostro: el azul, el verde, el ocre y el naranja convertían sus mejillas en un verdadero mapamundi: un grueso trazado negro encuadraba sus asustados ojos. Los labios
35 eran delgados y blancos.

—¿Puede saberse qué haces ahí escondido? —preguntó.

Estaba encogido a sus pies y temblaba como una hoja. Martín

---

⁶ **que no . . . debido** that did not go as it should
⁸ **las avanzadas** the advance groups
¹⁷ **abarcó . . . circular** he scanned the slope
²¹ ∧ is the circumflex accent.
²⁴ **volver sobre** to retrace

observó que llevaba una cartuchera sujeta a la cintura y, en el hombro, una mochila de soldado.

—¿No has oído un disparo hace un momento?

El niño hacía unas muecas horribles con su rostro pintarrajeado y pareció erizarse como un seto cuando Martín le puso una mano 5 sobre el cabello. A través del tizne que le circuía los ojos, se adivinaba el parpadeo de una lágrima.

—No he sido yo—balbuceó—. Se lo juro.

Parecía verdaderamente aterrorizado y comenzó a debatirse lleno de furia. 10

—Yo no he hecho nada. Suélteme usted.

Elósegui le dejó escapar. Era uno de los niños de la escuela, no recordaba quién. Hubiera deseado preguntarle por qué no se había marchado con sus restantes camaradas, pero consideró imposible obtener de él informe alguno. 15

El niño huía gesticulando lo mismo que un diablo y, antes de sumergirse en la espesura, se detuvo y le arrojó un objeto negro. Elósegui se echó al suelo sin respirar.

Conocía muy bien *aquello:* la tensión de los músculos que se agarrotan; el vacío que precede a la explosión del artefacto. Una 20 marea blanda, pegajosa, impregnaba por completo sus sentidos.

Permaneció así, tumbado, sin atreverse a mover un dedo. Se había cubierto el cráneo con las mangas y el reloj deletreaba los segundos al lado de su oído. Contó ciento. Luego cincuenta. Al fin se incorporó, apoyándose en un codo, y dirigió al objeto oscuro 25 una breve ojeada.

La granada, de fabricación checoslovaca, estaba a cinco metros escasos de distancia. El niño había olvidado quitarle la anilla y aquel descuido le había salvado.

Un sudor frío le cubrió instantáneamente el cuerpo. Se sentía 30 yerto, atontado: era como si sus articulaciones y sus vísceras se hubiesen vuelto de goma.

—¡Condenado chiquillo!

Tenía las manos arañadas y la nariz le sangraba ligeramente. Contempló de nuevo la bomba inofensiva y el lugar por donde el 35 niño se había escapado; la escena era absurda, increíble. Carecía de toda lógica.

En primer lugar, los niños habían sido evacuados. En segundo lugar, ni el disparo ni la huida ni el ademán de arrojarle la granada

---

⁷ **el parpadeo de una lágrima**   a tear being blinked away
³¹ **se hubiesen . . . goma**   had turned to rubber

6

tenían razón de ser. La totalidad de los chiquillos le conocían desde hacía mucho tiempo. Más de una vez los había llevado al pueblo, subidos en la trasera del camión, y algunas tardes repartía entre ellos los chuscos sobrantes del Cuerpo de Intendencia. Pero diríase
5 que el clima de irrealidad que desde hacía unas horas flotaba en el ambiente justificase por sí solo cualquier extravagancia.

A pocos metros de allí descubrió una caja de cartuchos con el precinto levantado. Martín hincó una rodilla en el suelo y olfateó: el lugar despedía un tufillo de pólvora quemada. Un rectángulo de
10 papel, escrito con lápiz, rezaba: «La ejecución será a las diez.» Buscó en torno suyo alguna aclaración a aquel billete, pero no reparó en nada importante.

Estaba aún de rodillas, con el mensaje sobre la palma de la mano, cuando le dispararon por detrás. Esta vez no cabía la menor duda:
15 la bala había rebotado a escasos metros e, indudablemente, el tirador había fallado el blanco.

Al cabo de un segundo, y antes de que tuviese tiempo de comprender lo que pasaba, un silbido muy fuerte, repetido varias veces por el eco, desencadenó una tempestad de voces, de gritos y de pasos.
20 El vendaval parecía desplegarse en forma de abanico. Los niños saltaban como colegiales a la salida de las aulas, imitaban aullidos de animales y ensordecían el bosque con sus gritos.

Martín creyó vivir un asalto de los indios al campamento, como lo había visto algunas veces en el cine, pero ahora los gritos parecían
25 alejarse. Los oyó aún, lejanos y vergonzosos, dispersándose en todas direcciones. En seguida fue como si nada de aquello hubiese ocurrido y la tierra los hubiese devorado.

El bosque estaba tranquilo de nuevo. El sol, que se filtraba a través de la enramada, circundaba los objetos de luces y sombra.
30 Los pájaros se posaban sobre la copa de los alcornoques y Elósegui les oyó cantar un buen trecho antes de incorporarse.

Eran las diez y media en punto cuando la explosión de dinamita le anunció que la retaguardia había volado el puente. Martín vio unas nubecillas de humo que se elevaban en forma de copos ameren-
35 gados diluirse en el firmamento azul y luminoso. Luego, el tableteo de las ametralladoras al otro lado del barranco señaló la llegada de las avanzadillas. Estaba, por lo tanto, en tierra de nadie.

De nuevo adivinaba en el terreno los signos manifiestos de una huida: hierba pisoteada, huellas de talones, y otro papel con la con-

---

[1] **tenían razón de ser**   had any logical basis
[3] **subidos en**   riding on
[10] **Buscó en torno suyo**   he looked around for
[37] **tierra de nadie**   no man's land

signa: «La ejecución será a las diez.» Su llegada había desbaratado algo y, a causa de ello, le habían disparado por la espalda.

* * *

Fue entonces cuando descubrió la mancha oscura de un traje y apenas pudo evitar un respingo. El cuerpo estaba allí, a veinte metros escasos de distancia, y le pareció incomprensible no haberlo 5 visto antes. Desde el primer momento lo había reconocido por el cabello inconfundible y, por un instante creyó que el corazón se le paraba. Abel estaba boca arriba, tendido cuan largo era, lo mismo que si se hallara sumido en profundo sueño. Tenía los brazos extendidos, siguiendo la línea del cuerpo, y alguien le había colocado 10 un ramo de amapolas encima del jersey. En la sien derecha tenía un agujero del tamaño de un garbanzo, por el que brotaba aún la sangre.

Elósegui le tomó por los hombros y lo incorporó para auscultarle. Sabía que estaba muerto, pero no comprendía aún. Veinticuatro 15 horas antes le había visto lleno de vida. Correteaba con los chiquillos refugiados, por las cercanías del cañizal, y le acompañó rambla arriba. Ahora, por alguna causa que ignoraba, Abel había muerto. Alguien le había asesinado.

«¡Gran Dios, si apenas tiene doce años!» Quería comprender a 20 toda costa y le estrujaba la mano entre las suyas. Espiaba los rastros de la muerte en su semblante y apenas lograba convencerse. La cara no presentaba señales de crispación. Únicamente la herida de la sien.

A su alrededor, los asesinos habían arrojado bolitas de papel, 25 con la sentencia escrita con lápiz. Elósegui recogió el ramo de amapolas y volvió a colocarlo igual que estaba antes. ¡Canallas! ¡Partida de canallas! En la mano izquierda le habían puesto una flor roja, que el muerto sostenía en actitud angelical. En la otra había un mensaje: DIOS NUNCA MUERE, escrito también con lápiz, aunque 30 con letra diferente a la del autor de la sentencia. Sobre el improvisado lecho de hojas secas, Abel parecía un muñeco frío y delicado. A excepción de la sangre que brotaba de la sien, ni siquiera presentaba señal de estar herido. Tenía el semblante pálido, muy pálido, y el cabello desmelenado y rubio. 35

El bosque estaba ahora más tranquilo que nunca. Los combatientes se habían olvidado en apariencia del torrente de *El Paraíso*. Una calma mágica, tejida por mil hilos diferentes, anudaba a Martín, al muerto, a los niños verdugos ocultos en la sombra, y aquel apretado haz de pruebas delictivas que iba, desde el rostro pintarrajeado del 40

---

[8] **tendido cuan largo era**   completely stretched out

chiquillo al antifaz de seda que yacía olvidado al pie del árbol, en una trama más fina que cualquier tela de araña. El menor movimiento — el simple hecho de ocultarse el sol tras una nube — hubiera bastado para romper el frágil mecanismo y provocar el horror de
5 la catástrofe.

* * *

Las ametralladoras volvieron a actuar junto a la carretera. Por el sonido, Elósegui calculó que habían llegado al puente y tiraban sobre los últimos rezagados a los que la voladura había impedido huir. El tableteo duró escasamente dos minutos. Después, las
10 explosiones se repitieron en la aldea abandonada. Los republicanos destruían el Centro de Intendencia antes de emprender la huida, y Martín imaginó a los vecinos, agazapados en el interior de sus viviendas: por las mirillas observaban la caravana de fugitivos y de presos, cuyo paso se anunciaba por una estela de excrementos,
15 piojos, miseria, calderos de lentejas y escudillas de rancho abandonadas; tal vez preparaban en los sótanos improvisadas banderas nacionales y se disponían a celebrar ruidosamente el cese de la lucha.

Los niños vivían a su manera la atmósfera de fiesta que flotaba
20 en el ambiente y se entregaban a lo sangriento de sus juegos en medio de lo más duro del combate. La carretera dejaba a sus orillas un reguero de muerte: soldados ametrallados por los aviones, presos fusilados al borde del camino, desertores con una bala en la nuca. Los niños se movían entre ellos como peces en el agua, dando gritos
25 y órdenes guturales, absorbiendo los modos de los mayores, vistiéndose con los despojos de los muertos y acumulando en sus escondrijos los frutos de su juego.

También la guerra sembraba en su cortejo algunas flores: los chiquillos que robaban el camión de la Intendencia, jugaban a la
30 nieve con los sacos de azúcar; el gorro de un coronel, salpicado aún de sangre, cubría inmediatamente el cráneo del cabecilla. Los niños aspiraban a las condecoraciones más elevadas. Pasaban de contrabando a través de las líneas de combate, se adornaban con banderas de uno y otro ejército. Diminutos Gulliveres en el país
35 de los gigantes, aprendían el mecanismo de las granadas, y mataban a los pájaros con cargas de dinamita.

Aquella mañana, pensó Martín, habían llegado a asesinar a un compañero. El cadáver del niño estaba allí y nadie llegaría a saber nunca la causa de su muerte. Consultó el reloj: las once menos

---

[3] **hubiera bastado** would have been enough
[32] **Pasaban . . . combate** They sneaked through the battlelines

diez. Acababa de pararse hacía unos segundos y le dio cuerda. Quería marcharse de allí y no quería. Inspeccionó en torno desorientado.

* * *

Tenía entre sus manos el mensaje DIOS NUNCA MUERE y lo leyó tratando de descifrar su sentido. Los dedos de Abel lo oprimían 5 con gran fuerza como si hubiese sido el recurso al que, en el momento de su muerte, había intentado aferrarse. ¿Quién lo había escrito? ¿El asesino? ¿Un alma caritativa? ¿El mismo Abel? . . . Elósegui expulsó los fantasmas fuera de su mente. Una lasitud inmensa oprimía su cráneo como un casquete de acero. 10

Tomó el cuerpo del niño entre los brazos y bajó por el sendero que llevaba a la escuela. Era una pendiente suave y Martín aceleró la velocidad de sus pisadas. En el bosque, reinaba de nuevo el silencio. Los niños habían abandonado el lugar, asustados por lo irreparable de su crimen. Su griterío de hacía unos minutos había 15 sido, tal vez, una forma de combatir el pánico que se instalaba en ellos y, al gesticular como diablos, lo habían hecho con la esperanza de metamorfosearse en otros seres.

Al llegar a un recodo donde el atajo desembocaba en un camino de carro, Elósegui se detuvo en seco detrás de unos arbustos de 20 madroños.

Dos mujeres de avanzada edad, vestidas de modo grotesco, se encaminaban en dirección a la carretera envueltas en una gigantesca bandera roja y gualda.

Martín descubrió, lleno de asombro, que caminaban dándose 25 empellones, forcejeando tozudamente por poseerla.

—Te repito que la entrego yo—decía la de la izquierda—. La bandera es únicamente mía y no tienes siquiera el derecho de tocarla.

Vestía un abrigo de lentejuela color lila, que le llegaba hasta los tobillos y que parecía no haber sido usado desde hacía muchos 30 años.

—¿Tuya?—exclamó la otra—. ¿Desde cuándo este retal ha sido tuyo? Es mío y bien mío, y tú lo sacaste del armario.

—Pero yo tuve la idea de hacer una bandera—grito la primera—. Cuando te pedí la tela, no sabías siquiera para qué la necesitaba. 35

—Lo pregunté y no quisiste decírmelo.

—Mientes. Te lo dije, pero no me oirías. Con tu sordera . . .

---

2 **Inspeccionó en torno desorientado.** He gazed around him in a disorientated manner.
6 **el recurso** the last resort
18 **metamorfosearse** to transform themselves

—Una egoísta. Eso es lo que eres. Una egoísta. El trabajo para los otros y los laureles para ti . . .

Estaba a punto de estallar en sollozos y avanzaba a saltitos, tropezando, como una avecilla caída de su nido.

5 —Óyeme bien, Lucía. Ésta es la última vez que te lo pido. Déjame llevar esa bandera . . .

—Te repito que la bandera es mía —repuso su hermana—. Yo puse idea y el trabajo. Deberías darme las gracias por permitirte que vayas detrás de mí, en lugar de lloriquear como ahora haces. 10 Otra persona menos tonta que yo te hubiese obligado a quedarte en casa.

La mujer del abrigo color lila se aferró a la bandera con aire dramático.

—Pues no lo conseguirás. Te juro que no lo conseguirás. Hace 15 treinta años que soy esclava tuya, pero estoy harta de que me trates igual que a una sirvienta. Me manifestaré. Hablaré con el general hasta conseguir que se haga justicia. Le contaré todo: tus ideas políticas, la forma en que siempre me has tratado . . .

Lucía, con el rostro lívido, se había detenido en medio del 20 camino, a escasos metros de Elósegui, envuelta en los pliegues de la bandera.

—Mientes —exclamó—. Todo cuanto dices es absolutamente falso. Eres mi hermana y te prohibo que hables de ese modo.

—Pues hablaré —percibió Martín—, hablaré, hablaré y hablaré. 25 Iré directa al general y le contaré lo egoísta que has sido y lo amiga que fuiste de los radicales. Le diré que cantaste para ellos y lograré que te detengan. Te enviarán a la cárcel. ¿Me oyes? Te expulsarán del país como a un perro . . .

Estaba congestionada por el esfuerzo y las últimas palabras se le 30 escaparon en un hilillo de voz. Encasquetada bajo un inmenso sombrero de ala ancha, parecía un pájaro oscuro, un grajo extraño.

—¡Embustera! —dijo Lucía—. Todo lo que dices es absolutamente falso. Me defenderé si es preciso. Pagaré los mejores abogados . . .

Comenzaron a forcejear como chiquillas, tirando cada una por su 35 lado.

—Suelta.

—No quiero.

—Te digo que la dejes.

—Nunca.

---

[29] **se le . . . voz**   were barely audible
[34] **tirando . . . lado**   playing at tug of war
[36] **Suelta.**   Let go!

La hermana de Lucía estaba llorando y concluyó la respuesta como un hipo. Ante la enérgica actitud de su rival, todo su aplomo se había desvanecido y se deshizo en un mar de lágrimas. Mientras Lucía proseguía su camino, corrió tras ella sollozante:

—Te lo suplico, Lucía. Por una vez en la vida trata de ser buena. 5 Déjame llevarla por uno de los lados. Tú la llevarás por el otro y hablarás al general. Yo estaré allí sin decir absolutamente nada. El éxito será sólo tuyo . . .

La escena había durado apenas dos minutos, pero a Elósegui le hizo el efecto de que se prolongaba casi años. Era como si, mila- 10 grosamente, el tiempo se hubiera detenido para facilitar la contemplación de algún detalle cuyo valor se le ocultaba, inmovilizando al bosque entero, mientras las mujeres discutían.

* * *

El bosque perdía su espesura a medida que se aproximaba a la escuela y, a través de los claros, podía distinguirse la fachada, oculta 15 bajo un manto de yedra. En la entrada del llano donde aparcaban los vehículos, campeaba el rótulo del Socorro Rojo y la bandera de la República ondeaba en el balcón del centro. Martín acechó desde el camino el semblante dormido de la casa; las mimosas estallaban amarillas bajo el pórtico y el sol arrancaba guiños malignos a los 20 vidrios esparcidos en el sendero de cascajo. La puerta de roble continuaba entreabierta, tal como la habían dejado los soldados horas antes, y el grifo de la pila manaba a pleno chorro, sin que nadie se preocupase de cerrarlo.

Nunca como en aquel momento había experimentado tanta 25 sensación de soledad. La escuela estaba vacía, muerta. Ningún ser viviente, aparte los pájaros, parecía habitar a muchos kilómetros de distancia. Elósegui se desvió por el sendero de la izquierda, que llevaba al palomar y a las cocheras. Empujó la puerta de tela metálica, que no opuso resistencia, y, con el cuerpo de Abel acurrucado contra 30 el pecho, atravesó la cocina y el pasillo.

A través de oleadas de luz rubia que se filtraban por la puerta delantera, alcanzó la sala de visitas. Allí extendió el cuerpo del niño encima del sofá. Sus miembros comenzaban a ponerse rígidos y tuvo que hacer un esfuerzo para estirarle las piernas y los brazos. 35 Volvió a colocarle el ramo de amapolas del mismo modo que lo había encontrado y le enlazó las manos sobre el pecho, en actitud de plegaria.

---

[17] **Socorro Rojo** Red Cross
[20] **arrancaba . . . cascajo** was sparkling on the pieces of glass scattered on the gravel path

La casa olía a húmedo, a aliento. La ausencia de los gritos a que el bullicio de los niños le había acostumbrado, sonaba en sus oídos peor que una descarga. Fuera, el sol brillaba con entera indiferencia. Martín contempló sus rayos, cebrados, a través de las persianas, la
5 alfombra llena de peladuras. Las paredes estaban cubiertas de propaganda política. En el perchero colgaba una máscara antigás. El día anterior las chiquillos habían pillado un alijo abandonado y habían corrido por el bosque disfrazados de tapires y de elefantes, inventando juegos terribles, con los rostros cubiertos por las máscaras
10 de caucho y empleando sus trompas como arma de combate.

Sobre la mesa había una cajetilla de tabaco, olvidada por algún soldado. Martín vació un puñadito sobre la palma de la mano y lió parsimoniosamente un cigarrillo. Aguardaba. Todo su cuerpo estaba tenso por la espera. Oía el tictac del reloj en el vestíbulo y
15 miraba por reflejo el suyo propio: las once y media tan sólo. La vanguardia debía de haber rebasado ya el puente, bordeando las colinas de algarrobos. El pueblo distaba en línea recta poco más de seis kilómetros y caería tal vez a primera hora de la tarde.

Permanecía entregado a estas reflexiones cuando el zumbido de
20 un motor en el camino le llenó de sobresalto. Instantáneamente se puso de pie y miró por entre las tablillas de la persiana; un coche descubierto, con ametralladoras y soldados, avanzaba con lentitud hacia la escuela. Era un modelo alemán anticuado, cubierto de polvo, con una abolladura en el guardabarro. Al pasar junto al cartel
25 anunciador del Socorro, uno de los soldados, riendo, vació los cartuchos de su cargador.

—Como una espumadera—le oyó decir.

Elósegui se separó de la ventana y de puntillas alcanzó el vestíbulo. Allí, escondido detrás de la puerta, aguardó que el coche
30 frenara. Oía hablar a los soldados, hacer chistes, reír. El automóvil había amenguado la marcha; el motor trepidaba a escasos metros de distancia. Después percibió el crujido de las botas de campaña al saltar sobre la grava.

«Ahora», pensó.
35 Atravesó el vestíbulo desierto y salió afuera, a la luz, con los brazos en alto.

La súbita irrupción de Elósegui bajo el dintel de la puerta produjo un instante de confusión. El soldado que iba delante, temiéndose una emboscada, se pegó a la pared del edificio. Los otros saltaron
40 del automóvil con la celeridad del rayo y se desplegaron en forma de abanico después de amartillar sus armas.

—No teman—dijo Martín—. No hay ningún otro.

---

[25] **Socorro**   i.e., the Red Cross

Hablaba con voz tranquila, sin bajar las manos, y sus palabras tuvieron el efecto de devolver la calma a todos.

—La escuela está vacía—repitió—. Hace más de seis horas que sus habitantes la evacuaron.

Se oía el zumbido de un motor. Los ojos de todos se volvieron 5 hacia el camino por donde el sargento llegaba en motocicleta.

Martín le contempló con atención mientras frenaba; el suboficial era un hombre pequeño, de piel como de terracota, con un bigote rubio cortado en forma de cepillo y unos ojos brillantes y taimados. Al descender de la motocicleta, dirigió una mirada al balcón en que 10 ondeaba la bandera republicana, y se sacó del bolsillo un mechero de campaña con el que prendió la colilla extinguida que sostenía entre los labios.

—¿Han encontrado a los pequeños? —preguntó.

Hablaba con voz átona, inexpresiva, con el rostro envuelto entre 15 las delgadas volutas de cigarrillo que humeaba entre sus dedos.

—Están por ahí, sueltos—repuso Martín—. Esta mañana el suboficial de la batería me dijo que esperaba un camión para llevárselos; pero, por lo visto, no se ha presentado.

El sol le daba en plena cara y le obligaba a parpadear. El sargento 20 se aproximó con desgana y comenzó a cachearle.

—No llevo nada—dijo Elósegui.

Se dejó registrar pacientemente, sin apartar la mirada del sargento.

—Está bien. Baja las manos.

Martín las hundió en lo hondo de los bolsillos con ademán de 25 estudiada tranquilidad.

El pequeño grupo se había apretado en torno suyo, excepto el chófer, que continuaba todavía al volante.

—Mis compañeros salieron a las ocho—explicó Elósegui—. Hemos pasado la noche en vela. El suboficial quería llevarnos a 30 todos, pero yo me aparté de ellos al amanecer. Me quedé en el bosque, camuflado . . .

—¿Cuántos eran?—preguntó el sargento.

—Siete. Ocho con el suboficial. Todos pertenecíamos a la misma batería. 35

—¿Y los otros? ¿Se fueron?

—Eso creo. A menos que se hayan escondido también. En este caso, no creo que anden lejos.

El sargento restregaba nerviosamente las guías de su bigote.

—¿Estabais encargados de la vigilancia de los niños? 40

Martín vaciló antes de hablar: la mayoría de los chiquillos re-

---

20 **El sol . . . cara**   The sun was shining directly in his face
39 **restregaba . . . bigote**   nervously stroked his moustache

fugiados procedían de Irún, de Fuenterrabía o de San Sebastián, con su acento vascongado, el sargento podía muy bien ser familiar de alguno de ellos.

—No—dijo al fin—. Yo era el primer tirador de la guarnición. 5 Hace más de año y medio que me mandaron aquí, para instruir a los reclutas, y no me he movido del valle.

—¿Quién vigilaba a los chiquillos? —preguntó entonces.

—Los del Socorro pusieron un profesor al frente de la escuela— repuso Martín—. Pero no sé dónde diablos puede estar metido.

10 —¿Dices que los niños andan sueltos?

—Sí, mi sargento. No hace aún una hora los vi correr por ahí.

—¿En qué dirección marchaban?

* * *

—Hacia el norte.

—Deberían enviar una patrulla—dijo un cabo—. El terreno está 15 sembrado de granadas y podría ocurrir una desgracia.

—Ve tú mismo a pedir instrucciones al teniente—repuso el sargento—. Vosotros, entretanto—ordenó a los soldados—registrad a conciencia los rincones de la casa. Puesto que los mandos pasarán ahí la noche, será mejor que empecéis a hacer las habitaciones. En 20 cuanto a ti—dijo a Elósegui—, acompáñame: tengo que hablarte.

Le tomó por el brazo y lo llevó a un banco de madera. A escasos metros de ellos el grifo de la pila continuaba abierto a chorro y salpicaba la acera de ladrillos que rodeaba la casa.

El sargento sacó de su camisa una petaca de cuero y ofreció tabaco 25 a Elósegui.

—¿Quieres?

—Muchas gracias.

Le tendió el fuego, que el otro protegió con las manos.

Durante unos segundos los dos hombres fumaron en silencio.

30 —Hay un niño muerto ahí dentro—dijo Martín de pronto—. Yo mismo lo encontré en el bosque, esta mañana.

Se había vuelto para mirar a su compañero y descubrió que tenía las venas hinchadas.

—¿Un niño . . . muerto? —preguntó.

35 Martín dejó caer sobre el pantalón la ceniza del cigarrillo.

—Sí, asesinado, ejecutado . . . No sé encontrar el término. Tal vez lo explique el diccionario . . .

Le miraba a los ojos en demanda de ayuda, pero el hombre parecía no escucharle.

—¿Le conoces? —dijo con voz ronca.

Elósegui echó atrás con un movimiento de cabeza el mechón de cabellos que le caía por la frente. 5

—Se llamaba Abel —repuso— y era amigo de los niños refugiados. Vivía en la finca de ahí enfrente, con una tía suya.

El otro permaneció unos segundos en silencio, respirando.

—Yo —balbuceó— soy el padre de uno de ellos; de Santos, Emilio Santos . . . 10

Había desviado la cabeza hacia los macizos de geranios, como si temiera mirarle a la cara.

—Un niño rubio, de ojos castaños, con una gran cicatriz en la pierna. Al andar cojea un poco . . . Su madre recibió una postal de la Cruz Roja diciendo que estaba aquí, en la escuela. 15

Martín hizo un infructuoso esfuerzo de memoria: un niño rubio, con una cicatriz en la pierna . . . Había un niño inválido, pero éste era moreno.

—No logro recordar en este momento —dijo—; pero, no tiene nada de particular. Conozco a algunos de ellos por el nombre, pero 20 no a todos.

—Es de Eibar —dijo el sargento— y tiene ahora cerca de once años. Ocho tenía cuando se escapó de casa; habían muerto los padres de un amigo suyo y se fue con él, fingiendo que era hermano . . .

—En el despacho debe de haber una lista con los nombres de 25 todos. Si usted quiere, puedo indicarle el sitio en que la maestra solía guardarla.

Se disponía a levantarse, pero el otro continuó inmóvil, como clavado en el banco.

—Luego nos enteramos de que al amigo lo habían llevado a 30 Francia. Mi mujer tenía una comunicación de la Cruz Roja diciendo que Emilio vivía en esta escuela, pero estaba fechada dos meses antes que la anterior y a veces creo que el niño también debe de estar fuera . . .

Por la puerta acababa de aparecer la rapada cabeza de uno de los 35 soldados, que se precipitó al encuentro de ellos, pálido y sin aliento.

—Mi sargento, mi sargento —exclamó—. Hay un niño muerto en la sala, con una herida en la sien.

Lo dijo de modo dramático, acompañándose de ademanes con los brazos, y pareció muy sorprendido ante el semblante tranquilo 40 de los dos hombres.

---

16 **Martín . . . memoria** Martin made a vain effort to remember

—Lo sabemos, muchacho, lo sabemos—dijo Santos—. Ve adentro y continúa registrando.

El soldado le miró como alelado y regresó a regañadientes a la escuela.

5   Hubo un instante de silencio. El sargento contemplaba los reflejos del sol sobre las gotas de agua, mientras sacudía la ceniza del cigarro con los dedos.

—Está bien—dijo de pronto—. Si conoces donde está esa lista, ve a buscarla. Cuando llegue el alférez, ya tendremos ocasión de 10 ocuparnos del pequeño.

Martín arrojó a la pila la colilla del cigarro y, antes de entrar en la casa, dirigió una mirada al banco, donde el sargento, con la mano apoyada en la barbilla, le aguardaba.

«Me llamo Elósegui—pensaba—, soy proveedor de batería, y hace 15 veinte minutos acabo de constituirme prisionero». Sintió que una gran carcajada ascendía dentro de él.

Hacia la carretera, cada vez más lejano, se oía el tableteo de las ametralladoras.

El alférez Fenosa llevaba gorra de plato y una estrella reluciente 20 en las hombreras. Se había sentado delante de él, en la silla de madera giratoria y tabaleaba en el cartapacio con frecuencia obsesiva. A menudo cambiaba la dirección de la butaca, ora a derecha ora a izquierda; tenía una cicatriz rosada a todo lo largo del cuello y a Elósegui le asaltó la sospecha de que el movimiento estaba destinado 25 a atraer la atención sobre la misma.

El alférez Fenosa, le había dicho un soldado, estaba aquella mañana de humor excelente. Recién obtenida la estrella a los diecinueve años, hacía tan sólo unas semanas que participaba en la lucha a las órdenes del capitán Bermúdez y, como todos los jóvenes 30 de esa edad, dotados de temperamento entusiasta, le asaltaba el temor de que la guerra acabase en seguida. La huida desordenada de los republicanos y la falta de combatividad de que daban muestra le había producido verdadero desencanto. La victoria, que para los otros había sido el resultado de una lucha y de un esfuerzo constante 35 mantenido a lo largo de más de treinta meses de campaña, le parecía a él un donativo servido en bandeja de plata.

Su egoísmo le hacía soñar en contraofensivas, luchas cuerpo a cuerpo, victorias difícilmente conseguidas a través de barrancos

---

[20] **silla de madera giratoria**   wooden swivel chair

batidos por morteros, cráteres de obuses, alambradas. Su afán de hacerse perdonar por los otros, los veteranos, su juventud e inexperiencia, le llevaba a reclamar para sí los servicios difíciles y los puestos de peligro. Era el hombre de los golpes de mano. Según le había dicho su asistente, no vacilaba en adelantarse a la retaguardia 5 fugitiva para hostigarla con su fuego de sorpresa desde todos los puntos imaginables.

* * *

Con la mirada dura de sus ojos miopes, recorrió el jardín ornado de geranios y de adelfas. Una atmósfera quieta, mágica, parecía suspender milagrosamente todo el valle por encima de la desolación 10 y de la guerra. El sol bañaba el jardín en que estaban aparcados los automóviles, la yedra que cubría la fachada y la pila de la fuente.

El alférez se detuvo unos momentos, poseído también por el ambiente de pereza que, con la complicidad de todos los elementos, se fraguaba. Pero se detuvo a tiempo; apoyado en la ventana, con 15 las manos hundidas en los bolsillos, Elósegui fumaba con gesto indolente. Fenosa se volvió hacia uno de los soldados y apuntó a Martín con el dedo:

—¿Pueden decirme quién es ése?

El sargento se adelantó a la respuesta del soldado a quien el 20 alférez había dirigido la pregunta.

—Se llama Martín Elósegui, mi alférez. Era proveedor de la batería de costa y no siguió a los demás en la retirada. Nos esperaba en la puerta cuando llegamos.

El alférez se volvió hacia Elósegui y lo analizó con aire clínico. 25

—¿Prisionero?

—Sí, mi alférez.

La carencia de gorro le dispensaba de la obligación de saludar. Fenosa se volvió hacia Santos lleno de ira:

—¿Puede decirme qué hace ese prisionero charlando con ustedes? 30

Bajo las espesas cejas rubias, los ojos del sargento brillaban, azules y mansos.

—Estábamos justamente interrogándole cuando usted llegó, mi alférez. Era el encargado del abastecimiento de la escuela de niños refugiados y nos estaba informando acerca de ella. 35

El alférez Fenosa había respondido con citas de las Ordenanzas que, según le dijo el soldado, constituían su libro de cabecera. Luego envió a Elósegui a una habitación del piso alto. Su asistente iba detrás de él, con la bayoneta calada y la obligación de mantenerse

---

[9] **parecía . . . guerra**   seemed to shield magically the whole valley from the desolation of war

18

a metro y medio de distancia. Fue allí donde el soldado le informó más largamente acerca del alférez; durante la media hora que duró aquel encierro, no dejó de charlar. Tenía los bolsillos llenos de paquetes de tabaco y regaló uno a Elósegui.

5 La guerra, dijo en síntesis, no había estado del todo mal: gracias a ella, él, un simple labriego, había adquirido experiencia, y tampoco podía decirse que no hubiera pasado durante su transcurso algunos buenos, inolvidables ratos. Claro está, había muchas cosas fastidiosas, como ésa de las pulgas, pero si uno no tenía remilgos y le tocaba
10 en suerte un hombre bueno, como el alférez Fenosa, todo se hacía soportable. Ahora, sin embargo, deseaba que la guerra terminase para volver a la choza con su mujer, y hacerle un precioso niño: «¿No es ridículo eso de llevar más de dos años de casado y no tener ninguno?» Luego, cuando el alférez mandó a buscarle, volvió a calarse
15 la bayoneta y lo escoltó hasta el despacho.

Hacía veinte minutos que Elósegui estaba allí, intentando responder a las preguntas de modo coherente. Aquella mañana, en virtud de un azar extraño, la empresa resultaba extraordinariamente difícil. Se sentía aturdido, inerte. La vecindad del frente, los fugitivos—
20 ¿huir de qué, de quién?—, la voladura de los fortines, la noche en blanco, su ocultamiento y su entrega se encadenaban obedeciendo a las reglas de una lógica que aún no comprendía.

Por la abierta ventana, el sol daba de cara y Elósegui sentía su cosquilleo cálido en el rostro. El alférez estaba sentado frente a él
25 y le hacía preguntas con voz tranquila. Nombre. Edad. Profesión civil. Regimiento a que pertenecía. Lugares donde había luchado. Martín respondía mecánicamente: Elósegui, veintiséis años, soltero, estudiante. Regimiento cuarto, Aragón, Andalucía, Albacete, ninguna herida, un año de retaguardia en aquel valle. Miraba la hoja
30 del calendario que colgaba de la pared, a unos palmos escasos de la cabeza del alférez: seis de febrero. El reflejo del sol le quemaba las mejillas y sintió las gotas de sudor amontonársele en las cejas. Fenosa cambiaba a cada instante la orientación de la silla y las preguntas brotaban de sus labios como impactos: organización de la
35 escuela, alumnos con que contaba, edades, regiones de donde provenían, detalles.

Martín le había contado en pocas palabras lo sucedido aquella

---

9 **y le . . . bueno** and when he was fortunate to get a good man
12 **hacerle . . . niño** to give her a pretty child
13 **llevar . . . casado** to be married more than two years
20 **la noche en blanco** the sleepless night
23 **el sol . . . cara** the sun shone on his face
30 **a unos palmos escasos** some scant inches from

mañana, pero el alférez se mostraba deseoso de saber. Preguntó cómo los niños se habían hecho cargo del arma, le interrogó acerca de Abel y de su parentesco con la dama propietaria. Elósegui dijo que era su tía abuela y que estaba algo mal de la cabeza. Entonces quiso saber si los niños habían manifestado alguna vez su propósito de 5 matarle. Martín dijo: «No, mi alférez.» Explicaciones. Ninguna; no se lo explicaba en absoluto. Lo conocía desde . . . El alférez tabaleaba sobre el cartapacio forrado de seda y Elósegui tuvo que hacer un esfuerzo para no cerrar los ojos; el reverbero del sol sobre el vidrio que cubría la mesa le cegaba. Miró por la ventana al jardín 10 quieto, como dormido a la sombra de los árboles, que tatuaban el suelo de arabescos, de luces y sombras.

Fue una mañana como aquella, templada, suave y luminosa. Lo recordaba bien. Era a mediados de marzo y los prados comenzaban a engalanarse de florecillas de colores. Habían detenido el camión 15 junto a un bosque de pinos y se tumbaron en la hierba, boca arriba, sirviéndose de los sacos de Intendencia a guisa de almohadas. Los árboles de la carretera, esquemáticos, radiografiados, desplegaban en el cielo, azul e inmóvil, su armazón de troncos y ramillas, tan complicado y frágil como el sistema de arterias que reproducen las 20 láminas de los libros de Ciencias. Frente a ellos, un cartel de propaganda que el Gobierno distribuía por las ciudades, aldeas y caminos, con un individuo durmiendo a pierna suelta, ornado con la leyenda: UN VAGO ES UN FACCIOSO. Martín lo contemplaba con aire adormilado. A su derecha, Jordi jugaba con un puñado de arena, dejando 25 deslizar entre los dedos unos granos.

—¿No crees que es tarde ya?

Martín le vio agitarse con inquietud, como siempre que algo le impacientaba, pero no sintió ningún deseo de moverse: el sol le lamía los párpados entornados y un sopor suave se adueñaba de 30 todos sus miembros.

—Son más de las once.

Pero Elósegui pensaba: «El descanso es el lujo de los pobres.» Allí, en el ejército, todos eran pobres, miserables soldados. Se llevó la mano a la boca y ahogó un ruidoso bostezo. 35

—La vida debería ser siempre así: el sol, un buen lecho de hierbas y un tiempo infinito de descanso. ¡Ah! Y una mujer al lado, también. No para nada, entiéndeme. Sino sentirla ahí, acurrucada

---

²³ **durmiendo a pierna suelta** sleeping soundly

contra uno y saber que basta alargar la mano para tocarla y que tiene pereza y se duerme . . . Entonces es maravilloso ver como los otros trabajan y se afanan. Los imagino por las calles, apresurándose, con sus grandes carteras bajo el brazo y unas gafas de lente gruesa para
5 ver mejor. Tienen miedo de todo: de los relojes, del calendario, de que las puertas de los metros se les cierren delante de las narices . . . Pensar en ellos me ayuda a descansar. Me hace apreciar el valor de momentos como éste: el sol llenándote de estrellitas los ojos, saber que otros trabajan y tú sentirte echar raíces en el suelo; alargar la
10 mano y tocar a tu mujercita. Saber que continúa allí y que te da besos de pereza y que también tiene sueño y . . .

Entreabrió el ojo izquierdo y arriesgó una mirada lateral en dirección a su compañero: Jordi continuaba jugando al reloj de arena con las manos y removió el cuerpo con impaciencia mal oculta.
15 —¡Valiente abogado vas a ser tú!—dijo con aire de reproche—. Oye, si tienes ganas de hablar, cuéntale todo eso a Dora cuando volvamos. Ahora son más de las once y nos esperan en Intendencia.

* * *

Se encaminaron hacia la carretera. A pesar de su gordura, Jordi tenía los huesos muy frágiles, y se torcía los tobillos continuamente.
20 Elósegui, que iba delante, con las manos en los bolsillos, se volvía de vez en cuando para mirarle mientras corría por el campo, a pequeños brincos, con su semblante de globo hinchado, rojo por el esfuerzo. «Esas dichosas botas», decía. Aguardó que se acomodara en el asiento y puso en marcha el motor.

* * *

25 La aldea estaba despoblada de hombres jóvenes: la guerra se los llevaba a todos y devolvía algunos huesos. Apretando la bocina de goma negra, se adelantaba por las calles blanqueadas y desiertas hasta el edificio de Intendencia. Allí recogía los chuscos del ejército para la batería y la escuela de los niños. Jordi era el encargado de
30 contarlos y de pasar algunos de matute cuando el furriel no miraba. Él, entretanto, se encaminaba a la fonda en que paraban los autocares de Palamós y de Gerona, con los escasos viajeros de costumbre y el saco de correspondencia.

* * *

En la fonda le aguardaba una tarea molesta: escoger las cartas;
35 había, en primer lugar, las destinadas a sus compañeros de batería las cuales guardaba en el bolsillo izquierdo; luego las de los profesores

---

[23] **"Esas dichosas botas"**   Those darned boots

y niños de la escuela, que ponía en el bolsillo derecho; y hasta, a veces, las dirigidas a alguno de los vecinos (éstas las guardaba en cualquier otro bolsillo). Los propietarios de *El Paraíso* recibían de vez en cuando algunas con matasellos extranjeros y Filomena, la sirvienta, solía dejar sus respuestas en la escuela, con el importe 5 exacto del sello de correos.

Un día que habían olvidado deslizar la lengua sobre la goma del sobre, Elósegui no resistió la tentación de leer la carta. Estaba dirigida a una muchacha llamada Wencke por un tal Román o Romano, y contenía afirmaciones tan peregrinas como ésta, que se la había 10 grabado en la memoria:

Me hablas del bloqueo y de la guerra, pero, por mucho que me esfuerce, no logro comprender tu extrañeza. ¿Qué importa que los hombres luchen y mueran cuando se lleva una vida interior rica? Yo continúo aquí, con mi madre, y nada de lo que no nos atañe a nosotros 15 me interesa. Por la noche, cuando titilan las estrellas, le oigo tocar el piano y siento ascender en mí como un inmenso amor hacia los seres.

Al llegar a la fonda, la encargada, que hacía las veces de cartero, le entregó, ya ordenado, el montón de cartas y, tomándole familiarmente del brazo, sonrió con gesto de misterio. 20
—Tiene usted un pasajero—dijo.

Le arrastró hasta la sala de visitas y señaló una mecedora con el dedo. La mecedora estaba ocupada por un niño de diez u once años, de cabello rubio y rostro afiligranado, vestido con una ridícula bata de colegio. Una caja de zapatos envuelta en una cinta de colores 25 constituía todo su equipaje. Al oir hablar a la mujer, se puso de pie de un salto y contempló a Elósegui con ojos azules y asustados.
—Ven, chico—dijo la mujer.

Hablaba con su voz más dulce, para infundirle confianza, y lo atrajo hacia sí con suavidad. 30
—¿Quieres decirle cómo te llamas?
—Me llamo Sorzano—repuso el niño—. Abel Sorzano, para servirle.
—Es huérfano—sopló la mujer a su oído—. A la madre la ametrallaron en Barcelona al principio de la guerra y su padre murió 35 cuando el *Baleares*.

---

⁷ **deslizar . . . sobre**   to lick the envelope
¹⁶ **le**   her
¹⁸ **que . . . cartero**   who was performing a postman's job
³⁶ **cuando el Baleares**   when the Baleares sank

—La señora me ha dicho que vive usted cerca de la finca *El Paraíso* y como es allí donde me dirijo, he pensado que tal vez podría hacerme un hueco . . .

—Claro que sí, pequeño, claro que sí—exclamó Martín—. Puedes
5 ir en el camión siempre que lo desees. Y puesto que vamos a ser vecinos, lo mejor que podemos hacer desde un principio es darnos la mano, ¿no te parece?

Oprimió una mano pequeña, helada. «Como la de un renacuajillo—pensó—, como la de una salamandra.»
10 —Encantado de conocerle, señor—dijo Abel.

—El gusto es mío, hombre; y, oye bien una cosa: no soy ningún señor. Llámame Martín. Martín a secas.

—También traigo conmigo un poco de equipaje—dijo señalando la caja de zapatos, que, al incorporarse de la mecedora, había dejado
15 en el suelo—, pero es pequeño y puedo llevarlo perfectamente encima de las rodillas.

—No te preocupes. Lo pondremos detrás. Tú irás conmigo en la cabina y hablaremos durante el trayecto.

Recogió el paquete de cartas que la mujer había dejado sobre la
20 mesa y apoyó la mano en el hombro del niño.

—Bien, cuando quieras . . . La camioneta está ahí, en la esquina, aguardándonos.

El niño cogió la caja de zapatos por un extremo de la cinta y tendió gentilmente la mano a la encargada.
25 —Muchas gracias por todo, señora. Ha sido usted muy amable conmigo.

Ella se inclinó hacia el muchacho y le estampó un sonoro beso en la mejilla.

—Adiós, rey. Espero que el señor Elósegui cumplirá su promesa
30 y te traerá en el camión alguna vez, por las mañanas.

—Así lo espero yo también.

Bajaron la escalera de la fonda, cada uno con su paquete, y atravesaron la rambla en dirección a la calle, donde aguardaba Jordi.
35 Desde la esquina, Abel se volvió hacia la encargada de Correos y le saludó con la mano. «Adiós. Adiós.»

Elósegui le observó intrigado.

—¿Cómo sabías que estaba allí?

Abel hizo ademán de rechazar el rizo dorado que le caía sobre
40 las cejas.

---

[3] **hacerme un hueco** make room for me
[12] **Martín a secas.** Just Martin.

—La señora de la fonda es de esas personas a quienes suelen gustar los niños huérfanos—dijo con gran aplomo.

Jordi estaba instalado en la cabina, al otro lado del volante, y mordisqueaba un pedazo de chusco. Martín ayudó a subir al muchacho e hizo las presentaciones. 5

—Abel, a quien vamos a llevar a *El Paraíso*. Jordi, un camarada.

—Mucho gusto, señor—dijo el niño.

Jordi se sacó de la boca un pedazo del chusco y miró con asombro al niño. Le tendió la mano al fin.

Elósegui los contemplaba divertido. 10

—¡Qué contrariedad!—dijo volviéndose hacia Jordi—. Creo que tendrás que largarte atrás. Somos tres y en el asiento no cabemos.

—¡Oh, no; no se molesten, por favor!—exclamó Abel—. Yo mismo iré detrás, con mi maleta. Puedo sentarme allí perfectamente. 15

—En modo alguno—dijo Elósegui—. Será Jordi el que viaje atrás. Le gusta mucho el paisaje y accederá encantado. Tú te quedarás conmigo.

Jordi lanzó un gruñido de protesta y descendió sumisamente a la acera. Desde allí, haciendo un gran esfuerzo, logró encaramarse 20 y durante buen rato permaneció de pie, agotado.

—Está bien. Cierra la portezuela—dijo Elósegui—. Así. Ahora acomódate. —Puso en marcha el motor—. No sabes el gusto que da viajar con una persona delgada. Verdaderamente, con un tipo como Jordi no puede irse por el mundo. 25

El camión dejó atrás la última casa del pueblo y remontó la carretera a buena marcha. El niño había asomado la cabeza por la ventanilla y el viento agitó los rizos de su cabello. El vehículo daba frecuentes sacudidas a causa de los baches y la caja de zapatos le resbaló del regazo. 30

—Vigila—dijo Martín—. No vayas a enfriarte.

Abel volvió a acomodarse en el asiento, pero no se preocupó de recoger la caja de zapatos.

—¿Es largo el trayecto?

Elósegui había sacado la pipa del bolsillo y llenó de tabaco la 35 cazoleta.

—Nueve o diez kilómetros.

Encendió su mechero de campaña y aguardó a que ardiese la picadura.

—¿Vienes de muy lejos? 40

---

¹² **largarte atrás**   get into the back
¹⁶ **En modo alguno**   Not at all

—De Barcelona—dijo Abel—. Vivía allí con mi abuela y unos tíos desde el principio de la guerra; pero mi abuela murió el mes pasado y mis tíos no tienen medios suficientes. De modo que decidí venir aquí. Al menos, en el campo, la vida no es tan difícil y, como 5 por otra parte, el aire es más sano . . .

La carretera carecía de peralte y Elósegui frenaba antes de tomar las curvas.

—¿Piensas quedarte mucho tiempo?

—No lo sé. No tengo planes precisos. Mis tíos son gente muy 10 amable, pero viven de modo difícil . . . Ahora, con la guerra, los rentistas están muy ahogados y aunque mi tía siempre dice que donde comen dos, comen tres, he considerado oportuno librarlos de mi carga.

No parecía deseoso de proporcionarle más detalles y Elósegui no 15 se atrevió a hacerle más preguntas.

* * *

Al llegar al lugar donde comenzaba el sendero de la escuela, siguieron adelante. La casa que iba a habitar se alzaba a cuatrocientos metros más allá, siguiendo la carretera, y se llegaba a través de un camino similar al de la otra, cuya entrada cerraba una cadena. 20 Una tupida bóveda de pinos, encinas y alcornoques sombreaba el trayecto hasta la antigua edificación de gusto indiano, asolada y ruinosa, que era en la actualidad *El Paraíso*.

—Bien, hemos llegado—dijo Elósegui—. No tienes más que subir esta escalera para alcanzar la galería. No creo que haya tim-25 bre, pero puedes entrar sin llamar. Si lo deseas, tocaré la bocina.

—¡Oh, por favor, no se moleste!—exclamó Abel—. Puedo valérmelas perfectamente yo solo.

Había abierto la puerta con la mano izquierda y estrechó con la otra la de Elósegui.

30 —Ya sabe usted donde tiene su casa—dijo al descender—. Espero que cuando tenga un rato libre, volvamos a vernos.

Saludó también a Jordi y les volvió la espalda. Se encaminaba por la terraza hacia el jardín que cercaba la galería, cuando Elósegui le llamó por el nombre:

35 —¡Eh, el equipaje!

Abel retrocedió lo andado y, al divisar la caja de zapatos, estalló en una carcajada.

—Está vacía. Es decir, llena de piedras. Pero temía que me detuvieran en el tren si no llevaba alguna maleta. La encontré en el 40 cubo de la basura y se me ocurrió la idea de traérmela.

---

[36] **retrocedió lo andado**   retraced his steps

Sus pupilas, redondas y metálicas, parecían girar como dos ventiladores, en rápidos movimientos; una risa tranquila, luminosa, le embelleció toda la cara.

Desde la camioneta, Elósegui le vio abrirse paso a través del sendero de alfalfa que el viento doblaba y abatía, como una doble 5 fila de sirvientes que se inclinaban a su paso.

———

La segunda vez que vio a Abel, fue al cabo de unos meses, al término de uno de sus paseos estivales. Bajaba por la rambla llevando a Dora enlazada por la cintura, cuando el tintineo de unas campanillas y el ruido familiar de unos cascos les hizo volver la 10 cabeza: una tartana antigua, que parecía no haber sido usada desde hacía mucho tiempo, descendía por el sendero conducida por una mujer embozada tras un delicado velo de tul y lentejuelas. Martín y Dora la habían contemplado con asombro; la aparición de una comitiva circense, con payasos, atletas y bailarinas, no les hubiera 15 causado mayor sorpresa. La mujer llevaba un chal de seda sobre los hombros y un traje de exquisito organdí blanco. Unos guantes de piel negra, ceñidos hasta el codo, y un ramo de jazmines en el escote, completaban el fantástico atuendo. La yegua, un animal apolillado y renqueante, arrastraba la tartana dando tumbos. Poco 20 antes de llegar a su altura, Elósegui había descubierto al niño, acurrucado en el fondo y que, al verle, le hizo un gran saludo silencioso. Luego, la tartana pasó y se perdió en el recodo de encinas y cañas.

El día siguiente, lo recordaba, hizo un calor insoportable. El sol había lucido desde el principio de la mañana y los hombres de 25 la batería sudaban cuanto puede sudarse un día de verano. Terminados los ejercicios, Martín había intentado dormir la siesta, pero el sueño, en lugar de aliviarle, desencadenó toda su tristeza y cansancio. La noche última, en el prado, la muchacha le había preguntado, medio en broma, si deseaba casarse con ella y Elósegui tuvo la 30 ocurrencia de reírse a carcajadas: «¿Casarnos? ¿Por qué casarnos? ¿Acaso no somos felices así? ¿Qué necesidad tenemos de estropear todo esto?»; pero algo, una resistencia imprecisa del cuerpo de ella, que adivinaba inerte bajo su brazo, le hizo arrepentirse de inmediato. Durante el resto del tiempo que permanecieron juntos, 35 Martín se empleó a fondo en su intento de restablecer la calma,

---

13 **embozada . . . lentejuelas** wearing a fine veil made of tulle and spangles
18 **ceñidos . . . codo** reaching as far as the elbows
20 **arrastraba . . . tumbos** pulled the carriage in a jerking manner

pero al cabo de un rato concluyó por desistir. Dora parecía aburrida, como ausente. Sin efusión verdadera, el apretón de su mano, al partir, tenía todos los caracteres de una ruptura.

Elósegui estaba tumbado en la playa, a cien metros escasos del
5 fortín, cuando descubrió al niño junto a un repliegue de las rocas, silbando despreocupado.

—¡Eh, pequeño . . . !

Un perro esquelético corría delante, en pos de una libélula a la que trataba de atrapar con sus mordiscos y saltos. Al verle, se
10 había detenido a contemplarlo y olfateó desde lejos un segundo, antes de volver la cabeza para interrogar al amo.

—¡Quieto, *Lucero* . . . !

Abel se aproximó sin timidez: despojado del uniforme de colegial, parecía más alto y espigado que antes. Su cabello le caía ani-
15 llado encima de la frente y, al acercarse al soldado, hizo ademán de rechazarlo con los dedos.

—¿Qué tal está usted?

Le tendió la mano y se sentó a su lado. A sus preguntas, el niño respondió con una detallada exposición de sus proyectos. El anti-
20 cuado receptor de la tía Águeda le informaba de la marcha cotidiana de la guerra y le había infundido el deseo de participar en la lucha. Todas las noches escuchaba la radio de Madrid y la de Sevilla: los combates, según los locutores, eran difíciles y arduos, había miles y miles de muertos y cada vez se hacía sentir más la falta de
25 soldados. En Extremadura, los nacionales habían cogido prisioneros de dieciséis años y, si aquello se prolongaba todavía mucho tiempo, acabarían por reclutar a los chicos de quince, luego a los de catorce y a los de trece, y él podría pasar muy bien por un chico de trece. Filomena, la sirvienta, aseguaraba que, aparentaba catorce.
30 Durante unos días, había puesto en práctica un régimen alemán, ilustrado con abundantes fotografías, para desarrollar el perímetro torácico y aumentar la estatura en veinte centímetros. Pero, la verdad, los resultados eran muy lentos y, como no se apreciaban a simple vista, terminó por cansarse. Sin embargo, sus esperanzas
35 de tomar parte en la lucha no se habían desvanecido. Estaba harto de permanecer allí, en *El Paraíso,* sin hacer nada práctico; en aquella zona no había nunca guerra y, por lo tanto, resultaba imposible manifestarse. En cambio, en Belchite se luchaba de verdad. Había fosos, trincheras, alambradas y cráteres de obuses y hacían falta
40 soldados. Sabía que los niños de su edad eran difícilmente admiti-

---

[32] **perímetro torácico**   i.e., his chest size
[38] **se luchaba de verdad**   they were really fighting

dos en el ejército, pero era preciso compensar este defecto con una superior preparación.

En la buhardilla de su casa, había descubierto una gramática francesa, sin tapas, que perteneció a doña Estanislaa en sus buenos tiempos y cuyo estudio inició concienzudamente. Saber idiomas en 5 una guerra como aquélla era algo muy útil, y presentarse dominando el francés constituía la garantía más sólida de su admisión. Los dos ejércitos contaban en sus filas con soldados extranjeros y él podría ir de un lado a otro haciendo de intérprete y disparando en los casos de apuro, vestido como indicaba el reglamento de Enlace 10 y Telecomunicaciones (cuyo ejemplar en rústica había adquirido en la librería del pueblo): con su uniforme azul de campaña, las iniciales del Cuerpo y un pequeño casco de acero, especial contra las balas.

En último caso, podía ser empleado como espía. Nadie sospecharía de un niño de doce años, y el general podría tomarle como 15 asistente. Entonces, durante la noche, Abel robaría los planos y los cosería al forro de su chaqueta. Al llegar al otro lado, le darían una medalla de guerra, y, su nombre, con la historia de su hazaña, saldría en los periódicos. Había escrito una carta al Gobernador 20 Militar de Cataluña y le mostró el borrador a Elósegui. Pergeñada en tinta verde, en una hoja del cuaderno de deberes, decía así:

Mi querido general:
Acabo de enterarme por la radio de lo necesitados que andan ustedes de soldados y he creído oportuno decirle que yo podría serlo, aunque 25 *sólo tengo catorce años, pero sé francés y esgrima y he seguido un curso técnico de enlace.*
Sin más que decirle, y en espera de su atenta respuesta, se despide de usted s. m. a. . . . .

ABEL SORZANO 30

—La envié hace tres días—dijo cuando Martín la hubo leído—. Es decir, dos días, pero, como puse sello urgente, tal vez mañana mismo tenga la respuesta. Por si acaso, he preparado un hatillo con algo de ropa y he escrito una carta para mi tía abuela, explicándole por qué me marcho. *Lucero,* el perro, también irá conmigo, 35

---

4 **en sus buenos tiempos** i.e., her youth
10 **el reglamento de Enlace y Telecomunicaciones** the regulations of Signals and Telecommunications
24 **de lo . . . soldados** of how badly in need of soldiers you are
25 **serlo** i.e., a soldier
29 **s.m.a.** abbreviation of **su muy atento** "your obedient servant"

aunque no haya hablado con el general al respecto. Realmente, es el animal más inteligente que conozco y, bien enseñado, puede ser un magnífico perro policía.

Lucero, al oír su nombre, abrió los ojos, que tenía entornados, y
5 batió débilmente la cola.

—¿Lo ve? —exclamó Abel—. Es más listo que muchas personas y si se le habla, no pierde detalle. *Lucero* —dijo—, salta. —El perro se incorporó vacilante—. Salta —ordenó—, te digo que saltes. —*Lucero* hizo una cabriola y permaneció erguido frente a él mo-
10 viendo el rabo—. Ladra —dijo Abel—. Ladra. —El perro ladró—. Está bien. Siéntate ahora.

Luego, en pocas palabras, le puso al corriente de su proyecto: en cuanto recibiera la respuesta del general, Martín debía informarle en seguida, de forma que tuviese tiempo de tomar el autobús en el
15 pueblo. Una vez allí, en posesión de la carta, podría dormir tranquilo. Era el mejor salvoconducto en época de guerra y los soldados, al leerla, se cuadrarían y le harían el saludo militar reglamentario.

El sol estaba a punto de hundirse en la escollera y un asomo de brisa aligeraba el cálido bochorno de la tarde. Se olía fuertemente
20 a brea, a podrido y a mar. Uno al lado de otro, como dos viejos amigos, subieron por la rambla bordeando el cañizal. *Lucero* iba delante, se volvía para mirarlos, los aguardaba y volvía a avanzar. Al llegar a las ruinas del viejo molino, Martín regresó a la batería, volviendo a desandar lo caminado, y Abel continuó rambla arriba.
25 A partir de aquella tarde, continuaron viéndose con mucha frecuencia. Abel había elegido al soldado como amigo y le hacía partícipe de sus planes. La radio hablaba de bombardeos, de ciudades en llamas y de luchas cuerpo a cuerpo. Cada uno de los bandos pretendía que la guerra iba a durar sólo unos meses y Abel
30 temía que sus proyectos no llegaran a realizarse. Se soñaba grumete, subido a lo alto de un buque de guerra; pilotando un avión en una calada difícil; oficial en el ejército de tierra.

La respuesta del general se hacía esperar demasiado y el niño sufrió rudo desengaño. Desde entonces, sus esfuerzos se orienta-
35 ron hacia el lado nacional, entre cuyas filas había muerto su padre, y al que decidió ofrecerse como espía. Sus cartas, cada vez más extensas, a medida que perdía su fe en ellas, las sometía a su censura antes de enviarlas.

* * *

Un día, sintiéndose aislado, más triste y perdido que un náu-
40 frago en pleno océano, Abel redactó un mensaje con su nombre y

---

[1] **al respecto** about him
[24] **volviendo . . . caminado** retracing his steps down the path

señas y lo confió a una botella convenientemente taponada, que arrojó al mar desde un saliente de la costa. Elósegui estaba a su lado y presenció la operación sin decir nada. Desde las rocas la vieron alejarse muy erguida, impulsada por la brisa, que la arrastraba mar adentro, hasta perderse en lontananza.

«Tal vez—pensó Martín ahora—continúe flotando aún. Y a través de los estrechos, las islas y los buques, solicite la ayuda de los hombres, con su solo, angustiado y jamás escuchado mensaje.»

———

La última vez que vio al niño fue el día veintiocho, la tarde misma en que se divulgó por el pueblo la noticia de la entrada de las tropas nacionales en Barcelona y la huida hacia el norte del Gobierno fantasma.

Elósegui había permanecido dos semanas en Gerona como asistente del capitán Rivera y, al llegar a la escuela, el profesor Quintana le había comunicado de sopetón la muerte de Dora en el bombardeo, así como la desaparición de Pablo Márquez.

Un mazazo en el cráneo no le hubiera causado más efecto. El profesor estaba sentado frente a él y aunque Martín le veía mover los labios, no percibía ninguna palabra, sino un prolongado y monótono zu-zu-zu, lo mismo que si le hubiesen sumergido en una campana de vidrio y se hubiese quedado repentinamente sordo.

La habitación daba vueltas en torno suyo. A duras penas distinguía la taza de café desportillada que Quintana acababa de servirle. Como obedeciendo a una intención distinta, la mano que empuñaba la cucharilla daba vueltas y más vueltas, atrapada en el círculo de su nada, más torpe e inútil que un pez de colores en la esfera de cristal de su propia impotencia.

Poco a poco, los objetos dejaron de oscilar y volvieron a su lugar acostumbrado; en el techo, en las paredes, en el suelo. En seguida oyó el puntuar de la gota que caía del grifo mal cerrado y la voz del profesor, que verosímilmente había seguido hablando:

—. . . anteayer por la tarde, con todos los niños de la escuela.

—¿Decía usted?

Había tenido que dominar el loco impulso de correr al cuarto de Dora y abrir, como hizo luego, los armarios vacíos y los cajones desiertos, inclinarse sobre su lecho y olfatear como un perro para convencerse de que el profesor no le engañaba.

Muerta. También la escuela estaba vacía y como muerta. Se oía tan sólo el monótono golpear del agua en el fregadero y el chillido siniestro y lejano de un ave.

—¿Y los niños?—preguntó—. ¿Dónde están los niños?

Quintana se encogió de hombros con indiferencia: el rostro se le había poblado de arrugas tortuosas y las pupilas giraban como dormidas en la estrecha hendidura de sus párpados.

—¡Ah, los niños!—dijo—. ¿Cree usted que sé en este momento
5 dónde están? Hace tiempo que son los amos del colegio, Elósegui, y ni yo ni nadie podría dominarlos, desenfrenados como andan. Desde la muerte de Dora han perdido toda la vergüenza y se dedican a correr por ahí, como bandidos, ingeniando Dios sabe qué maldades. Se desayunan, almuerzan y cenan cuando les da la real
10 gana y si alguno no viene a dormir, no hay nadie que pueda controlarle. A esto le llaman una escuela y para esto me enviaron a mí . . . Para formarlos . . . —Al reír, la fina red de sus arrugas, que se enmarañaba en torno a los párpados, parecía cobrar vida independientemente: le palpitaba—. ¿Sabe usted que me han perdido todo el
15 respeto? Créame, soy menos que un criado para ellos. Me llaman viejo chocho y se ríen en mis narices de todo cuanto hago. El otro día, uno de los pequeños me amenazó con una caña. ¡Oh!, ya sé que usted dirá que eso no puede continuar así, pero ¿qué quiere usted que haga? Soy viejo, tengo setenta años y he bregado mucho a
20 lo largo de mi vida para ignorar que la situación no tiene remedio. Compréndalo, Elósegui. Hace más de tres años que se han acostumbrado a oír estadísticas de muertos, de asesinatos, de casas destruidas y ciudades bombardeadas. La metralla y las balas han sido sus juguetes. Aquí, en la escuela, han creado un verdadero
25 reino de terror, con sus jefes, lugartenientes, espías y soplones. Ya sé que es difícil creerme viéndoles la cara infantil y las mejillas aún sin bozo. Pero es la pura verdad. Sé perfectamente que tienen un código para castigar los «delitos» y un sistema coactivo para obtener la obediencia. Durante la noche, el dormitorio se convierte
30 en una guarida de serpientes y leopardos, en una verdadera celda de tortura. A veces he descubierto a algunos de los pequeños con las uñas quemadas y el brazo cosido a alfilerazos, pero por mucho que haya interrogado jamás he obtenido informe alguno. Incluso los más dóciles y buenos evitan mostrarse amables conmigo por
35 temor de despertar las iras de los otros. Pedro el vigilante quiso averiguar el significado de sus tatuajes: los dragones, centauros, martillos y flechas grabados en los brazos, según un escalafón riguroso. Aquella misma noche, mientras hacía una ronda por el jardín, estuvo a punto de recibir un impacto en la cabeza. Cuando
40 subió al dormitorio, los niños estaban dormidos y no hubo forma

---

[16] **se ríen en mis narices**   they laugh in my face
[32] **cosido a alfilerazos**   pricked again and again with pins

de despertarlos: fingían soñar en alta voz y roncaban abrazados a las almohadas y a las sábanas, sonrientes como arcángeles. En cuanto a su educación, Elósegui, será mejor que no le hable. Esas criaturas han perdido totalmente el sentido del decoro y se entienden entre ellos por medio del lenguaje más abyecto. Sus únicos pasatiem- 5 pos parecen ser los naipes y el juego de navajas. Ayer se presentó en mi dormitorio un pequeño para que le desinfectase una herida de cuchillo en la cadera, de más de dos centímetros de hondo. No hubo forma de hacerle confesar. Cada vez que le preguntaba, se entretenía respondiendo de un modo distinto, sin preocuparse 10 de ocultar el embuste. Le curé y se fue sin darme las gracias. Sería para ellos una debilidad inconfesable mostrarse agradecidos. Los viejos, a cerrar el pico y a trabajar. Puede maltratárseles un poco, siempre que no mueran. — Se detuvo un momento para sorber el café, que se enfriaba—. ¡Oh!, no crea que facilitan las cosas; en abso- 15 luto. Les agrada romper y destrozar, orinarse en los pasillos; en fin, hacer cuanto les pasa por la cabeza. Y desde la muerte de Dora, se aplican a hacer el mal a conciencia. Han olfateado algo insólito en el ambiente y han perdido los últimos residuos de temor. Hemos recibido quejas de algunos automovilistas apedreados, pero no 20 podemos poner remedio. Continuamos aquí, dándoles de comer, porque tenemos la obligación de hacerlo; pero, tal como están las cosas, no veo ninguna salida a todo esto. Intentar una gestión cerca de las autoridades, es, a estas alturas, un proyecto bien intencionado, pero utópico. Por esta razón, en tanto no recibamos orden 25 alguna o lleguen los nacionales, no tenemos otro recurso que aguantar lo que venga, sea lo que sea. — Acabó de beber el café y dijo—: Créame, Elósegui, su amiga hizo muy bien en abandonarnos . . .

Martín abandonó la escuela tambaleándose. En el jardín, como en la casa, la calma era completa. El silencio anormal de la tarde 30 estaba puntuado por el hipar de los sapos. Como un autómata se dirigió al lugar donde había estacionado el camión y puso el motor en marcha.

Los párpados le pesaban a causa de algo más fuerte que el sueño y sentía un extraño amargor en la boca. La noticia le había dejado 35 inerte, hueco. Pensaba en Dora, de cuyo fantasma acababa de convertirse en castillo obsesionado, y apenas lograba coordinar sus ideas.

— ¡Eh! . . . Vigile . . .

---

⁴ **se entienden entre ellos**   they communicate with each other
¹² **Los viejos . . . trabajar.**   Old men must shut their traps (mouths) and work.
²³ **Intentar . . . alturas**   To report them to the authorities is, at this-stage

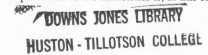

Había estado a punto de atropellar a un carro después de una curva muy cerrada y prosiguió la ruta polvorienta a través de una doble hilera de árboles que, con respeto, y, como si participasen de su duelo, se apartaban veloces a su paso.

5 Fue entonces cuando vio a Abel. El niño caminaba a lo largo de la carretera en dirección a su casa y, al oír la bocina se volvió para mirar. Martín detuvo el camión a escasos metros y abrió la portezuela.

—¡Oh!, ¿es usted?

10 El niño le había contemplado como si se tratara de un fantasma, sin dar apenas crédito.

—¿Desde cuándo? . . .

Estaba más pálido y demacrado que nunca y subió al camión sin decir una palabra. Cuando reanudó la marcha, tampoco le pre-
15 guntó adónde iba. Durante el trayecto había guardado silencio y se contentó con mirarle a través del espejuelo.

El cementerio estaba en la cima de una colina ondulada, en las afueras del pueblo. Pocos metros antes de su entrada, en un estanque circular, donde flotaban algas verdes, se oía el monótono croar
20 de las ranas. La puerta de hierro estaba cerrada, pero Martín escaló sobre los barrotes cuidando de no herirse con las puntas y ayudó al niño a encaramarse.

Se acercaba la hora del crepúsculo y un aire azulino resaltaba con nitidez los senderos bordeados de adelfas y de tuyas, la espada
25 desenvainada de los cipreses y los parterres repletos de hierbajos, rosales silvestres y zarzales.

—Por aquí—murmuró Abel.

Se habían puesto de acuerdo sin decir una sola palabra y caminaba delante de él, tratando de orientarse por las inscripciones de las
30 tumbas.

Cercado por un muro de más de cinco metros, el paisaje se reducía a un cuadrado de cielo azul pálido, pincelado de nubes transparentes, como de gasa. El sol, aunque ausente de los límites del recinto, anunciaba su presencia por medio de una luz indefinible y
35 tamizada que bañaba las flores, las tumbas y los senderos. Mientras caminaba Elósegui no había apartado los ojos del suelo; el terreno estaba sembrado de huesos bruñidos por el sol y la intemperie, que parecían haber brotado por sí solos de las tumbas.

El recuerdo de las familias había adornado los panteones y las
40 fosas con imágenes, dedicatorias, oraciones, fotografías, versos, coronas y ramos de flores. La sepultura de Dora estaba en el rincón más pobre: una modesta placa de metal con su nombre y sus fechas señalaba el lugar de la tierra reciente, desnuda de flores.

—Si lo hubiese sabido . . . —sollozó Elósegui. Pero no pudo continuar.

Permaneció allí hasta que el aire se fue espesando como el agua, y el agua se fue tornando oscura y densa, como si, desde la costa, hubiera descendido hasta las profundidades abismales. 5

Al salir, tomó la mano de Abel y la oprimió con la suya. El muchacho estaba pálido como la cera y cuando el soldado se volvió para mirarle, inclinó sumisamente la cabeza.

— ¿Y Pablo?—preguntó.

No obtuvo respuesta. 10

———————

—Sí, fue la última vez que hablé con él. Es decir, no. Hace dos días, mientras conducía el camión por el valle, me acompañó hasta el cruce. Iba con los otros chiquillos y me pareció que estaba enfermo. Luego no recuerdo más. Los niños le acompañaban, mi alférez. No, no advertí nada extraño. Tampoco tengo idea de donde 15 pueda estar Quintana.

* * *

—Puede usted retirarse.

Pensaba en Dora, en Abel. Se daba cuenta de que los dos habían muerto y se sentía incapaz de reaccionar. Si lo hubiera sabido . . .

— Le he dicho que puede usted retirarse. 20

Elósegui hizo un esfuerzo por comprender. Tenía los ojos ciegos detrás de una cortina de sal.

— ¿No me oye usted?

— La puerta—logró balbucear.

Avanzaba a tientas y asió la manija de un modo mecánico. 25 Luego se hundió en la penumbra refrescante del pasillo, escoltado por el asistente, que, con la bayoneta calada, se mantenía, conforme el Reglamento, a metro y medio de distancia.

———————

[4] **se fue . . . densa** had become thick as water and the water had become dark and dense
[6] **la oprimió con la suya** pressed it in his
[25] **Avanzaba a tientas** He groped his way forward

 CAPÍTULO SEGUNDO

El chiquillo descendió por el atajo a toda la velocidad que le permitían sus piernas. Esperaba de un momento
a otro la terrible explosión de la granada y, con las manos en los
oídos, corría en dirección a la ladera por donde, momentos antes,
5 habían huido sus compañeros.

«Aguardad, aguardad.»

El sendero, lleno de hierbajos, se perdía entre una espesura de
encinas, alcornoques y madroños. La mochila, repleta de cartuchos,
golpeaba sordamente sus riñones y el niño la arrojó a mitad de ca-
10 mino, para correr más aprisa. Creía oír detrás el jadeo de una respiración entrecortada, pero no osaba siquiera volver la cabeza.

Antes de llegar a la vaguada, la repetición del disparo en el
bosque le devolvió la perdida calma. Conocía el ruido familiar de
la carabina y dedujo que alguno de sus amigos debía de haberle
15 alcanzado. Aguardó.

A pocos pasos, la fuente manaba como dormida bajo la bóveda
entrelazada de los árboles. El *Arcángel* se dejó caer de rodillas y
se inclinó sobre el hontanar. Su imagen, aterrorizada aún, bajo la
parcelación de los colores, se estremecía como un espejo ondulante,

---

¹⁶ **manaba como dormida**   trickled sleepily
¹⁷ **Arcángel**   Archangel, name of one of the boys in the gang

34

y un renacuajo gris y negro la atravesó de parte a parte, orillándola de un halo de burbujas.

El niño la destrozó de un manotazo: se odiaba. Hubiera deseado cubrir los espejos y olvidarse para siempre de sí mismo. Permaneció apoyado en el borde de la pila, agitando incesantemente la 5 superficie con la mano, mientras un código secreto de silbidos entretejía en torno suyo, a través del bosque, una telaraña sutil de complicidades.

Sólo entonces se percató de que había fallado en blanco. Debía huir. Alejarse de allí. Tal vez, en aquellos momentos, el *Arquero* 10 y los suyos anduviesen buscándole.

En tanto forjaba un plan de huida, se reanudaron las detonaciones: las ametralladoras fustigaban a los fugitivos que seguían la carretera y una bandada de palomas que surcaba entre los madroños se alejó en dirección a *El Paraíso*, con un revuelo de alas asus- 15 tadas.

El *Arcángel* se puso en pie. El bosque se había poblado de un sordo rumor de pasos. Una cacería extraña se desarrollaba a lo largo de la ladera y acaso iba a ser él la víctima designada.

Al correr, le parecía que las ramas de los árboles se oponían a 20 su marcha, como si todo el bosque hubiera cobrado vida: las raíces culebreaban por el sendero; unas ráfagas de viento malhumorado lanzaban contra su rostro las ramas de las encinas; las zarzas se aferraban a los faldones de su camisa, le arañaban.

Tenía miedo. Miedo del *Arquero* y de Elósegui, de los niños y 25 de los soldados.

—Corre, *Arcángel*, corre.

Lo decía en voz alta, para animarse, acechado por la turbia conspiración de los elementos, por la acumulación encarnizada de los síntomas. Oía tras sí las voces de los chiquillos, llamándole, pero no 30 les hacía ningún caso. Los latidos de su corazón, cada vez más fuertes, ahogaban cualquier otro sonido.

Cuando el *Arquero* surgió en el castañar, *Arcángel* creyó ser víctima de un mal sueño. No lo pudo impedir: la misma inercia se encargó de llevarlo a su lado. Desesperadamente trató de hurtar 35 el contacto, pero ya el *Arquero* había caído sobre él. El fugitivo sintió la vaharada de su aliento.

—Conque ocultándote, ¿eh?

Los dedos del cabecilla se aferraban a su antebrazo como garfios y el *Arcángel* sintió que los ojos se le llenaban de lágrimas. 40

---

[10] **el Arquero y los suyos**   the Archer and his gang [Archer is the name of the leader of the gang.]

—Yo . . . yo . . .

El *Arquero* le golpeó con el puño en plena cara.

—Cochino, cobarde . . .

Había saltado encima y se entretuvo en pegarle con saña. Si
5 le mataba, mejor. Así escarmentarían los otros. En el grupo no
se admitían los cobardes.

Estaba sentado sobre su pecho y con las rodillas le sujetaba los
brazos contra el suelo. En contraste con su rostro acalorado, su
chirlo resaltaba sinuoso, blanquísimo.

10 Tendido boca arriba, el *Arcángel* resollaba con los labios manchados de sangre y de pintura. Sus ojos, cercados de un negro
azabache, le observaban llenos de espanto.

—Le arrojé la granada—balbuceó.

—Sí. Y te olvidaste de sacarle la anilla. Ahora el tipo sabe ya
15 todo lo sucedido y, por tu culpa, pagaremos el pato nosotros.

Por un momento el niño creyó que volvería a golpearle, pero no
lo hizo. Media docena de compañeros, vestidos con camisas de
soldado, habían formado un anillo en torno a ambos. El *Arquero*
se volvió para mirarlos.

20 —Me había cansado de deciros que nadie debía tocar al tipo ese
después de muerto, me parece . . . Pues bien, ya ha tenido que ir
ese imbécil con sus florecitas y sus maricadas.

—¡Bah!, déjale. ¿No ves que está sangrando?

—No le pegues más, *Arquero*.

25 —La culpa no ha sido suya.

El cabecilla se incorporó refunfuñando:

—Faldas. Eso es lo que deberían haberte puesto tus padres.
Unas faldas.

Se agachó para recoger la carabina y sacudió por el hombro al
30 *Arcángel*.

—Anda, calla.

El niño se incorporó sollozante.

—Yo no le había visto—tartajeó.

El *Arquero* le cortó con un ademán del brazo.

35 —Te digo que calles.

Daba por liquidado el incidente y se dirigió hacia los otros
camaradas:

—Me gustaría saber quién ha sido el cochino que ha disparado
sin que yo lo ordenara.

40 En el pequeño grupo de niños hubo un instante de silencio.

---

[2] **en plena cara** full in the face

—Desde luego no he sido yo—dijo uno—. Estaba justamente detrás tuyo y no pude ver absolutamente nada.

—También yo estaba a tu lado—dijo el de la cabeza rapada.

«Y yo. Y yo . . .»: el *Arquero* los englobó a todos en una sola mirada. 5

—Sí. Aún resultará que el disparo salió por sí solo.

—Me parece que ha sido *Durruti*—observó uno.

—Sí. Él era el último que llevaba el arma.

—Callaos—dijo el *Arquero*—. Si no habéis sido vosotros, no tenéis por qué echar las culpas a nadie. 10

Su cerebro había elaborado, con gran rapidez, un plan de combate: adivinaba el recelo y la desconfianza en el semblante de los chicuelos y deseaba recuperar su ascendiente a cualquier precio.

—La culpa no es de ninguno y es de todos—dijo con voz ronca—. Lo pasado, pasado está. Lo único que debe ahora importarnos es 15 la manera de zanjar el asunto.

—¿Zanjarlo? —dijo el de la cabeza rapada—. ¿De qué modo?

—Liquidando a Elósegui—repuso el *Arquero*—. El tipo no debe entregarse vivo a los facciosos. Y si ninguno de vosotros quiere ayudarme, me encargaré de hacerlo por mi cuenta. 20

—Nadie dice que queremos dejarte solo, *Arquero*—dijo el más pequeño.

—De sobra sabes que iremos adonde tú vayas, pero . . .

El cabecilla elevó el mentón.

—Pero ¿qué? 25

Los rapaces volvieron a callar, taciturnos, desconfiados.

—Mira—dijo uno—. No imagines que intento descubrirte, pero creo que lo mejor que podemos hacer es largarnos.

El *Arquero* se acarició la cicatriz blanca de la cara.

—¿Largarnos, dices? Eso sí que tiene gracia. 30

Hubo un momento de calma durante el cual se hizo perceptible el tableteo de las ametralladoras.

El *Arquero* reía silenciosamente con risa inmóvil, como pincelada sobre sus rasgos de tunante y que interrumpió con la misma brusquedad con que había comenzado: entonces fue como si no 35 hubiese reído nunca y su rostro se convirtiera en un mascarón de trapo.

—¡Imbéciles!—exclamó—. ¿No os dais cuenta de que si el tipo se entrega no podemos ocultarnos en ningún lado? Los facciosos nos

---

perseguirán como a perros. Organizarán una batida por el bosque y, en menos de lo que canta un gallo, nos habrán atrapado a todos.

Recorrió con la mirada el pequeño grupo para comprobar el efecto de su discurso. El rostro de sus camaradas reflejaba la ansie-
5 dad y el terror. Ninguno se atrevía a alzar la mirada.

—Hemos matado a un faccioso y nos castigarán. Nos utilizarán como blanco en los ejercicios de tiro. Si no se deciden a colgarnos de cualquier rama. —Señaló el bosque con un amplio ademán—. Aquí no faltan.

10 —¿Tú crees—?—balbució el más pequeño.

El *Arquero* tuvo una risa sarcástica:

—Pues ¿qué te imaginabas? ¿Que iban a regalarnos pan con chocolate?

La irritación que sentía unos instantes se había desvanecido:
15 el terror de los niños le devolvía, por contraste, su aplomo.

—Y no imaginéis que por ser niños saldréis mejor librados. Los moros se encargan de ese asunto y no suelen tener muchos escrú-pulos. —Sonrió—. ¡Oh!, no creáis que es agradable ver espectá-culos de éstos. Los tipos se pasan a veces horas y horas dando chi-
20 llidos antes de estirar la pata y los niños son los que más resis-ten.

El chiquillo de la cabeza rapada temblaba como una hoja y la voz le brotó frágil al preguntar:

—¿Has visto tú cómo lo hacen, *Arquero*?

25 El otro lanzó una carcajada.

—¿Que si lo he visto, dices? Pues no una, sino docenas de veces. En Oquendo, donde yo vivía ejecutaban diariamente en la plaza. Primero ahorcaban a las mujeres, luego a los hombres, y por fin a los niños. Los llevaban a todos en una carreta, atados de
30 pies y manos; delante, un oficial tocaba el tambor, para que todo el mundo acudiese. Entonces los bajaban de la carreta y empezaban a colgarlos de los árboles; a los mayores, de las ramas gruesas, y a los niños de las más delgadas. Al terminar, cuando habían estirado la pata, los desataban y preparaban las cuerdas para el día
35 siguiente. Que me parta un rayo si me invento una palabra.

Había contado la historia sin respirar y se sintió satisfecho. En el desencajado semblante de los chiquillos, adivinaba los estragos del relato y escupió despectivamente al suelo.

---

² **en menos . . . gallo**   in less time than it takes a rooster to crow
¹⁸ **espectáculos de éstos**   such sights
²² **la voz . . . preguntar**   he asked in a weak voice
³⁵ **Que me parta un rayo**   May lightning split me in half

—¡Eh, tú, Paño de Lágrimas!—dijo volviéndose hacia el *Arcán-gel*—. ¿En qué dirección iba el soldado?

El niño se restregó los ojos con el faldón de la camisa.

—No sé—balbuceó—. Cuando le vi, iba hacia *El Paraíso*. —Al concluir, prorrumpió de nuevo en sollozos—: Yo no he hecho 5 nada . . .

—¿Quieres cerrar el pico?—exclamó el de la cabeza rapada.

También él parecía próximo al llanto y sólo mediante un gran esfuerzo lograba dominarse.

Dando por terminada su maniobra, el *Arquero* quitó el seguro del 10 arma y se encaminó, sin decir palabra, por el sendero de la derecha. Asustados, los niños corrieron detrás. El relato del cabecilla los había llenado de terror: cuerdas pequeñitas, a la medida, según el diámetro de la garganta; algo espantoso. El *Arquero* se volvió para mirarlos. 15

—¿Puede saberse qué os pasa?

Los niños inclinaron humildemente la cabeza.

—Vamos contigo, *Arquero*. . . .

—Sí, te acompañamos.

—Pues si venís para llorar y hacer pucheros, ¡qué diablo!, lo 20 mejor que podéis hacer es quedaros en el torrente, a esperar a los soldados.

Se sentía seguro de su fuerza y experimentaba una intensa satisfacción en humillarlos.

—¿Oís bien? El que tenga miedo, que se largue. 25

Conocía un atajo bien oculto que llegaba hasta el jardín de *El Paraíso* y abrió la marcha a través de la espesura, con el índice crispado en el gatillo del arma. Únicamente junto a la finca de las hermanas Rossi había unas zonas de descampado, formadas por media docena de bancales en barbecho. Lo restante no ofrecía ninguna 30 dificultad.

Antes de abandonar el alcornocal, el *Arquero* inspeccionó el sendero por donde debían encaminarse. La carretera, hacia el norte, registraba gran movimiento de vehículos. Los disparos, cada vez más distanciados, convergían en dirección a la aldea. Tan sólo 35 la zona de *El Paraíso* mantenía su atenta calma; ni en los alcores poblados de algarrobos ni en el lecho arenoso de la rambla se advertía la presencia de los soldados.

Escaqueándose entre los arbustos, los chiquillos alcanzaron el

---

[1] **Paño de Lágrimas** softie
[10] **Dando por terminada** Having finished

bosque de la vertiente opuesta. Si Elósegui había ido a *El Paraíso,* debía cruzar forzosamente aquel paraje. Por medio de un silbido, el *Arquero* indicó que se ocultaran.

El zumbido de un motor en el camino los había alertado sobre
5 lo que estaba ocurriendo a trescientos metros: un cuatro plazas, repleto de soldados, avanzaba con gran cautela en dirección a la casa.

Aunque empequeñecidos por la distancia, los hombres eran perfectamente visibles. Armados con fusiles ametralladores, se
10 apearon silenciosamente del vehículo y se desplegaron en forma de abanico en torno del edificio acerrojado.

Entonces el *Arquero* lanzó un nuevo silbido y, a la cabeza de los suyos, marchó torrente abajo, para avisar al grupo de chiquillos encargados de la liquidación de Quintana.

———

15   El cuatro plazas remontaba con lentitud el sendero arenoso que conducía a la carretera. A través de la bóveda de encinas y alcornoques, el sol se filtraba como un polvo de oro e inscribía en el suelo del camino un minucioso diseño de luces y de sombras. El cabo se había sentado sobre el faro del guardabarros y observaba con fatiga
20 el vuelo agitado de las libélulas. A medida que avanzaban, el rumor de los camiones del ejército se hacía cada vez más perceptible y, al llegar a la confluencia de caminos, tuvieron que aguardar unos segundos antes de conseguir abrirse paso.

La carretera producía el efecto de un lugar recién sacudido por un
25 tornado. La ruta estaba sembrada de macutos, perolas, vainas de machetes, anillas de granada, vasos de aluminio y una serie de objetos heteróclitos que iba, desde los propiamente militares, hasta los cachivaches más absurdos: fichas de dominó, muñecos de trapo, un acordeón de juguete, un receptor de radio destrozado. Un estre-
30 mecimiento pánico parecía haber sacudido el paisaje entero. Las hierbas de la cuneta estaban despeinadas, polvorientas, y la tolvanera había cubierto los árboles vecinos como un velo de recién casada.

A lo largo de la ruta, pero en sentido opuesto, un grupo de solda-
35 dos con el fusil en bandolera cantaban tonadillas militares, con el rostro encendido por el calor y la fatiga. A su cabeza, un teniente de la Legión, con la camisa abierta hasta la cintura, exhibía su pecho velludo y musculoso:

———

[32] **un velo de recién casada**   a bridal veil

—¡Eh, vosotros! ¿Adónde vais? ¿No os dais cuenta de que interrumpís el tráfico?

El cuatro plazas detuvo su marcha en seco. El cabo saltó del guardabarros y saludó militarmente.

—El alférez nos ha enviado a la finca de ahí al lado, para avisar 5 a la familia de un pequeño que ha muerto de un balazo.

El oficial sacó un cigarrillo de su cartuchera. Tenía el rostro curtido, igual que cuero, y unos ojos azules, como lagunas de agua helada. De la cadena de plata pendían media docena de medallas y el cabo observó que una cicatriz enorme le señalaba el brazo 10 izquierdo.

—Está bien; continuad.

Siguieron remontando la carretera en sentido inverso al de los soldados que avanzaban, mientras el teniente y los legionarios continuaban su canto, con el rostro inflamado y los labios resecos: 15

La cucaracha, la cucaracha
Ya no puede caminar

* * *

Habían llegado a la encrucijada y el cabo fue el único en darse cuenta.

—¡Eh! Allí hay un camino. 20

Se detuvieron frente a una carretera privada, cortada por una cadena herrumbrosa que unía los postes indicativos. El cabo deletreó la borrosa inscripción de uno de ellos:

—*El Paraíso*. Es aquí.

* * *

La puerta de la galería estaba cerrada y las persianas de la fachada 25 corridas: de no ser por la columna de humo que se elevaba de la chimenea, la casa ofrecía el aspecto de estar deshabitada desde hacía muchos años. Como si el tiempo pasara para ella a distinto ritmo, su silueta traía a la memoria el recuerdo de épocas pasadas y esplendores muertos, de los que la escalinata de mármol resquebrajada 30 y el roto soporte de las columnas constituían otras tantas pruebas. Una parálisis progresiva inmovilizaba cada objeto, convirtiéndolo, desmoronado ya y maltrecho, en testigo atormentado de su tránsito.

El reloj de sol marcaba la una y cuarto: la atmósfera estaba estancada, quieta. Los cuatro soldados bajaron del vehículo y, siguiendo 35 la indicación silenciosa del cabo, bordearon el sendero que llevaba

---

¹⁰ **señalaba**   ran across
²⁶ **de no ser por**   except for

a la parte trasera de la casa. La forzada quietud del edificio les hacía temer una emboscada y avanzaron en hilera con las armas preparadas.

En el patio había un pozo de piedra, cuyo motor trepidaba sorda-
5 mente. La cocina tenía una entrada de tela metálica y madera, cubierta por una ruinosa marquesina de uralita. Al acercarse a ella, un gato pardo había emprendido la huida y se ocultó en los inmóviles macizos de adelfas.

—Por aquí—dijo el cabo.

10 La puerta estaba cerrada con llave y no cedió a la presión de sus dedos. Dentro de la cocina, un perro había olfateado su presencia y lanzaba impacientes aullidos. Alguien le obligó a callar con un sonoro «¡chist!» Entonces, el cabo golpeó la puerta con el puño y aguardó, con el cuerpo pegado al muro, a que los moradores se de-
15 cidieran a contestarle.

Los pasos, al otro lado, se hicieron vacilantes y todos oyeron el roce de unas uñas contra la hoja de la puerta.

—Abel—susurró la voz—. ¿Eres tú?

El cabo hizo a sus hombres señas de que callaran y repitió la
20 llamada con el puño.

—¿Quieren abrir de una vez?

Hubo otro largo silencio y el perro emitió un ladrido de impaciencia.

—¿Quién hay?

25 —Le digo que nos abra.

De nuevo silencio.

—¿Quién es usted?

Ahora golpeó con los dos puños.

—Abra. Le advierto que vamos armados.

30 Otra pausa aún. Luego, el crujir de un cerrojo.

Encuadrada en la puerta de la cocina, apareció una muchacha de edad indefinida, vestida como una colegiala y peinada con una sola trenza. Al ver el uniforme de los soldados, retrocedió aterrorizada y se llevó a los labios un pañuelo de encaje.

35 —Tranquilícese—dijo el cabo—. No va a ocurrirle nada.

Se introdujo en el interior de la cocina y se apartó para dejar paso a los hombres.

—¿Es usted la propietaria de la casa?

La muchacha se había apoyado en la alacena y contemplaba a
40 los intrusos, con el semblante lleno de miedo.

—No—balbuceó—. Es mi madre.

---

29 **vamos armados** we are armed

—¿Tendrá usted, entonces, la bondad de avisarla?

—Está enferma—dijo ella—. Ha pasado una noche muy mala a causa de la jaqueca, y tiene palpitaciones. —Había llevado las manos al cuello de su uniforme, como si se ahogara, y añadió casi a gritos—: ¡Oh!, se lo ruego, no traten de ir a verla. Tiene un dolor 5 terrible en la frente y . . .

—Está bien, está bien—le cortó el cabo—. Si ella está enferma, arreglaremos el asunto con usted. —Se aclaró la garganta—. Se trata del niño que vive con ustedes.

Los ojos de la muchacha parecían dos canicas azules en medio 10 de su rostro de porcelana. Se llevó otra vez el pañuelo a la boca y los contempló indecisa.

—¿Abel?

—Sí, Abel Sorzano.

—¿Le ha ocurrido algo? 15

Había adelantado su rostro crispado, hecho todo de piel y huesos y ninguno se atrevió a contestar.

—Verá—dijo el cabo, al fin—. El niño estaba en la escuela de los refugiados y ha ocurrido un terrible accidente.

Ella tragó saliva antes de preguntar: 20

—¿Está . . . herido?

Los soldados habían fijado su mirada en el suelo, sin mutuo acuerdo: la muchacha llevaba unos zapatos blancos y medias del mismo color, semejantes a las de las enfermeras de los hospitales.

—Sí—repuso el cabo—. Es decir, no . . . Había salido con los 25 niños de la escuela y, antes de la llegada de nuestro ejército, quisieron jugar con armas y . . .

—¿Estaba con los niños?—preguntó la muchacha. El cabo afirmó con la cabeza: vacilaba en la elección de las palabras y no se atrevía a explicarlo todo. 30

—¡Oh, qué vergüenza, qué vergüenza!—dijo ella.

El pañuelo se le había caído de las manos y se adelantó a todos para recogerlo.

—Son ustedes muy amables y les agradezco mucho su interés, pero creo que lo mejor será dejarlo en libertad. Que venga él. Por 35 sí solo. De otro modo no aprenderá nunca la lección.

Los soldados cambiaron entre sí una mirada de desconcierto: la muchacha estaba pálida como el mármol y los contemplaba con aire arrebatado.

—Abel es tan sensible—dijo—, que ha de procederse con él con 40 sumo tacto. A su edad, las heridas son tan difíciles de cicatrizar . . .

---

[32] **se adelantó . . . recogerlo** she stepped forward to pick it up

—De eso se trata—repuso el cabo, asiendo la mano que le tendía.
—De sus heridas. El alférez desea que alguno de ustedes nos acompañe a fin de reconocerle.

La palabra muerte le rondaba la lengua como una polilla obsesio-
5 nada por la llama y tuvo que hacer un esfuerzo para no pronunciarla.

—No tendrá que ir mi madre, ¿verdad?—dijo la muchacha.

—No. Es decir, no creo. Bastará que venga alguien, me parece.

10 Los ojos de la chica brillaron con malicia.

—¿Cualquiera?

—Sí, lo mismo da.

Ella tuvo un ademán desenvuelto.

—Entonces enviaré a Filomena.

15 Se alisó cuidadosamente los pliegues de la falda y añadió:

—¿Tendrán ustedes la amabilidad de aguardar unos instantes?

La sirvienta se ocultaba en el sótano por temor a los bombardeos y sólo a regañadientes se avino a acompañar a los intrusos.

—¿No hay entre ellos ningún moro?

20 —No, ninguno.

—¿Y dice usted que son de los otros?

—Sí, mujer.

Tranquilizada por sus respuestas, empezó a ponerse el abrigo.

—Entonces, ¿ha terminado ya la guerra, señorita Águeda?

25 La muchacha se retiró sin contestar. A consecuencia de su conversación con los soldados, el corazón le latía con fuerza. Por la escalera alfombrada de rojo, subió al piso alto a comunicar la nueva a su madre.

Doña Estanislaa ocupaba la parte sur del edificio y no había
30 querido abandonarla ni ante la cercanía del peligro.

—Una señora como yo se sabe hacer respetar siempre—repetía.

Aunque Águeda sabía que la llegada de los nacionales no iba a impresionarla demasiado, no pudo resistir la tentación de comunicárselo. La paz significaba la normalidad, las cuatro comidas al
35 día; tal vez, la llegada imprevista de un hombre. Al lado de ello, cualquier percance sufrido por el niño carecía necesariamente de importancia.

—Mamá . . .

El dormitorio estaba vacío. Águeda fue abriendo, una tras otra,
40 las puertas del piso alto: tampoco nadie. Levemente perpleja, volvió a bajar la escalera. Desde el vestíbulo descubrió que la puerta prin-

---

[39] **fue abriendo** opened

cipal estaba abierta: un tenue asomo de brisa hacía estremecer las cuentas de vidrio de la lámpara.

Doña Estanislaa subía en aquel momento de puntillas la escalinata de mármol, con un violín de juguete en una mano y el arco de trenza en la otra y, acogió, sin inmutarse, la noticia de la entrada 5 de las fuerzas nacionales.

—¿Has visto?—dijo señalando el violín que acababa de sustraer del cuatro plazas—. Parece el de Romano.

———

El alférez se entretenía revolviendo los documentos del fichero. El oficial adjunto del Regimiento acababa de traerle una calurosa 10 felicitación del comandante por su heroica actuación de la mañana, y una agradable sensación de bienestar le iluminaba toda la cara.

—Mi alférez . . .

Era el soldado ibicenco encargado de la custodia de Elósegui, y Fenosa le contempló con la expresión paternal que, en los ratos de 15 ocio, acostumbraba emplear con los soldados.

—¿Decía algo?

—La mujer ha llegado ya, mi alférez.

Fenosa vació la ceniza de la pipa y asintió con un movimiento de cabeza. Lo sucedido con aquel niño le intrigaba. Había indicado 20 al soldado que podía retirarse; pero, inesperadamente, cambió de opinión.

—¿Le han dado ya la noticia?—preguntó, con aire despreocupado.

Sin saber por qué, experimentaba un terror enfermizo a la vista de las lágrimas. Ante una mujer llorando, se sentía inerme, desnudo 25 como un gusano.

—Sí, mi alférez.

Fenosa contemplaba abstraído la foto de una mujer, retratada entre un grupo de chiquillos. En el dorso de la cartulina una sola palabra: Dora. 30

Está bien. Dile que ahora voy.

Continuó revolviendo los ficheros y el soldado bajó a la planta baja.

Filomena acababa de llegar a la escuela y sollozaba con el rostro oculto tras un pañuelo. 35

Cuando se apeó del automóvil, un avión de alas de plata atravesaba el valle a escasa altura, punteado con los colores nacionales. En el balcón, la bandera republicana había sido sustituida por otra roja y gualda. Un grupo de soldados que tomaban el sol sentados en un banco interrumpieron su charla mientras la mujer pasaba 40 por su lado, y la miraron con ojos curiosos.

—¿Es la madre?—preguntó uno en voz alta.

El zaguán, con sus macetas de geranios y el colgador astillado, estaba vacío y silencioso. La casa daba la impresión de algo destartalado y hueco. Mientras un soldado subía al piso alto a notificar
5 su llegada, Filomena fue introducida en el antiguo despacho por el asistente.

La estancia no había variado gran cosa desde la última vez que fue a la escuela a buscar la correspondencia de Roma: era una sala anticuada y estrecha, decorada por sus anteriores propietarios de
10 acuerdo con el gusto de la época. Filomena apenas le dirigió una ojeada. Se sentía atontada, enferma.

—¡Oh, Abel!

Le habían dado la noticia de la muerte, a mitad de trayecto y cuando su voz brotó de la garganta, le hizo el efecto de que salía de
15 un fonógrafo. Su lengua se había vuelto de trapo y sintió que la sangre afluía a su cabeza. Rompió a llorar.

Los soldados le habían explicado la historia varias veces, pero ella no comprendía. Se la hizo repetir.

—¿Muerto?
20 —Sí, lo encontró en el bosque con un balazo en la sien.

—¿Quién lo encontró?

—El soldado, mujer. Ya se lo hemos dicho antes.

No. Ella no había oído nada. Las lágrimas afluían mansamente a sus párpados y un ligero estrabismo ponía una nota de irrealidad
25 a su mirada.

—¿Quién le mató?

—Alguno de los chiquillos.

Imposible comprender. Todo era absurdo: La historia daba vueltas y más vueltas en su cabeza. Se sentía mareada.
30 —Paren.

Se asomó por la puertecilla y trató de vomitar. No pudo. Los hombres estaban acurrucados junto a ella y la contemplaban con lástima.

—Ya se sabe—decían—. En una guerra . . .
35 Todo acababa de ocurrir aquella misma mañana, pero a Filomena le hacía el efecto de que, desde entonces, habían transcurrido muchos años.

Ahora, el soldado, de regreso ya del piso alto, le informó que el

---

7 **gran cosa** much
15 **se había . . . trapo** had become limp as a rag
18 **Se la hizo repetir.** She made them repeat it [the story].
38 **Ahora . . . alto** Having already come down from the floor above

alférez bajaría al cabo de un segundo. Entretanto, la condujo a la habitación donde estaba el cadáver del pequeño y Filomena se abismó en un mar de lágrimas.

—Abel, Abel—dijo. La cara de él, las de todos, subían y bajaban lo mismo que un columpio del techo hasta la alfombra, sus caras, la 5 de él y las de los otros, abajo y arriba, abajo y arriba, haciendo muecas—. Abel, Abel—. La voz no le salía de la garganta aunque se llevase la mano al cuello, y la sangre se le agolpaba en los ojos mezclada con las lágrimas hasta formar una cortina que le impedía ver el cuerpo, el rostro y la herida sangrienta—. Abel, Abel de mi 10 alma y de mi corazón, mi Abel bienamado, tesoro y rey de la casa, ¿qué te han hecho, di, qué te han hecho?; ¿quién ha sido el canalla que ha disparado contra él? A mi niño, que no hizo jamás mal a nadie y que era incapaz de matar una mosca, lo han asesinado, criminales, ladrones, canallas, lo han asesinado. Corazón mío, pedazo 15 de mi alma, ¿quién te quería como yo, mi Abel? Dime quién ha sido y yo lo mato, por mi madre santa, al puerco y sucio asesino lo mato por mi madre santa, porque es más malo que el veneno . . . Hacerle daño a él, que era un ángel, mi cordero, mi pobre Abel, mi chato, mi rey, mi tosoro, mi joya, el niño más bueno y más guapo del mundo. 20 Dejadme, dejadme con él; contigo, pequeño, tesoro mío, luz de mi alma; dejadme, sí, dejadme con esa pobre criaturita, muerta por un sucio que me las pagará, muerta tan joven y llena de porvenir. Abogado, embajador, presidente, todo lo hubieras sido, Abel, mi niño, mi pobre tesoro; no, no, dejadme, dejadme estar con él, con ese niño 25 tan bueno que se hacía querer por todo el mundo. ¡Querido, querido Abel de mi alma! Suéltenme, suéltenme les digo: lo conocía desde hace más de un año y éramos como madre e hijo. ¡Pobre angelito, que había perdido a sus padres en la guerra y no tenía nada qué comer! Castañas para el almuerzo, la comida y la cena 30 comía la pobre criatura, que ha muerto tan delgada y con tanta hambre dentro, ahora que iba a terminar la guerra y podría comer en abundancia, ahora que hubiera podido ir a Barcelona a estudiar y a ser un hombre de provecho . . . Ahora . . . Que me digan, sí, que me expliquen quién es el asesino, que lo mato; por mi madre 35 bendita que le doy muerte, sí, que le doy muerte.

———

El alférez se presentó media hora más tarde y, antes de hacerle ninguna pregunta, le indicó que se sentara. Filomena tenía el rostro

---

²³ **sucio**   a dirty scoundrel

hinchado por las lágrimas y se dejó caer en la silla igual que un autómata. Como en sueños, oyó que le preguntaba:

—¿Vivía con ustedes ese niño?

———————

Pues claro que vivía . . .

5 La historia de Abel en aquella casa se remontaba a una mañana apacible y soleada del último invierno. El reloj de pared del vestíbulo señalaba las once y media cuando el niño empujó la puerta, silbando, como quien penetra en un territorio recién conquistado, se introdujo en lo que, en adelante, debía ser su hogar. Aquí estoy

10 y aquí me quedo, parecía decir. El perro estaba junto a él, lamiéndole las manos, y Filomena descubrió llena de asombro que, por vez primera, no había ladrado a un intruso. También él semejaba comprender que Abel pertenecía por derecho a aquella casa y, al mover la cola, se limitaba a reconocer lo que, a sus ojos, constituía un hecho

15 irrebatible.

—¿Tendría usted la amabilidad de avisar a doña Estanislaa Lizarzaburu?

El pelo le caía sobre la frente, rubio y anillado, e hizo ademán de rechazarlo con los dedos.

20 —Entréguele usted esto de mi parte.

Le tendió una tarjeta rectangular, con la indicación ABEL SORZANO, ESTUDIANTE, cuidadosamente pergeñada en tinta china.

—Dígale que si se siente fatigada, acudiré a verla cualquier otro momento.

25 Hablaba con una desenvoltura impropia de un niño de sus años y Filomena le contemplaba boquiabierta. Como una sonámbula, subió con la tarjeta en la mano y, desde el primer descansillo, le analizó por vez postrera: Abel continuaba erguido junto a la puerta del vestíbulo y, perfilándose en lo oscuro del zócalo, parecía bene-

30 ficiarse de algún privilegio luminoso.

El piso alto permanecía, como siempre, oscuro y silencioso. Las ventanas, con las cortinas corridas, inventaban sombras fugaces en los espejos deslustrados. Y un solo rayo de luz, que excavaba un túnel blanco desde lo alto del portillo, reverberaba en la alfombra

35 como teñido de cloro.

—Adelante.

La inconfundible atmósfera del dormitorio le hizo estornudar:

———————

⁴ **Pues . . . vivía . . .**   Of course he lived with us . . .
²⁷ **le analizó . . . postrera**   she thoroughly scrutinized him

doña Estanislaa estaba tendida en el sofá, con su quimono de seda japonesa, y un pañuelo empapado de colonia, humedeciéndole la frente. Sentada en un taburete, Águeda se esmaltaba las uñas de las manos. Ninguna hizo ademán de volverse.

—Hay un niño ahí abajo, esperando—dijo Filomena—. Me ha 5 dicho que le entregue a usted esto.

Doña Estanislaa tomó la tarjeta con ademán fatigado. La habitación estaba sumida en la penumbra y la aproximó a sus ojos para ver mejor. Luego se dio aire con el abanico y pasó la tarjeta a Águeda. 10

—¡Caramba!—dijo—. ¡Qué sorpresa!

Pero su expresión no denotaba ningún asombro: cualquier observación acerca del tiempo no hubiese alterado en mayor medida sus músculos faciales. Águeda, entretanto, contemplaba la cartulina como embobada y se volvió hacia su madre con la interrogación en 15 los ojos.

—¿Se ha fijado usted si trae equipaje?

—No, no señora—repuso Filomena.

Doña Estanislaa lanzó un suspiro.

—Está bien. Acompáñele a la habitación que ocupaba la señorita 20 Claude. Indíquele también dónde está el baño. Hay tanto polvo en las carreteras . . .

Nada más. (Mientras se alejaba por el pasillo, el agrio rumor de una disputa se había filtrado desde la habitación de las mujeres: «Cuán inconsiderado por tu parte y cuán ridículo por añadidura. 25 Cualquiera diría que nuestra situación es trágica. En la época de tu abuelo . . .» «El abuelo, el abuelo, siempre el abuelo. Me gustaría saber qué ayuda puede darnos. Mira. Toca: no hay un centímetro de carne ahí dentro. Sólo piel. Piel y huesos. Lo restante son ropas, postizos y boatas. Y aún dices—hipó—aún dices que no debo 30 preocuparme si viene aquí el chiquillo . . . Cuando todos, tú, Filomena y yo, reventamos de hambre y hace meses que no comemos nada sólido, aún pretendes . . .»)

El niño aguardaba en el vestíbulo, absorto en la contemplación de los grabados y la saludó con sonrisa confiada. La ausencia del 35 uniforme de colegio, que ahora llevaba bajo el brazo, le hacía menor de lo que era y acentuaba, por contraste, la sorprendente precocidad de sus palabras.

—Doña Estanislaa se encuentra algo indispuesta—dijo la sirvienta—. Pero me ha dicho que te acompañe a la habitación donde 40 debes alojarte.

El dormitorio estaba cerrado desde hacía varios años y Filomena tuvo que ir a la cocina en busca del llavero. Mientras le guiaba por la casa, Abel había guardado silencio: con expresión atenta analizaba la marchita suntuosidad del mobiliario, sin evidenciar ningún asombro.

—Bien. Ya hemos llegado.

Filomena abrió la ventana de par en par y corrió las pesadas
5 cortinas de damasco. Abel la seguía a corta distancia y se detuvo bajo el dintel de la puerta. El dormitorio, pese a su extensión poco ordinaria, estaba materialmente abarrotado de objetos de todas clases: espejos, grabados, miniaturas, cornucopias, distribuidos por las paredes al azar, los unos al lado de los otros, como brotados de
10 una misma pesadilla. En el techo, media docena de barcos de juguete parecían sostenerse por sí solos. La cama era de columnas y estaba esmaltada de rosetones. En la ventana, la hierba había trepado hasta el pretil, asfixiando las macetas de geranios.

—Habrá que quitar todo este polvo—se excusó Filomena. Con
15 la mano deshizo una telaraña que atravesaba la habitación de parte a parte y añadió—: Hacía tanto tiempo que estaba cerrada . . .

Abel vació los bolsillos de todos sus enseres personales: un paquete de papel de cartas, dos sobres, una pluma estilográfica, un plano de la provincia de Gerona, una certificación escolar del Ins-
20 tituto donde había comenzado el bachillerato, una jabonera de aluminio, una navaja abrelotodo, así como un prospecto informativo de la vida en los frentes.

—¿Reciben a menudo los periódicos?—preguntó, cuando hubo concluido su trabajo.

25 Filomena esbozó un ademán vago.

—Hace unos años, la señorita estaba suscrita al *Blanco y Negro*—dijo—, pero ahora . . .

Abel hundió las manos en los bolsillos.

—Entonces, ¿cómo se enteran de las noticias de la lucha?

30 La mujer se encogió de hombros: simplemente, no se enteraban. Pese a la vecindad de los soldados de la batería y de los niños refugiados de la escuela, los habitantes de *El Paraíso* vivían al margen de la guerra: doña Estanislaa evocando tiempos mejores y Águeda soñando en algún príncipe de cuento.

*   *   *

35 —Pues a mí, me importa mucho—dijo Abel—. En Barcelona todas las tardes escuchábamos la radio. Mi tío tenía un mapa de España clavado en la pared y yo señalaba con alfileres de colores el límite de los avances.

Abrió uno de los sobres que había sacado del bolsillo y extrajo
40 un mapa de la península doblado en cuatro.

---

26 **Blanco y Negro**   a Spanish magazine

—Mire—dijo señalando con el dedo la región aragonesa—. Los últimos combates se han librado en esta zona. Los nacionales estaban ahí la semana pasada y ahora han ocupado todo este terreno.

Parecía muy orgulloso de sus conocimientos y volvió a doblar el plano, lleno de satisfacción. 5

Luego tomó la jabonera de aluminio y pidió que la acompañara hasta el cuarto de baño. Una vez allí, abrió el grifo de la ducha y aseguró la puerta con la aldaba y, durante largo rato, Filomena le oyó cantar y saltar, alegre y ligero como un pájaro.

A la hora de la comida, ni doña Estanislaa ni Águeda bajaron de 10 sus habitaciones y Abel no tuvo otro remedio que despachar el yantar en la cocina. Filomena había puesto, en su honor, el mantel de hule y se acodó al otro lado de la mesa, observándole mientras comía.

—Tendrás que contentarte con lo que hay, tesoro—dijo al servirle la escudilla de harina de maíz y un cuenco pequeño de gar- 15 banzos—. Estamos en época de guerra y no es posible encontrar otra cosa.

Inclinado sobre el plato humeante, Abel la obsequió con una sonrisa encantadora. 20

—¡Oh, no se preocupe por eso! Si quiere que le diga la verdad, también en casa comíamos harinas y garbanzos y no tan bien guisados.

Luego, sin necesidad de apretarle los torniquetes, Abel la puso al corriente de todas sus andanzas: el niño procedía de Barcelona 25 donde, hasta el comienzo de la guerra, había vivido con sus padres y era nieto de la hermana mayor de doña Estanislaa, en cuyo piso se había alojado los últimos meses. Doña María, así se llamaba la buena señora, había fallecido quince días antes. La pobre estaba muy atropellada a causa de la guerra y el corazón le falló durante una 30 de las alarmas. Como sus padres también habían muerto, y con sus tíos no se avenía de carácter, había decidido acogerse a la hospitalidad que, en más de una ocasión, doña Estanislaa le había brindado. Y allí estaba.

—¿Y tus tíos? ¿Qué dijeron al saber que te marchabas? 35

—Naturalmente, no les informé de mi partida. Les dije que iba

---

[11] **despachar el yantar**   to eat the meal
[24] **apretarle los torniquetes**   to squeeze it out of him
[31] **y con . . . carácter**   and since he didn't get along well with his uncles

a pasar la tarde en el cine y me fui en tranvía hasta la estación de
Francia. Para que no se alarmaran, les dejé una nota escrita debajo
de la almohada.

Contemplaba, divertido, a Filomena y prosiguió con voz pausada:

5 —Había averiguado de antemano el horario de los trenes y me
colé en la estación con un billete de andén. El trayecto, desde luego,
lo hice sin pagar. Saqué de la hucha mis quince pesetas y, al llegar
a Gerona, alquilé un dormitorio en una fonda. Esta mañana, a las
ocho, he tomado el coche de línea que lleva hasta el pueblo. Aún
10 me sobraban dos pesetas y me he comprado una gaseosa.

Increíble. Verdaderamente asombroso. Filomena se sentía
atónita, estupefacta: aquel niño le causaba admiración, respeto,
casi pánico.

¿Y tú? ¿No tuviste miedo de que pudieran atraparte?

15 Abel negó con la cabeza: había concluido la sopa de maíz y vació
el cuenco de garbanzos en el plato.

—En absoluto—repuso—. Lo tenía todo muy bien planeado.
Además, en tiempos como éstos, nadie se preocupa de lo que el
prójimo hace. La gente sólo mira por sí misma.

20 Hacía únicamente dos meses, en la estación del Norte, había
asistido a la llegada de una expedición de refugiados. Sus tíos
hacían frecuentes incursiones por el campo, en busca de alimentos
y, como cada semana, había ido con su abuela a esperarlos, cuando la
charanga, surgida de uno de los andenes, le hizo correr al encuentro
25 del tren que llegaba.

Veloz como el diablo, Abel se abrió paso a codazos; el tren estaba
adornado de gallardetes y banderas y varios centenares de chiquillos
se asomaban a las ventanas de sus vagones, cantando y batiendo
palmas.

30 —¿Quiénes son ésos?

—Los refugiados.

Desde su ventajoso emplazamiento, Abel no había perdido detalle. Cuando el tren se detuvo, los niños descendieron como un
tropel de bestias asustadas, dieron vivas a las generosas institu-
35 ciones que los tomaban a su cargo y entonaron canciones alusivas a
aquella fecha memorable. Uno de ellos, inverosímilmente flaco y
con el cráneo cubierto de pasta blanca, se había adelantado a saludar a las autoridades con un ramo de flores y, ante los micrófonos de
todas las emisoras regionales, recitó una poesía. Los otros estaban
40 detrás, taciturnos y oscuros en sus batas de sarga y, alguien, sin

---

⁹ **el coche . . . pueblo** the bus that goes to town
²⁴ **correr . . . tren** run to meet the train

pizca de ironía, los había adornado con flores y lazos. En medio del andén, formaban como un solo cuerpo brotado de multitud de cabezas, que agitaban al mismo tiempo, igual que espigas sacudidas por la brisa.

—Somos verdaderamente felices—había dicho, al concluir, el 5
rapsoda.

Y sus palabras, reproducidas por los altavoces a lo largo de los andenes, provocaron una verdadera explosión de entusiasmo. La madrina aceptó el ramo de flores que le tendía y besó sin repugnancia su pelada cabeza. Las cámaras fotográficas entraron en acción. 10
Luego, los de la comisión receptora volvieron a desandar lo caminado, sonriendo a la gente que aplaudía: en la entrada, subieron a sus automóviles y se perdieron entre el tráfico, a gran velocidad.

— ¿Y los niños?—había preguntado Abel.

—Los niños a reventar otra vez de hambre—repuso el señor de 15
al lado.

Llevaba una boina negra encasquetada hasta las orejas y se alejó entre la multitud refunfuñando.

Abel había sentido una terrible opresión en la garganta. La escena le parecía irreal, absurda. «De modo que esos niños . . .» 20
Ahora lo sabía ya. El hombre, su vecino, se había encargado de informarle: «¡Al diablo! A reventar todos de hambre.» El mundo era un lugar aterrador, donde cada cual miraba únicamente por sí mismo y el que no se convertía en opresor corría el riesgo de trocarse en explotado. Con lágrimas en los ojos, había vuelto al andén donde 25
su abuela le aguardaba y, durante varias noches, los niños refugiados poblaron sus pesadillas de imágenes sangrantes.

El recuerdo se mantenía vivo en su memoria y se entretuvo en evocarlo: la atención de Filomena le agradaba y, seguro ya de su efecto, emprendió la tarea de minimizar su hazaña. 30

— En realidad, todo esto no tiene ninguna importancia—explicó—.
Los trenes están llenos de niños que se escapan de sus casas. Desde las zonas del frente los mandan en vagones especiales y, cuando llegan a Barcelona, nadie se preocupa de ir a buscarlos.

Mientras hablaba, le había venido a la memoria la escena vista 35
días antes en la pantalla de un cine de barrio: en los trenes de la Cruz Roja, los niños viajaban etiquetados, con cartelitos cosidos en la espalda. «Me llamo Fulano de Tal», decían. O bien: «Soy de tal sitio y tengo tantos años». Otros, simplemente, llevaban un número o alguna letra del abecedario. 40

---

11 **volvieron . . . caminado**   turned around and walked back
15 **Los niños . . . hambre**   The children will starve to death all over again

—Todos esos niños son huérfanos a causa de la guerra y les ponen un número en el traje para que no se confundan de nombre, pues muchos ni siquiera saben hablar. A veces, también llegan algunos con heridas, pero éstos viajan en asientos de primera clase.

5 Mientras rebañaba el plato con un trozo de chusco, observó, de reojo, la pálida faz de la sirvienta.

—¡Dios mío! ¿Y no tienen lugar dónde alojarse?

Abel dobló cuidadosamente la servilleta y depositó su aro en el vasar.

10 —Dicen que los envían a Italia en un barco. Pero yo creo— añadió con acento confidencial—que durante el viaje se encargan de liquidarlos.

—¿Liquidarlos?—exclamó Filomena.

Abel sonrió con crueldad.

15 —Sí. Los arrojan al mar.

Se acordaba del hombre de la estación y se desperezó con ademán fatigado:

—Como se trata de gentes que pueden convertirse en enemigos, lo más cómodo les parece eliminarlos. Cuantos más niños sean,
20 más fácil.

Con la esquina del delantal de bayeta, Filomena se enjugaba las lágrimas.

—Pero eso es inhumano.

—Ya se sabe. Los niños pagan siempre.

25 Se sentía contento de su inventiva y se puso de pie.

—Si no le importa—se excusó—, me permitiré dejarla por un rato. Como supongo que mi tía no querrá verme antes de media tarde, aprovecharé ese tiempo para dar un paseo.

* * *

Las impresiones de aquella primera tarde se habían confirmado
30 en el decurso de las jornadas siguientes. Los días, en *El Paraíso*, eran siempre monótonos e iguales y Abel comenzó a echar de menos sus antiguas amistades. En Barcelona, las calles rebosaban de gente y los periódicos de noticias; había cines a los que acudía cuando lograba reunir unos reales y, en los solares vecinos al lugar donde
35 vivía, se luchaba diariamente a leales y facciosos. Allí, por lo contrario, no tenía otra compañía que la de Estanislaa, de Filomena y de Águeda: sus preocupaciones eran, las más de las veces, distintas y resultaba extremadamente difícil entablar diálogo.

Doña Estanislaa se pasaba encerrada días enteros y Abel la veía

---

19 **Cuantos . . . fácil.** The younger they are the better.
37 **las más de las veces** most of the time

muy de tarde en tarde. En cuanto a Águeda, pasado su acceso de mal humor del primer día, había intentado mostrarse amable y conciliante, pero su misma obsequiosidad resultaba, a menudo, empalagosa; su rostro era muy blanco, como de porcelana y, rodeados de pestañas espesas y curvadas, sus ojos eran como margaritas de 5 color claro que permaneciesen siempre abiertas. Abel la evitaba en lo posible y a sus monótonas historias de enamorados prefería la pintoresca conversación de la criada.

Había llegado de Barcelona sin otra ropa que la que llevaba encima, y el primer cuidado de las mujeres consistió en proveerle 10 del equipo de repuesto necesario. Con ayuda de unos patrones del *Blanco y Negro*, Águeda se aplicó a la tarea de recortar algunas cortinas abandonadas. Que fuesen de damasco o de organdí, no le importaba demasiado. Al fin y al cabo, vivían en una época de escasez y no había más remedio que emplear lo que se tenía a mano. 15

Envuelto en un ridículo camisón de cintas, Abel contemplaba los preparativos, callado y taciturno. La ropa que había traído de Barcelona estaba secándose en el patio y, para no ir «como el Señor le había puesto en el mundo» (Filomena), tuvo que aceptar a regañadientes el antiguo camisón de Romano. Vestido de esta guisa 20 había vagado por los pasillos sin brújula ni guía, como un fantasma corrido y avergonzado. La cocina, llena de la incansable charla de las mujeres, le repugnaba, pero acababa por regresar a ella cuando le invadía el tedio.

—¿Para qué es esto?—dijo señalando una funda de color pardo 25 que Águeda acababa de extender sobre la mesa.

—Para una chaqueta. Ven, que te tengo que tomar las medidas.

Extendió un metro de hule que llevaba colgando del antebrazo y comenzó a dictar unos números a la sirvienta:

—Treinta y cinco. Cincuenta y seis . . . Setenta y cinco . . . 30 Treinta y ocho . . . Cincuenta y cinco . . .

La tela era de cretona y estaba adornada de flores y racimos. Abel sintió que el corazón se le empequeñecía. En el espejo contempló su blanca silueta: parecía un muñeco, un fantoche de trapo.

—Está lleno de flores—dijo con voz quejumbrosa. 35

—Sí—repuso Águeda—. ¿No te gusta?

—No. Son grandes y horribles.

Filomena dejó el lápiz encima de la mesa y dirigió a Abel una mirada desaprobadora.

—Mira que decir que es horrible . . . Eso sí que es el colmo. Con 40 los miles y miles de personas que no tienen un pedazo de tela con que cubrir sus vergüenzas . . .

—Son telas de mujer—dijo Abel—. Ningún niño lleva trajes con flores.

La sirvienta dejó la plancha en el fogón de la cocina y se restregó las manos con la falda.

—Estoy cansada de ver miles y miles de niños con trajes de flores—aseguró—. En Galicia todos los pequeños tienen cha-
5 quetitas así y se las ponen los domingos para ir a los Oficios.

—Pues yo no he visto ninguno—dijo Abel—. También yo conozco miles y miles de niños y ninguno lleva chaquetas de flores.

—Entonces serás corto de vista—repuso Filomena—. Los señoritos más distinguidos de mi pueblo tienen chaquetas como ésta,
10 y sólo se las ponen los domingos para ir a los Oficios.

—A Romano le gustaba mucho esta clase de tela—dijo Águeda—. ¿Te acuerdas de sus trajes de verano?

Había observado de reojo a Filomena y añadió:

—Además, estamos en tiempo de guerra y es preciso acostum-
15 brarse a lo que haya. Mira mis zapatos. Son de neumático de automóvil. Cada uno se las arregla como puede y a nadie se le ocurre decir nada.

—Pues yo no quiero acostumbrarme.

La versión que el espejo le daba de sí mismo le hacía sentirse
20 mezquino y desgraciado:

—Llevaré siempre mi propio traje y no me lo quitaré nunca.

Había tomado asiento en el sillón de mimbre y contemplaba sus piernas desnudas, con viva irritación.

—A callar—ordenó la muchacha—. Los niños bien educados
25 nunca dicen «quiero o no quiero». En tiempo de guerra hay que aprovechar lo que se tiene.

—La guerra—rezongó Abel—. Siempre la guerra. No hacéis otra cosa que hablar de ella y yo no la veo por ningún lado. —Señaló el patio dormido y silencioso—. ¿A eso le llamas tú estar en guerra?
30 Filomena le contemplaba con aire horrorizado:

—¡Jesús, María y José! ¡Habráse visto criatura! ¡Decir que eso le parece poco después de lo ocurrido en su propia casa! Cualquiera diría que la cabeza no le rige.

Abel recorrió la habitación de parte a parte.
35 —Nunca pasa nada—insistió—. Los periódicos están llenos de fotografías y de historias, pero lo que es aquí . . .

Filomena aproximó a su mejilla la plancha que había dejado en el fogón y alisó mecánicamente las arrugas que se le formaban en la falda.

---

[31] **¡Habráse visto criatura!** Has anybody ever seen such a child?
[32] **Cualquiera . . . rige.** Anybody would say he isn't right in the head!
[34] **Abel . . . parte.** Abel paced up and down the room.
[36] **lo que es aquí** what we have here

—¿Que no ocurre nada?—se lamentó—. ¿El que todos los hombres se hayan vuelto locos y se maten los unos a los otros, te parece aún poco?

—Sí—dijo Abel—. Todo eso lo leemos en los periódicos, pero aquí no lo vemos. 5

—¿Y qué quieres que veamos, Dios del cielo?

Abel contempló, lleno de odio, en el espejo, su pálida figura de fantasma.

—Bombardeos—repuso—con barcos, aviones y tanques.

—¿Ha oído usted? —Filomena se había vuelto hacia Águeda—. 10 A ese niño le falta un tornillo. Hablar así cuando hay tantos muertos y la gente parece haberse vuelto loca... Que Dios no le oiga.

—¡Bah! No le haga caso. Es un mocoso y habla por hablar.

Abel había tomado asiento en un sillón de mimbre y deslizaba un dedo untado de saliva sobre las cicatrices y rasguños de la pierna. 15

—No hablo por hablar—protestó—. Tengo ganas de que llegue la guerra y todo el país se llene de tanques y aviones y bombardeos y batallas.

Filomena cruzó los brazos encima del pecho.

—¿Y puedes explicarme por qué deseas eso? 20

Abel se arrancó una antigua costra con la uña y la depositó sobre la palma de la mano.

—Porque me aburro—dijo—. Porque todos los días son iguales y no ocurre nada que valga la pena. En Teruel, en cambio, se lucha continuamente: hay montones y montones de ruinas y cada cinco 25 minutos sale un tren de cadáveres, que llevan pegada una etiqueta en la guerrera, sobre el pecho.

Filomena le contemplaba con espanto.

—¿De modo que el aburrirte te parece un motivo suficiente para desear más guerra? 30

—Sí—dijo Abel—. Aquí todos los días son iguales y nunca pasa nada en serio.

Filomena tomó la plancha del fogón y extendió un trapo húmedo sobre la camisa del muchacho.

—Es la cosa más absurda que he oído en mi vida, palabra. Por- 35 que uno se aburra, desear que venga una guerra. No. Creo que no he oído nunca algo tan absurdo.

—Si te aburres—dijo Águeda—, puedes jugar, estudiar, qué sé yo. Los niños inteligentes no tienen tiempo de aburrirse.

—Jugar... —murmuró Abel—. No sé con quién voy a jugar. 40

---

[11] **A ese niño . . . tornillo.** That child is screwy.
[35] **palabra** no fooling

Además, tampoco necesito aprender nada; los libros del primer año me los sé de memoria: la Aritmética, la Historia y la Geografía.

—Pues empieza a aprender los del segundo. En la buhardilla tenemos una maleta con todos los de Romano.

5 —Si no hay ni profesores ni clases, ¿cómo quieres que aprenda? —dijo Abel con sarcasmo—. Aunque los estudiase de cabo a rabo, no me serviría para nada.

—¿Puede saberse entonces qué hacías cuando estabas en Barcelona?

10 Los ojos del niño brillaron.

—Nada. Absolutamente nada. Todos los días me iba hasta el quiosco y leía las noticias de los periódicos. Luego me iba a los solares de enfrente y jugaba a guerras con todos mis amigos.

—¡Virgen bendita! Con las desgracias de esos años y tantos 15 millones de muertos, parecerle poco aún . . .

—Cállese, mujer—dijo Águeda—. El niño dice un montón de disparates sin pensarlo.

—¡Ojalá sea así!—exclamó Filomena—. Si el Señor le escuchase . . .

20 Abel había abandonado la cocina, molesto consigo mismo. No sabía qué hacer ni en qué pensar. Se sentía de más, inútil. El empañado espejo del vestíbulo le devolvió un Abel ridículo y blanco: la luz de la lámpara le señalaba la cara verticalmente y coloreaba sus rasgos de un tinte verdoso. Sin saber por qué, agitó los brazos, hizo 25 muecas horribles y se despeinó el cabello. Se sentía desgraciado e incómodo dentro del camisón. Deseaba dejar de ser él mismo, metamorfosearse en alguien.

—Abel, mequetrefe, ha llegado el momento de hacer tus funerales.

En algún lado, no sabía dónde, había oído esa frase y la repitió 30 en voz alta, con satisfacción. Su doble del espejo torcía la boca y ponía los ojos en blanco. Abel cambió con él una mirada de disgusto. Experimentaba vivo deseo de ser soldado. Los soldados, pensaba, sí tenían suerte. El frente estaba lleno de aventuras y los héroes de cada bando luchaban a brazo partido; los aviones volaban sobre 35 las líneas enemigas y regresaban a sus bases a velocidades astronómicas.

* * *

Por la tarde solía ir al dormitorio de Águeda, a escuchar por la radio los últimos informes de la guerra. Cuando se despertó era

---

[2] **me los sé de memoria** I know them by heart
[15] **parecerle poco aún** he thinks it's not enough
[31] **ponía . . . blanco** showed the whites of its eyes

la hora aproximada de la retransmisión. Medio dormido aún, se dirigió a la habitación de la muchacha.

Con gran sorpresa suya, Águeda estaba sentada junto al receptor, envuelta en una bata naranja y, al divisarle, sonrió benévolamente.

—Siéntate—le dijo.   5

Recorría con gran lentitud el campo de las ondas y una música estrepitosa se colaba de vez en cuando, como un escape de agua: Plii—Zumbidos—. . . «écou-TEREZ MAINTenant . . .»—«. . . tras que nuestras TROPAS SIGUEN AVANZANDO EN el sector . . .»

—Deja—exclamó Abel—. Es el parte.   10

Pero fue como si no hubiera dicho nada: Águeda no le hizo ningún caso. El reloj de cuco marcaba las siete y media y el muchacho consultó el suyo propio.

—Adelanta dos minutos—dijo.

Abel la miró con asombro y, tras unos segundos de reflexión 15 decidió obrar como si no hubiese hablado antes.

—Están retrasmitiendo los comunicados de guerra—observó—. Creo que hoy se libraba una batalla importante y . . .

—La guerra—suspiró Águeda volviéndose hacia él—, siempre la guerra. Creo que Filomena tiene razón cuando dice que deberían 20 encerrarte.

Sonrió con gesto de fatiga y le tendió un frasco lleno de colonia.

—¿Quieres ponerte un poco en el cabello?

Abel se disponía a decir que no, pero la muchacha se adelantó a su negativa. Derramó un chorrito en el cuenco de la mano y la 25 deslizó sobre el rostro y el cabello del niño.

—¿Te gusta?—preguntó.

A pesar suyo, Abel había dilatado las ventanas de la nariz.

—Huele muy bien, gracias.

Sentía deseos de retirarse del dormitorio, pero algo en la actitud 30 de la muchacha despertaba su curiosidad.

Águeda había detenido el mando de la radio en una emisora barcelonesa, que zumbaba anunciando su sintonía y deslizó un peine con mango de plata sobre la masa flotante de sus cabellos.

Un vals pegadizo se apoderó bruscamente del silencio y Águeda 35 disminuyó el volumen de la onda, temerosa de molestar a su madre.

—Es esto—murmuró.

---

[8]**Plii . . . sector . . ."** Plii—buzz—"you will NOW HEAR" [the preceding words are heard on a French broadcast] . . . "as our TROOPS CONTINUE THEIR ADVANCE IN the sector . . ."
[14] **Adelanta dos minutos** It's two minutes fast
[24] **se adelantó a su negativa** she didn't wait for him to refuse
[28] **las ventanas de la nariz** his nostrils

Abel permanecía frente a ella, dividido entre el deseo de salir de allí y el de descubrir el misterio que olfateaba.

—. . . nuestro programa diario «Consultorio Juvenil de Belleza».

La voz pastosa de la mujer había llenado todo el cuarto y Abel
5 experimentó una indefinible sensación de malestar.

Pon el parte de guerra—suplicó.

—Calla.

—Sólo un minuto . . . Acabará dentro de poco y entonces . . .

—Te digo que calles.

10 Abel cogió unas tijeras de encima del tocador y se cortó desdeñosamente una uña.

—No veo qué pueda interesarte todo eso—masculló.

La locutora estaba leyendo una serie de recetas contra el dolor de cabeza y las erupciones de la piel:

15 —Cien gramos de alcohol de noventa grados. Cien gramos de alcohol de noventa grados. Esencia de limón. De limón.

—Tonterías—observó Abel, con sorna—. Nada más que tonterías.

—¡Chist!

20 Las uñas estaban llenas de mugre. Abel comenzó a limpiarlas, colérico.

—Remedios contra el sarpullido—barbotó—. Me gustaría saber qué interés tiene . . .

—¿Quieres callarte de una vez? Si tienes ganas de fastidiar,
25 haz el favor de irte a otro lado.

Abel colocó en el pie desnudo la zapatilla que acababa de resbalarle y marchó en dirección a la puerta. Permaneció allí, erguido e indeciso, sin decidirse a salir ni a quedarse.

—Por favor—dijo Águeda—. Cierra la puerta. Hay una corriente
30 de aire terrible.

El niño giró un par de veces sus talones, pero continuó allí, clavado. Al fin cerró la puerta y se cruzó desdeñosamente de brazos dando a entender que, aunque continuase dentro de la habitación, se desentendía de cuanto pudiese ocurrir en ella.

35 Ahora la mujer leía una serie de cartas firmadas por *Una Arrepentida, Flor Azul y Desesperada*.

Águeda permanecía con la oreja pegada al receptor, mientras peinaba las ondas rebeldes de su cabello.

—Estimada señora Serrano.

---

[3] «**Consultorio Juvenil de Belleza**» "How to Keep Young and Beautiful"

[31] **giró . . . talones** turned on his heels a couple of times

[34] **se desentendía . . . ella** he would not have anything to do with what might happen in it [the room].

[39] **Estimada señora Serrano** Dear Mrs. Serrano

Siguiendo el ademán de la muchacha, Abel aguzó el oído también.

—. . . Soy soltera y tengo veintiocho años y, viviendo como vivo, en el campo, llevo una existencia muy recluida, que interrumpo tan sólo algunas veces para hacer visitas al pueblo por asuntos personales de mi madre, enferma e imposibilitada. Desde hace unos meses, co- 5 nozco a un oficial destacado en la vecina batería y dado que ha manifestado su propósito de . . .

El rostro de Águeda estaba rígido a causa de la atención, y Abel descubrió, lleno de asombro, que el peine le había resbalado de los dedos.   10

La locutora terminó, entretanto, la lectura de la carta, que firmaba *Una Solitaria* y comenzó a dictar la respuesta:

—Comprendo claramente su impaciencia, hijita, y créame que lamento mucho no estar a su lado para aconsejarla y cicatrizar las heridas de su alma atribulada pero, como quiera que esto no es 15 posible y usted anda necesitada de ayuda, ahí van estas pobres palabras mías con la esperanza de que puedan serle de alguna utilidad: sea usted fuerte, querida, y no se deje arrastrar por un momentáneo ofuscamiento que, hijita, bien podría ser pasajero y . . .

Atraído por lo extraordinario de la escena, Abel se había aproxi- 20 mado a la muchacha, como un sonámbulo.

La respuesta, que la locutora leía con voz acaramelada, estaba llena de consejos de prudencia y sensatez, que salpicaba de expresiones cariñosas tales como «querida mía» o «hija de mi alma».

Al concluir la emisión, había vuelto a sonar el mismo vals que al 25 principio y Águeda permaneció con el semblante absorto, fijo en el mando de la radio. Luego desenchufó.

Hubo un momento durante el cual ninguno aventuró una mirada.

Águeda había descubierto el peine encima de la alfombrilla y 30 se inclinó para recogerlo.

—¿Has oído?—dijo.

Los ojos le brillaban como arrasados por las lágrimas e, inesperadamente, rompió a reír.

—Yo soy esa *Solitaria*.   35

———————

Mientras las demás personas se escuchaban solamente a sí mismas, Abel, con una mirada, se hacía cargo de todo. Su presencia vivificaba la enrarecida atmósfera de la casa. Hasta que un día, a comienzos de otoño, aquel castillo de ilusiones se derrumbó súbitamente por la base.   40

———————

[36] **las demás personas**   i.e., the women living in *El Paraíso*
[40] **por la base**   in its foundations

La culpa la tenía uno de los niños refugiados, un diablillo, hermoso como un ángel, que había sorbido el seso al pobre Abel, por su culpa, el niño se había transformado en otro distinto, en apariencia igual al anterior y cuyo físico usurpaba. Abel había destrozado, una tarde, los nidos de golondrinas con su tirador de goma; charlar con las mujeres le aburría y no prestaba atención a sus palabras. Doña Estanislaa le había dicho una vez: «Te evaporas», pero el niño no le hizo ningún caso. Con el pequeño Pablo vagaba por el alcornocal y por la rambla, ingeniando toda clase de maldades y de tretas.

* * *

Un día, antes de Navidad, mientras Filomena le arreglaba el dormitorio descubrió debajo de la consola un maletín lleno de ropa. Algo inquieta, aprovechó el momento en que cruzaba la cocina para interrogarle; pero, por más que amenazara y rogase, el niño no quiso responder.

—Eso a ti no te importa—dijo—. El maletín es mío y haré con él lo que me dé la real gana.

Lo restante, a partir de aquel día de Año Nuevo, era confuso, como producto de una pesadilla endemoniada. Los recuerdos se le embrollaban y, al intentar tirar de un hilo, arrastraba la totalidad de la madeja.

Una noche, Abel no se presentó a la hora de la cena. Invadida por un brusco presentimiento, Filomena corrió al dormitorio en busca del maletín. La sangre había huido de su rostro y se sentía flotante, hueca. Cuando llegó, con una simple ojeada se hizo cargo de todo: el cuarto estaba patas arriba y no vio el maletín por ningún lado. Comenzó a gritar: «Abel, Abel.» Pero el niño no estaba ya en *El Paraíso*. Una nota breve, escrita en tinta roja, les informaba su decisión de abandonarlas.

Sin embargo, regresó la misma noche, cuando todos se habían acostado. Parecía estar dormido, como muerto, y se tendió sobre el lecho sin decir palabra. Temiendo por su vida, Filomena había asegurado los postigos con la aldaba y hasta la hora del alba montó guardia al lado de la puerta. Abel se removía inquietamente y, entre sueños, le oyó llorar en voz alta.

Durante los últimos días de la dominación republicana, la guerra traía, a veces, noticias horribles: el camión en que viajaba la maestra había sido alcanzado junto a Palamós por una bomba y todos sus

---

[2] **que . . . Abel**   who had sucked out Abel's common sense
[20] **al intentar . . . madeja**   upon trying to pull one thread, she unraveled the whole skein

ocupantes habían perecido. Frente a la costa, los aviones hundieron una lancha del Servicio de Defensa y hubo diecisiete ahogados. Pero nada de eso parecía afectar al niño: Abel pasaba la mayor parte del día en el bosque, jugando con los mocosos de la escuela, y jamás se le oyó ningún comentario. 5

— Los campos están llenos de vagabundos y soldados — informó —. Si usted sale, puede ocurrirle cualquier cosa. Déjele. El niño ya vendrá cuando le plazca.

Pero esa última suposición había resultado, desgraciadamente, falsa y Filomena apenas podía dar crédito al cuadro que le ofrecían 10 sus ojos: Abel estaba muerto y nada de lo que ella hiciese lograría resucitarlo.

— ¡Oh, Abel, Abel! — exclamó.

Tenía los párpados hinchados y se dejó guiar a la salita. No conseguía ver con claridad quién la tomaba de la mano, y hablaba 15 a sacudidas, agitada aún por el hipo.

Detrás del escritorio, el alférez Fenosa se limpiaba las uñas con un palillo. La escena de la mujer, debatiéndose llorosa junto al cadáver, le había llenado la boca de un amargor extraño. Sentía náuseas, deseos de vomitar. La observó de reojo mientras la lleva- 20 ban a lo largo del corredor y apoyó la frente en su manga estrellada. Afuera, el sol brillaba con creciente intensidad y vitalizaba la flor de las mimosas con inyecciones de amarillo. Se dejó ganar por un dulce adormecimiento y subió al piso alto a descansar.

---

[7] **El . . . plazca.** The boy will come when it pleases him.
[18] **debatiéndose llorosa** torturing herself and weeping

 # CAPÍTULO TERCERO

En la encrucijada de caminos, el sargento los había fragmentado en dos escuadras: una parte del pelotón, mandada por el cabo, siguió el sendero izquierdo, conforme había indicado Elósegui, y la otra, con el sargento al frente, tomó la trayectoria del atajo.
5 Antes de separarse, acordaron un encuentro en la vaguada al cabo de una hora y, cada uno por su lado, bajaron la ladera del barranco bajo la sombra copuda de los árboles.

El grupo de Santos caminaba en fila india con el fusil al hombro. El atajo por el que marchaban estaba obstruido de verdasca y su
10 extremo se perdía en un lienzo de espesura. A medida que descendían por la vertiente, el sendero se hacía más y más abrupto y una vegetación de encinas y tamujos sustituía los alcornoques descorchados.

* * *

En la torrentera, una maraña de zarzas impedía escalar la vertiente opuesta. Santos inspeccionó los alrededores y descubrió la conti-
15 nuación del camino cincuenta metros más abajo. Estaba orillado de castaños que cubrían el suelo. Guardando el mismo orden que al comienzo, treparon a lo alto del collado. Allí, sobre las copas de los árboles, se divisaba una gran porción del valle, pero no descubrieron ningún rastro de los niños.

* * *

---

⁷ **la sombra . . . árboles**   i.e., the shade of the tufted trees

En un recodo del camino, medio oculta entre una muralla de avellanos, había una fuente en forma de pozo y la escuadra de soldados se detuvo a descansar. Desde la fuente se divisaba el lecho arenoso de la rambla dormida bajo el sol. Unos bancales escalonados bordeaban las laderas donde, en primavera, debían brotar las cañas. 5 Entre ellos se alzaba, en estado ruinoso, lo que muchos años antes debía de haber sido un molino de harina y, al posar en él los ojos, descubrió, de pronto, el movimiento de algunos seres vivos.

Se había dejado en la escuela los prismáticos de campaña, pero la distancia permitía establecer con seguridad la presencia de cinco 10 o seis muchachos en torno al molino. Uno de ellos llevaba una guerrera o jersey rojo, que permitía localizarlo con facilidad. A los otros lograba únicamente divisarlos mediante gran esfuerzo; parecían bullir por los bancales como insectos atareados y obedecían las órdenes del muchacho vestido de rojo. 15

—¡Eh, mirad!

Los soldados habían seguido la dirección de su brazo y contemplaban el valle haciéndose pantalla con los dedos. Uno, dos, tres. Los chiquillos sobrepasaban la media docena. El sargento calculó la distancia a vuelo de pájaro y emitió su dictamen. 20

—Ochocientos metros. Tal vez más.

El declive era muy pronunciado y bajaron a gran velocidad. La prisa daba alas a todos. Santos sujetaba firmemente la correa del fusil para evitar los golpes de la culata en la cadera. Los hombres de su grupo marchaban detrás, en fila, siguiendo la dirección que 25 trazaba.

* * *

Cuando llegaron a la rambla, el sol acababa de ocultarse tras un racimo de nubes y un golpe de aire levantó una tolvanera de color anaranjado. Los soldados avanzaron cubriéndose los ojos; sus pies, siempre al unísono, chapoteaban en el fango y, al ascender por la 30 vertiente, aminoraron poco a poco su carrera.

* * *

En uno de los bancales, el molino había aparecido frente a ellos, pero tuvieron que escalar otro talud antes de averiguar lo sucedido; de la chimenea se elevaba un penacho de humo negruzco y unas llamas delgadas lamían las maderas desprendidas de la puerta. 35 Después de haberle pegado fuego, los chiquillos se habían esfumado. En el haza no se advertía ninguna señal de su presencia.

---

[18] **haciéndose . . . dedos**   shading their eyes
[20] **a vuelo de pájaro**   as the crow flies

Los soldados se detuvieron a medio centenar de pasos del molino; luego, corrieron hacia él. Santos había llegado el primero y cargó contra la puerta: estaba cerrada, pero cedió sin dificultad. El interior resultaba invisible a causa del humo y sus ojos se inundaron de
5 lágrimas. Un impulso oscuro, que no comprendía, pero al que se veía forzado a obedecer, le lanzaba, sonámbulo, adelante.

—¡Eh, mi sargento!

El humo le había envuelto en un ropaje prieto y denso y le hizo perder la noción de donde estaba. Avanzó a tientas, buscando las
10 paredes con las manos. El foco principal del incendio venía del rincón opuesto y se esforzó en mantenerse a distancia. Quería hablar, preguntar si había alguien, pero el humo le impedía abrir la boca. Ciego, amordazado, tanteaba la superficie irregular de la pared, mientras sus hombres le llamaban desde la puerta y discutían
15 la posibilidad de aventurarse.

Cuando su mano palpó un objeto blando—ese contacto del cuerpo humano a cuya búsqueda se había lanzado ciegamente—estuvo a punto de llorar de alegría. Había alguien, que no era su hijo, desvanecido por el humo, encima de la muela del molino. Pero, fuese o
20 no Emilio—lo descubría ahora lleno de asombro—, el hecho revestía la misma importancia. Era *un* hombre, y eso bastaba. La guerra, que había segado tantas vidas, le permitía rescatar una cuando se hallaba completamente desahuciada.

«Gracias, Dios mío, gracias.»
25 Había logrado enderezar el cuerpo y, al intentar asirle por los brazos, descubrió que estaba atado. Durante unos momentos trató de aflojar el nudo. Imposible. Los chiquillos habían hecho bien las cosas. Mientras forcejeaba, el cuerpo había resbalado otra vez sobre la muela y tuvo que agacharse para alzarlo por los hombros.
30 Lo consiguió con dificultad, a causa de la posición ladeada de las piernas y, agotado por el esfuerzo, se apoyó contra la piedra. Los pulmones le pesaban como si los hubiese llenado de arena y su boca se abría a pesar suyo. El humo que engullía le irritaba la garganta y hacía más y más confusas sus pobres ideas.
35 Salir: a la luz, al aire. Un tenaz apego a la vida (a la suya, a la del otro hombre) le hacía mantenerse de pie y acarrear el cuerpo inanimado a través de un aire denso de humo (fuera, el viento debía de estremecer las hojas de los árboles). Le separaban escasos metros de la puerta, pero se sentía incapaz de recorrerlos de un tirón.
40 Paso a paso, bordeando la muela con las rodillas, condujo el cuerpo del hombre hacia la puerta presentida por los gritos.

---

[1] **a medio centenar de pasos**   about fifty paces
[19] **fuese o no Emilio**   whether it was Emilio or not
[20] **el hecho . . . importancia**   the fact (of finding someone) took on the same importance
[41] **presentida por los gritos**   whose location he guessed at with the help of the shouts

Había creído desvanecerse a cada paso que daba y continuaba erguido por puro milagro: con los brazos tensos y la mente en blanco. Luego tropezó con alguien y unas manos le asieron por los hombros y lo arrastraron hacia afuera. Era el aire, la vida, y se abandonó muellemente a su caricia. 5

———————

Mientras Santos forzaba la puerta del molino, el soldado García descubrió la cabeza rapada de un chiquillo entreverada de helechos. El niño desapareció como pulsado por un muelle, pero el soldado había tenido tiempo de situar con precisión el lugar en que se hallaba.

—¡Eh, tú, pequeño!—gritó. 10

Había partido en su busca a toda velocidad pero, aunque llegó al punto extremo del haza, no le descubrió por ningún sitio.

* * *

El soldado García afianzó sus piernas en el suelo y se rascó la coronilla con asombro; el niño había desaparecido como por ensalmo en un plazo de tiempo inverosímilmente corto. Si su cálculo no 15 fallaba, había más de doscientos metros de distancia hasta el primer conato de bosque. Creyó que los sentidos le habían jugado una mala pasada. La cara del chiquillo estaba tiznada de pintura y unas gafas protectoras de campaña le cubrían las cuencas de los ojos.

Se disponía a regresar junto a sus compañeros, cuando el tallo 20 segado de una flor silvestre le hizo observar la existencia de un corte en la masa arcillosa que se extendía a su izquierda. Al avanzar un par de pasos, descubrió una quebrada, honda de tres metros, encajonada entre la doble escalera de bancales. Un camino de herradura bajaba desde lo alto de los cerros hasta el lecho de la rambla y era 25 indudable que el niño se había escabullido por allí a cubierto de todas las miradas.

García vaciló unos segundos antes de lanzarse cuesta abajo. El pequeño había dejado las huellas de sus pasos en el talud, y el soldado advirtió que se orientaban en dirección a la vaguada. Ence- 30 rrado entre dos muros arcillosos, el eco se diluía a lo largo del camino y alertaba de su presencia al fugitivo. También García percibía como el sonido de unos pasos y corrió tras ellos sin preocuparse.

* * *

———————

13 **afianzó . . . suelo**   came to a halt
16 **el primer conato de bosque**   the edge of the woods
32 **alertaba . . . fugitivo**   warned the fugitive of his presence
33 **como**   do not translate

El soldado se había propuesto reducirle por la fuerza y no se preocupaba de alcanzarle. El macuto estorbaba el movimiento de los brazos y lo arrojó a la primera oportunidad. Corría a paso gimnástico y comprobó que, sin esforzarse, acortaba la distancia.

* * *

5   El sendero llevaba hacia el bosque de alcornoques cercano a la escuela, donde, tal vez confiaba encontrar algún amigo o camuflarse a sus miradas; pero el trecho que le faltaba por recorrer no era inferior a trescientos metros y confiaba atraparle sin necesidad de apresurarse mucho.

10   La distancia se acortaba de modo visible y el niño volvía la cabeza a cada paso. También él se volvía de vez en cuando, ahora que, al remontarse, adquiría perspectiva y contempló el progreso de las llamas sobre el molino envuelto en humo. Ignoraba lo que sus compañeros estarían haciendo y se preguntó si, al capturar al

15   chiquillo, debería volver con ellos.

—¡Eh, pequeño!—gritó—. Es inútil que te canses corriendo de este modo. Quieras o no quieras, te atraparé antes del bosque.

Atravesaban un haza poblada de cantahuesos y el niño cogió un enorme pedrusco. Se volvió hacia García, jadeante, y le ordenó:

20   —Quédese usted donde está, o le aplasto la cara.

El soldado se detuvo, a pesar suyo, fascinado por el atuendo siniestro del chiquillo. Tenía el cabello rapado al cero y un tatuaje de espadas y dragones cubría toda su frente. El resto de la cara estaba tiznada de pintura naranja. Los ojos, desprovistos del escudo de

25   sus gafas, parecían por contraste asustados y blancos.

—Retroceda.

Boqueaba como un pez fuera del agua y su cuerpo temblaba de cansancio. García hizo ademán de obedecerle, pero se lanzó bruscamente a su encuentro, cubriéndose el rostro con el brazo.

30   El pedrusco pasó a escasos centímetros de la sien y, por un momento, creyó que le había segado la oreja. Aturdido por el dolor, no supo evitar la zancadilla del niño y cayó con él al suelo. García le sujetó por las muñecas y se sentó sobre su estómago. El chiquillo aullaba, se debatía e intentó morderle una mano. El soldado le

35   abofeteó con fuerza a uno y otro lado de la cara, hasta que cesó de dar patadas. Entonces lo dejó desahogarse en un mar de lágrimas y, con sumo cuidado, se palpó el lóbulo de la oreja. La piedra había rozado el pabellón auditivo con alguno de sus cantos y unas gotas

---

¹⁷ **Quieras o no quieras**   whether you like it or not
²² **rapado al cero**   closely cropped
²⁸ **pero se lanzó . . . encuentro**   but suddenly lunged at him
³⁰ **a escasos centímetros de**   a few scant centimeters from

de sangre espesa manchaban el cuello de su camisa color caqui. El corazón le latía con violencia y aguardó unos segundos a que se sosegara.

Al otro lado del valle, el molino ardía envuelto en llamas y una columna de humo se elevaba en la atmósfera densa y apacible. 5 García distinguía confusamente el movimiento de sus compañeros, irreconocibles a causa de la distancia, y, antes de incorporarse, reflexionó en las posibilidades que se le ofrecían. Regresar al molino equivalía a dar un rodeo grandísimo, con la consiguiente pérdida de tiempo. En cambio, el trayecto hasta la escuela era muy 10 breve y brindaba la ocasión de ganar méritos delante del oficial. Se decidió por lo segundo y se puso de pie.

—Vamos, en marcha.

El niño se incorporó a regañadientes, pero admitió sin protestar que García le sujetara por el brazo. 15

—Y nada de tonterías, ahora. Si intentas escabullirte, lo único que vas a conseguir es una buena tanda de azotes, de modo que adelante y a callar.

El camino serpenteaba a través del bosque y lo siguieron en silencio. Mientras andaban, el soldado se entretuvo en observar los 20 tatuajes misteriosos del chiquillo: un dragón, dibujado en tinta roja, devoraba una extraña criatura de color verde. Al pie, entre las cejas, había dos espadas entrecruzadas.

El niño caminaba dócilmente y, de vez en cuando, volvía la cabeza hacia atrás y hacia los lados. 25

—No, no nos sigue nadie—dijo García—. Tus compañeros te han olvidado y, a estas horas, los habrá pillado el sargento.

El chiquillo se volvió para mirarle. Sus pupilas, redondas y metálicas, se clavaron en él con infinito desprecio.

—¡Narices!—dijo—. Están mejor armados que ustedes y tendrán 30 que reventarse mucho si quieren atraparles . . .

Hablaba con acento duro, de hombre formado, y García experimentó ligero sobresalto.

—A callar—ordenó.

Sentía deseos de endilgarle una plática, pero no supo qué decir. 35 Se acordó, de pronto, de uno de los artículos del Reglamento: «El cabo, como jefe más inmediato del soldado . . .»; pero no, sería ridículo recitarlo. Además, tampoco estaba seguro de saberlo al pie de la letra. Adoptó un tono conciliador.

—¿Qué edad tienes? 40

---

¹² **Se decidió por lo segundo** He decided on the second course of action
¹⁷ **una buena tanda de azotes** a sound whipping
³⁰ **tendrán que reventarse mucho** you'll have to knock yourself out
³⁴ **A callar** Shut up

El niño se alzó ligeramente de hombros.

—¿Puedes decirme, al menos, qué valor tienen esos dibujitos que llevas en la frente?

—El mismo que las estrellitas que llevan en la gorra sus capitanes.

5 García no se atrevió a preguntar más. Entreveía vagamente que el niño le estaba tomando el pelo y la sola sospecha de que así fuese despertó su indignación.

—Está bien. Si quieres guerra, guerra tendrás.

Acentuó la presión de los dedos en su antebrazo y el niño hizo
10 un gesto de dolor.

—¡Sucio, cochino, canalla, hijo de puerca!—gritó.

García no le hizo caso. Continuó apretando hasta que los ojos del chiquillo se llenaron de lágrimas.

—Déjeme. Me hace usted daño.

15 Su semblante era verdaderamente lamentable y el soldado sintió piedad. Su mano aflojó la presión de modo gradual y se posó amigablemente en su hombro.

—Quíteme usted las manos de encima—chilló el niño con inesperada violencia—. ¡Marica, más que marica!

20 Herido en lo más noble de sus sentimientos, García le propinó una bofetada.

—Toma, deslenguado, para que aprendas . . .

El niño quiso escupirle en la cara y se revolvió lleno de odio.

—¡Marica, marica!

25 El tono de su voz tenía la virtud de enfurecerle. García quiso taparle la boca con la mano y el chiquillo le mordió con ferocidad.

—Déjame, diablo.

Le golpeó con el puño hasta que rodó por tierra y, aun de bruces, con el rostro cubierto de barro y de pintura, se volvió obstinada-
30 mente hacia él, sin dejar de repetir el insulto.

El soldado hundió las manos en los bolsillos sin saber qué hacer. Se acordó de sí mismo, niño aún, cuando su padre le amenazaba con horribles castigos si pronunciaba una palabra malsonante y, al igual que el chiquillo ahora, la repetía llorando hasta quedarse ronco.

35 No, nada lograría hacerle cambiar. Contemplaba al niño con disgusto y, asiéndolo por los hombros, logró ponerle de pie. Lentamente, emprendieron la marcha.

Las mimosas amarillas ponían una nota temblorosa de color en el sendero adormilado. Oían a escasos metros las conversaciones
40 de un grupo de soldados y García experimentó alivio, ante la idea de confiarles el muchacho.

---

[19] **¡Marica, más que marica!** You're a "fairy" and even worse than a "fairy"!

El cabo furriel, que se había separado del grupo para orinar entre los tiestos, los descubrió mientras se abotonaba y avisó a sus compañeros, haciéndose bocina con la mano.

—¡Eh, fijaos qué prisionero nos trae José García!

Los soldados formaron corro alrededor de los recién llegados y contemplaron curiosamente al chicuelo: 5

—¡Atiza!

—¿Quién es?

—¿Cómo se llama?

—¿De dónde lo has sacado? 10

El niño los miraba con ojos feroces y apretó obstinadamente los labios.

—Sí, ¿cómo te llamas?

—¿Vienes de algún baile de disfraces?

—¿Qué significan esos dibujitos que llevas en la cara? 15

García les mostró la señal de sus dientes en la mano.

—Fijaos qué mordisco me ha soltado.

Hubo un coro de risas. El furriel hizo chascar los labios y preguntó:

—¿Te gusta morder a las personas? 20

El niño paseó en torno su mirada de desprecio y la clavó, finalmente, en la punta de sus zapatos.

—¿Te has comido la lengua, chaval?

—¿No sabes decir nada?

El niño soltó una coz que alcanzó en la rodilla a uno de los solda- 25 dos, un muchacho adiposo, con el rostro cubierto de granos, que se llevó las manos a la pierna, aullando de dolor.

—Me ha pegado, me ha pegado . . .

El tono de su voz levantó una carcajada, pero el niño les contempló con ojos llameantes: 30

—¡Cochinos, sucios, maricas!

La risa de todos se detuvo en seco.

—¿No os lo dije?—exclamó García—. El chaval es lo que se dice una joya.

El grupo de soldados se anilló en torno al prisionero. 35

—Nos has insultado.

—Mira que llamarnos maricas . . .

---

[3] **haciéndose . . . mano** shouting to the others with his hands cupped around his mouth
[14] **baile de disfraces** masquerade ball
[21] **paseó . . . desprecio** looked around scornfully
[33] **es . . . joya** is what you might call a real jewel
[37] **Mira que llamarnos maricas . . .** Look who's calling us fairies.

—Pues sí que tiene gracia.

—Ya le enseñaré yo a . . .

—Dejadle—ordenó García—. Que se entienda con él el alférez; yo no quiero saber nada.

5 El soldado que había recibido la coz se frotaba la rodilla con un pañuelo y tomó asiento en el banco de madera con ademán dolorido.

—Estoy seguro de que tengo algo roto—sollozó.

García empujó al niño por el hombro, cuidando de no recibir puntapiés y, seguido por todo el grupo, se introdujo en la escuela.

10 El alférez estaba en la antigua sala de espera, discutiendo la recepción con el brigada y, antes de atravesar el umbral de la puerta, el niño hizo ademán de huir. La emprendió de nuevo a puntapiés con García y los contempló a todos como un animal acorralado.

—Déjenme en paz, déjenme en paz. Aunque me maten, no pienso

15 decir nada.

Extendido en la camilla, había distinguido el cadáver de Abel y recordó lleno de angustia, las advertencias del *Arquero*: «Te colgarán . . . ¡Oh, los niños son quienes más resisten . . . ! A veces se pasan horas y horas bailando . . . No resulta agradable a la vista,

20 palabra . . .»

Había retrocedido hasta el rincón y se arrojó al suelo con violencia desesperada, golpeando la alfombra con los puños, aullando y pataleando.

—No he sido yo. Le juro que no he sido yo. Yo no he hecho

25 nada. Déjenme en paz . . .

Hasta que Fenosa se apiadó de él y ordenó al soldado que se lo llevara.

———

El señor Quintana dejó su taza de café encima de la mesa. Recién rescatado de las llamas por el sargento, se encontraba todavía

30 bastante débil y tropezaba con cierta dificultad en la expresión de sus ideas; pero el malestar y el ahogo que sentía en el pecho habían cedido de modo gradual.

—Fue entonces—dijo—, al enterarme de que el camión que debía transportarlos había sido requisado, cuando decidí mantenerlos

35 reunidos aguardando la llegada de su ejército. El vigilante también había huido y yo era el único responsable.

Enarcó las cejas, grises, mientras bebía un nuevo sorbo. Parecía que un pintor se hubiera entretenido en dibujarle patas de gallo;

---

[12] **La . . . García** He started kicking García again
[38] **en dibujarle patas de gallo** in drawing crows' feet around his eyes

sus ojos flotaban en medio de ellas como huevecillos diminutos, presos en una red de araña.

—La tropa no salió hasta las ocho de la mañana; pero, desde antes de medianoche, los niños se habían adueñado de la escuela. Yo les di orden de reunirse después de la cena y se presentaron en mi ⁵ despacho en actitud amenazante. Su estado mayor se había provisto, yo no sé cómo, de toda clase de armas ... A una señal de su jefe me ataron las manos a la espalda y colocaron a mi lado un centinela.

—¿Qué hora era cuando usted vio por última vez a Emilio?— preguntó Santos. ¹⁰

—Las tres. Quizá las tres y media. Recuerdo que el reloj se me paró a las dos y veinte, y no fue mucho más tarde. Su hijo estaba en el pasillo con otros niños, mientras el centinela me empujaba hasta el despacho donde se celebraba mi juicio.

El sargento bebió un poco de agua. La noticia de que su hijo ¹⁵ vivía en la escuela y se encontraba sano y salvo le había dejado atontado, inerte. Le llamaba en voz baja: «Emilio, Emilio», pero, ahora que lo sabía vivo, tenía miedo de enfrentarse con él.

Hacía tres años que no lo veía y temía encontrarlo cambiado. La guerra había abierto entre padres e hijos un abismo difícil de ²⁰ colmar. Se necesitaba mucho arrojo y valentía para cruzarlo; para tomar a Emilio entre sus brazos y decirle: «De lo ocurrido, todos somos, en parte, responsables y hemos de procurar que nadie lo olvide. La paz es algo por lo que se debe luchar a diario, si se quiere ser digno de ella.» ²⁵

Estaba absorto en sus reflexiones personales y apenas oía el relato de Quintana:

—¿Decía usted?

El profesor observaba con ojos vacíos el obstinado intento de una mariposa de colores que quería penetrar en la cocina y se estrellaba ³⁰ contra el vidrio de la ventana.

—Mi juicio—repitió—. Había sido condenado a muerte y uno de ellos leyó mi sentencia en voz alta. Luego me llevaron de nuevo a la buhardilla, amordazado y, cuando los soldados evacuaron el colegio, subieron a buscarme. ³⁵

Dirigió una mirada de súplica a Santos:

—¡Oh!, ya sé que todo esto es difícil de creer, pero le digo la pura verdad. En el bosque, según pude darme cuenta, había división de pareceres respecto a lo que se podía hacer conmigo: mientras unos querían fusilarme, otros, para evitar las consecuencias, pre- ⁴⁰ ferían simular un accidente.

---

²² **De lo ocurrido** For what has happened

—Perdóneme que le interrumpa—dijo Santos—. ¿Estaba Abel Sorzano entre ellos cuando lo llevaron a usted al bosque?

—No lo recuerdo. Al menos, si estaba, no me fijé. Los niños se habían fragmentado en varios grupos y el mío estaba formado
5 tan sólo por unos siete u ocho. Yo oía el tableteo de las ametralladoras y sabía que ustedes estaban al llegar. También ellos deliberaron en voz baja y enviaron un enlace a su estado mayor. Cuando el emisario regresó, llevaba una lata de gasolina y entre todos me arrastraron hacia el molino de trigo. Y allí estaría si usted no me
10 hubiese sacado.

Hubo un momento de silencio durante el cual se hizo perceptible el griterío de los soldados en torno de la casa.

—Entonces, desde la noche usted no volvió a ver a Abel Sorzano.

—No—dijo Quintana—, no volví a verlo.

15 Había extendido las palmas de las manos encima de las rodillas y preguntó:

—¿Qué tiene que ver el niño con todo esto?

El sargento lo miró con gravedad. En sus ojos había una sombra de tristeza.

20 —Lo han matado—dijo—, y tal vez Emilio sea el asesino.

Las venas azuladas que estiraban la frente de maestro, se hincharon súbitamente.

—¿Muerto?

—Sí. Le dispararon un tiro esta mañana.

25 Quintana había ocultado su rostro entre las manos y Santos creyó, por un momento, que lloraba.

—Es absurdo—murmuró—, todo es absurdo.

Le parecía conocer al sargento desde hacía muchos años y le contempló apesadumbrado, como a un hermano, como a un amigo
30 íntimo.

—Nadie tiene la culpa. A esos niños que no tienen padre ni madre es como si les hubiesen estafado la infancia. No han sido nunca verdaderamente niños.

—Mi hijo . . . —comenzó Santos.

35 —Tampoco puede usted reprocharle nada. Ha vivido demasiado aprisa para su edad. Las ruinas, los muertos, las balas han sido sus juguetes . . . Los padres deberán, en adelante, comprender este cambio. Si no . . . se exponen a perder a sus hijos para siempre.

Habían callado los dos y Quintana murmuró:

---

[8] **entre todos** all together
[28] **Le parecía . . . años** It seemed to him that he had known the sergeant for many years
[32] **como si . . . infancia** as if they had been defrauded of their childhood

—Conozco a la propietaria de *El Paraíso*. Es la tía de ese chiquillo, e incluso alguna vez fui a visitarla.

—La han avisado ya—dijo el sargento.

—¡Pobre mujer!

Cogió un cigarrillo de encima de la mesa pero, al ir a encenderlo, 5
lo contempló con repugnancia.

—No, creo que no podré soportar el humo nunca más.

El mechero le había resbalado de las manos, pero no se tomó el
trabajo de recogerlo.

—Doña Estanislaa está loca, pero la gente ignora por qué. Yo 10
sé que tuvo dos hijos y que los dos murieron jóvenes.

Las risas de los soldados en el jardín empañaron el silencio que
siguió a esas palabras y el maestro golpeó la mesa con el puño.

—Dos, ¿comprende usted? Y ahora el sobrino, por si no fuera
bastante. 15

Doña Estanislaa tomó el violín de juguete que unas horas antes
había sustraído del cuatro plazas, y lo colocó en el anaquel del armario, junto a los recuerdos personales de sus hijos.

---

*Los dos eran jóvenes y hermosos: aún inocentes, se los hubiera creído
culpables. Cabezas como las suyas requerían un cadalso o un trono.* 20
*Estaban condenados de antemano y ella no lo sabía. Ignoraba que el
precio de la belleza es terrible y el mundo no perdona a los privilegiados.*
Lo de David se remontaba a una época lejana, en el escenario de
una capital de Centroamérica, y aunque habían transcurrido desde
entonces más de treinta años, el recuerdo de lo sucedido se mantenía 25
en su memoria de forma imborrable.

Fue durante un viaje que hicieron a Cuba, el año en que vendie-
ron el ingenio, cuando Enrique propuso hacer un crucero: «Podríamos recorrer el Caribe, querida. Los meses próximos son los
mejores del año y creo que, tanto tú como el niño, andáis necesitados 30
de reposo. Los Blázquez tienen casa en Balboa y se sentirían felices
de poder acompañaros.» Así le había hablado él, el hombre con
quien estaba casada y que, durante su vida, tanto la había hecho

---

[14] **por si . . . bastante** as if it wasn't enough
[19] **se los . . . culpables** one would have thought them guilty
[23] **Lo de David** the episode with David

sufrir, y ella no halló en sí misma suficiente resistencia para oponerse a la locura de sus planes. La venta de las tierras del bisabuelo le hizo mucho daño ... Todo se perdió de modo absurdo: el ingenio, sin saber cómo, se había escurrido de sus manos. Cuando estampó
5 su firma en la escritura, no pudo por menos que llorar. «Vamos, querida—dijo Enrique—, ante esas cosas no queda otro remedio que resignarse.» Pero él, el marido, no daba a los recuerdos ni a las cosas ninguna importancia.

* * *

Partieron. El buque recorría, indolente, las costas antillanas,
10 con su espalda de gigante tostada por el sol. La Luisiana, Méjico, Centroamérica y, por fin, Panamá. Cuando llegaron a Balboa, era la víspera de Carnaval y la ciudad se engalanaba febrilmente para los bailes y festejos. Habían alquilado un coche de punto y recorrieron la ciudad de parte a parte. Anochecía y los farolillos de
15 colores que emitían destellos de luciérnaga a lo largo de las calles ponían en el ambiente una nota irreal, casi fantástica.

Todo presagiaba la proximidad de la catástrofe. El calor era insoportable en aquella época del año. Las bebidas entraban por la boca y salían por los poros sin lograr calmar la sed. El sol caía a
20 plomo sobre las calles y las plazas; lagartijas borrachas corrían por las aceras de mosaico; los ventiladores zumbaban monótonos en los pasillos del hotel y oleadas de aire cálido acariciaban sus rostros empapados. Sólo la noche, con su brisa fresca, infundía algo de calma. Durante largas horas permanecía acodada en la ventana.
25 Las palmeras del patio, iluminadas desde abajo, eran como explosiones de bengalas, con sus frágiles ramas desplegadas en el cielo en forma de abanico. La mosquitera velaba, como pálido fantasma, el sueño inocente de su hijo y una orquesta nocturna, hecha de parloteos y de gritos, acompañaba el lento transcurrir de las horas,
30 que marcaba el carillón de una iglesia.

Entonces pedía a Dios que protegiese la vida de David, se inclinaba sobre su cama de metal y rozaba su frente con los labios. Todas las noches, siguiendo el ejemplo de su madre, refrescaba sus mejillas con agua de colonia. El niño suspiraba aliviado y en sus labios se
35 dibujaba una sonrisa. A veces, cuando abría los ojos y la veía despierta, velando, la acariciaba con sus manitas. «Duerme, tesoro —le decía entonces—, mamá se queda aquí, a tu lado.» Eran momentos de amor y de ternura que David apreciaba en su valor exacto, dotado como estaba, a aquella edad temprana, de un corazón maduro

---

4 **Cuando ... llorar.** When he signed the documents she couldn't help crying.
19 **caía a plomo** beat down on

y noble. Ella sabía que las restantes madres abandonaban a sus
hijos para asistir al Carnaval, pero no podía seguir su ejemplo.
La idea de que David pudiese llamarla durante el sueño la tras-
tornaba. Cuántas veces, al despertarse de alguna pesadilla, la había
buscado implorante: «Gracias, gracias, mamaíta», decía. Sí, trataba   5
de comprender la conducta de las restantes madres y no lo conseguía.
«Vamos, querida—argumentaba Enrique—, al niño no va a ocurrirle
nada porque salgas conmigo una noche. También la señora Blázquez tiene chiquillos y se las arregla siempre para ir de picos pardos.»
Pero ella les decía a él y a todos: «Dejadme ser como soy, os lo ruego.   10
Si me hace feliz velar su sueño, ¿por qué tengo que abandonarle?»
Y mientras la ciudad ardía en fiesta y todas las madres bebían y
bailaban, permanecía junto al lecho del niño, como un hada bené-
fica, susurrando a su oído palabras de ternura y confianza.

* * *

Fue una tarde de febrero, después de la Candelaria. El marido la   15
había dejado una hora antes, creyendo que dormía, pero no pudo
conciliar el sueño. A aquella hora el agobio se hacía insoportable y
se decidió a bajar al vestíbulo para beber algo fresco. El bar del hotel
era un establecimiento típico de aquellas latitudes, con los estantes
llenos de botellas y los carteles de propaganda escritos en inglés. En   20
la atmósfera pesada y quieta, la barra se agitaba y ondulaba como un
fenómeno de espejismo. Se había acercado al mozo para pedirle un
jarabe de menta. Desde el vestíbulo se oían las risas de un grupo de
personas reunidas en el patio. Una fila de palmeras enanas la
ocultaba por completo a sus miradas y, entre uno de sus claros,   25
trasvió de pronto al marido.

Aunque el follaje de las palmeras fuera espeso, Estanislaa podía
verlo muy bien: Enrique llevaba su mejor traje de hilo y un jipijapa
de ala ancha; de espaldas a ella, estaba repantigado en la butaca, con
las piernas entrecruzadas y el brazo extendido sobre el respaldo de la   30
silla vecina. Le pareció que el tiempo se detenía y que el espacio se
inmovilizaba. Era como si lo viese todo a través de unos prismáticos; la mano de él, blanca y peluda, apoyada en el hombro de la señora Blázquez, sus piernas rozándose debajo de la mesa. A su alrededor otras personas reían y charlaban, pero sólo veía la mano de él y   35
un pequeño fragmento del brazo de ella, el contacto de sus cuerpos,
viscoso, degradante. No sabía cuánto tiempo había permanecido
así. Unos segundos, tal vez largo rato. Recordaba tan sólo que el

---

[9] **se las arregla . . . pardos** she always manages to have some fun
[31] **Le pareció . . . inmovilizaba.** It seemed to her that time stood still and space
was destroyed.

vaso del refresco se le escurrió de entre las manos: una lluvia de estrellas había cubierto el piso. El hombre le preguntó: «¿Le ocurre algo? ¿Se encuentra usted mal?», pero ya había dejado el bar y atravesaba el vestíbulo tambaleándose.

5 Dios mío, ¡Dios mío! Había corrido al encuentro del hijo con verdadera avidez. Necesitaba algo de paz, de consuelo, y aquel niño le era tan necesario . . . Su simple presencia constituía un reposo para sus ojos. Cuántas veces, viéndola afligida por los extravíos del marido, con ademán más expresivo que cualquier palabra, le había 10 rozado la cara con los labios: «¿Te sucede algo, mamita querida?» Ella decía que no; trataba de ocultar sus lágrimas: «No es nada, tesoro, nada de importancia»; pero él sabía ya por qué disimulaba y, estrechando su mano entre las suyas, quería infundirle ánimos: «El día que sea mayor, ganaré mucho dinero y tendremos un palacio para 15 los dos. Papá habrá muerto ya y nadie te hará sufrir.» Cuando el mundo se mostraba vacío e injusto, él era el único que la amaba. Débil como ella era, estaba cansada de ser el soporte de sus semejantes. Rodeada de seres indecisos, la vida la había obligado a asumir un papel difícil. Pero ya estaba harta de derrochar; de dar sin obtener 20 nada a cambio. También deseaba apoyar la cabeza en el regazo de alguien, dejarse acariciar por sus palabras.

Aquella tarde, sin separar su mano de ella, David había preguntado: «¿Verdad que papá es malo? ¿Verdad que va con mujeres malas?» El angelito la miraba a los ojos y sintió que sus párpados se 25 inundaban de lágrimas.

«Corazón, corazón mío — balbució —, tu madre te quiere más que a nadie y que a nada.» La había arrastrado consigo por las callejuelas del barrio bajo y, con ternura que jamás olvidaría, comenzó a besarle la mano: «Mamá, mamá querida, yo sólo te quiero a ti. Papá ha 30 sido siempre malo» y, aunque ella intentaba contradecirle: «Calla, calla, los niños deben querer a sus padres,» David no le hizo ningún caso: «Pues yo no le quiero. Yo solamente te quiero a tí.» Era un ser maduro ya. Ningún razonamiento falso lograba engañarle. «Es como yo — pensaba —. En la vida será muy desgraciado.»

* * *

35 Regresó al hotel enferma. El marido, que la aguardaba para asistir al baile de la señora Blázquez, pretendía que era el agobio del clima y le suplicó que le acompañara. Pero ella se sentía destrozada moral y físicamente. Las emociones de aquel día habían agotado su

---

[26] **Corazón, corazón mío** my own dear heart
[33] **"Es como yo — pensaba —.** He is like me — she thought.

capacidad de resistencia. No deseaba salir ni ver a nadie. Él podía ir adonde le diera la gana. Si la señora Blázquez le había invitado, era muy libre de complacerla. No. Ella no. Ella se quedaba en el hotel con el niño. Le dejaba entera libertad en cuanto a la hora del regreso. Como si no quería volver y dormir en casa de la señora 5 Blázquez. A ella le daba lo mismo.

Pero Enrique había insistido. Suplicó, se lamentó, crispó las manos. Estaba atrapado en la red de sus embustes y no encontraba medio de zafarse. ¡Por favor, por favor! Y, de puro desprecio, le había dicho que sí. La idea de que pudiera creerla celosa la espo- 10 leaba. Ella, que tantas ofertas de amor había recibido a lo largo de su vida (centenares de billetitos escritos en francés, que conservaba dentro de un arca japonesa, perfumados y envueltos en cintas de seda), no podía dejarse abatir por un hombre de su calaña. Si él la creía incapaz de divertirse, le demostraría exactamente lo contrario. 15

Quedaba por solventar la cuestión del niño y, el diablo (*sí, el diablo, porque su presencia se aferra a nuestro cuerpo lo mismo que una sombra y nos acecha con sus trampas*) le había aconsejado abandonarlo. Hablaba por la boca del marido y decía: «Será mejor que se quede en el hotel. Si se aburre, puede jugar en el patio. Allí no puede 20 ocurrirle nada. Cuando regreses, lo encontrarás bien dormido.» Aún ahora recordaba los ademanes tranquilizadores de sus manos, el brillo ansioso de su mirada. Para comprar su consentimiento, había regalado juguetes al niño: desde su cuarto, le oía reír, despreocupado.

Era la última vez que oía su voz y no lo sospechaba. ¡Ah, cuántas 25 veces había querido luego interrumpir la película, revivir el tiempo en sentido inverso, abandonar la sala de espectáculos! Como esas pesadillas en las que, por mucho que uno se esfuerce, acorralado por mil enemigos no lograba avanzar un paso, retorcía las manos de angustia contemplando el patio desde la ventana. Su garganta 30 quería forzar el grito y no lo lograba. Una y otra vez la escena se repetía invariable: el marido y ella, vistiéndose para el Carnaval (organdí, peluca, mascarilla, perfume y polvos blancos); descendiendo por la escalera del hotel bajo la complaciente sonrisa del mayordomo («Buenas fiestas, señores»); su mano enguantada descri- 35 biendo aleteos de paloma (en la jaula del vestíbulo, zureaban).

Han llegado al patio: es cuadrado y amplio, embaldosado de color

---

[5] **Como si . . . mismo.** And if he didn't want to return he could sleep in Mrs. Blázquez's house. It was all the same to her.

[25] **su voz** i.e., David's voice

[26] **revivir . . . inverso** to go back in time

[31] **Una . . . invariable** Time after time the same scene was reenacted in her mind

[35] **su mano . . . paloma** her gloved hand fluttering like a dove's wings

rojo y tiene en las esquinas cuatro palmeras gigantes, enguirnaldadas
de enredaderas tropicales, que proyectan en el centro una sombra
fresca y susurrante, estremecidas siempre por la brisa y siempre
jóvenes. David lleva pantalón corto de hilo y una camisa listada.
5 Su padre le ha entregado una matraca y la agita en el aire, riendo.
Tampoco él *sabe.* Y ella, Estanislaa, en virtud de un extraño desdo-
blamiento, se veía también «en personaje»; dialogando con la doncella del piso, ultimando los detalles de la cena del niño. A veces,
una loca esperanza en sí misma le quemaba las entrañas. Bastaría
10 un ademán, un grito, para romper aquel encanto. El pasado saltaría
hecho añicos. Por ejemplo, un telegrama: «La fiesta queda suspen-
dida.» Pero el personaje no le hacía ningún caso. Autómata, ciego,
se entregaba en manos del destino con los ojos vendados. Besaba
la frente del niño. Le decía adiós con el pañuelo. ¡Oh, no, *basta,*
15 *basta!*
Lo restante era abigarrado, confuso. Las escenas se mezclaban
unas con otras, sin solución de continuidad. Eran piezas de rompecabezas, como bocetos de linterna mágica: un árbol de Carnaval
plantado en medio del patio; niños con pieles de leopardo bailando
20 en torno del tronco, de cuya cima pendían cintas de colores que
trenzaban y destrenzaban al compás de la danza; pañuelos, espejillos,
roscas de pan, carretes de hilo cubrían por entero las ramas del árbol,
y sus flecos peinaban el viento, alborotados. Una dama criolla,
que le había estrechado entre sus brazos, susurrándole cumplidos
25 al oído: «Beba, dance.» Una madre bailando el tamborito con el hijo
a sus espaldas, envuelto en un rebozo que anudaba sobre el pecho:
entre los giros de la danza y el revolotear de los pañuelos, su cabeza
flotaba en plena marejada, tocada de un sombrero diminuto.

* * *

Había descubierto a Enrique en un ángulo de la sala y acudió,
30 presa de vértigo. «Vámonos—dijo—, son más de las doce y el niño
me necesita para acostarse.» Las palabras se atropellaban en su
garganta y resultaba difícil ordenarlas en forma de discurso. «Sé
razonable, querida—dijo él—. No podemos irnos así como así.
Hace solamente una hora que hemos llegado y todo el mundo se
35 extrañaría.» «El niño me necesita.» El cuerpo le temblaba como una
hoja, y un frío extraño inmovilizaba sus labios. Enrique la miró

---

⁶ **en virtud de . . . personaje** through a strange unfolding of herself, also saw herself taking part as one of the characters in the scene
²⁷ **su cabeza . . . diminuto** her head, wearing a tiny hat, floated as on the
ocean's waves
³³ **así como así** just like that

con gesto solícito: «Vamos, vamos, tranquilízate. A estas horas, David estará bien dormidito, en la cama.» *Tal vez sabía ya la muerte de su hijo y quería engañarla; la dueña de la casa se exhibía en el salón y para Enrique era lo único que importaba.* La idea se le había ocurrido mucho más tarde, cuando, con la frente ensombrecida, repasaba los 5 pormenores de aquel día en busca de su común denominador, y si únicamente podía enunciarla a guisa de sospecha, ninguna razón de peso permitiría rechazarla de plano.

Corrió al invernadero. Ávidamente se inclinaba sobre las orquídeas, los girasoles y las dalias. La cabeza le daba vueltas. Los ojos 10 se empañaban de lágrimas. Un solo nombre en sus labios: David. Lo invocaba como una plegaria, lo repetía como un conjuro. Las notas jubilosas de una canción criolla ascendían desde el patio; los invitados reían y se arrojaban puñados de confeti. Otros devoraban manjares y bebidas. Pero en sus oídos percutían tan sólo los versos 15 del poema: *No somos más que apariencia. La vida es corta. Sombras que andan caminando. Después que goce, nada me importa.*

No había bebido aún y se descubrió borracha. Todo se paralizaba en torno suyo. En el vestíbulo se oían pasos, susurros, voces sin sentido. Las parejas bailaban al *ralenti,* igual que trompos, y se 20 inmovilizaban poco a poco. La consigna había llegado a los músicos, que abandonaban sus instrumentos. Únicamente un mulato pulsaba las cuerdas de su guitarra y el sonido le produjo el efecto de una descarga eléctrica. Comenzó a temblar. Sentía una sed horrible y, a tientas, buscó un vaso de agua. «Por favor, por favor.» Los invi- 25 tados retrocedían a medida que se acercaba y, en silencio, se despojaban de sus caretas y antifaces. Sus rostros estaban pálidos, como cubiertos de una lámina de cera: la miraban y no decían nada.

. . . ¡Oh, yo no podía pensar! Descubrí a Enrique, blanco como el mármol, y me aproximé tambaleándome. «El niño, el niño,» gritó. 30 «¿David?—dije—. ¿David?» No *podía* comprender. Las caretas policromadas me hacían guiños, los obsequios del árbol oscilaban y en la sala del lado se oían, en sordina, las risas de un borracho. Residuos de alegría, farolillos, serpentinas, adornos de colores temblaban sobre el emparrado. Todo el mundo había perdido la voz y 35 mi lengua era como de goma. Luego, un niño intempestivo irrumpió en el salón agitando una matraca y alguien le dio una bofetada.

---

[2] **bien dormidito**   fast asleep
[3] **se exhibía**   was showing herself off
[6] **y si . . . plano**   and although she could only consider it a suspicion there was no solid reason to reject this suspicion
[10] **La cabeza le daba vueltas.**   Her head was swimming.
[17] **Después . . . importa.**   After I have my pleasure nothing matters to me.
[20] **al ralenti**   slowly

La copa se derramó, al fin. «David», grité. Pero ya era demasiado tarde: mi hijo había muerto y nadie podía resucitarlo.

»Su entierro fue algo muy bello, querido Abel. Yo estaba como dormida, muerta. Aunque me hubiesen traspasado el cuello con
5 agujas, no habría sentido nada. No comprendí la magnitud de lo ocurrido y despreciaba a las gentes que acudían a consolarme. Habían instalado el velatorio en el centro del patio, y un coro de lloronas gemía y suspiraba. El dueño del hotel dispuso, según la costumbre, la fiesta en honor del niño. Todo el mundo estaba invi-
10 tado; los negros bebían botellas de alcohol puro y elevaban sus preces borrachas por la gloria del alma.

»El cuerpecito yacía en el centro del patio, cubierto de flores. Flotando en un mar de pétalos, sobresalían tan sólo las manos y la cara. Yo misma ceñí su frente con una corona de perlas—después
15 de haberla ceñido tantas veces con la corona efímera de un beso—y adorné sus hombros con alitas de cartón plateado. Antes de partir, ocho niños vestidos de blanco bailaron el vals *Dios nunca muere* trenzando y destrenzando sus pañuelos.

»Esos mismos niños cargaron el ataúd sobre sus hombros. Era
20 como el entierro de un pájaro, de una flor silvestre. La caja estaba adornada con arcos de cartoncillo cromado, cintas de colores y banderitas de oro. Todos los invitados arrojaban flores a su paso . . .»

* * *

. . . El otro hijo se llamaba Romano y había sido desde niño un ser extraordinario: delgado, pálido, sensible, atraía la atención
25 de todo el mundo por la belleza sorprendente de sus rasgos. Estaba destinado a ser feliz. Desde su nacimiento, había visto en él como el anuncio de una nueva vida; el ser maduro y fuerte en el que un día le sería dado apoyarse cuando, cansada de haber dilapidado su amor entre los seres, desease restaurar sus fuerzas maltrechas en el amor
30 y compañía de alguien.

Este apoyo, que el ejemplo del padre, prematuramente muerto, le había hecho desear y que su marido fue incapaz de prestarle a lo largo de su vida, aquel niño se lo habría devuelto con creces el día que hubiera tomado entre sus manos las riendas de la casa. Ella
35 habría reposado al fin. Sólo los seres excepcionales pueden satisfacerse en entregar sin recibir nada en cambio y aquel niño adorable, su hijo, era de su misma clase: se negaba a razonar con el amor. No comprendía el cariño mesurado. A los doce años había vaciado la

---

22 **a su paso** as he passed by

cartera de su padre para inundar la casa de flores, en un impulso que jamás olvidaría.

Lo recordaba como si fuese ayer. Era media mañana y una luz limonada, brumosa, se filtraba a través de los visillos. Romano había salido de paseo con el ama y ella había bajado al portal a 5 despedirle. Después subió a la cocina. Era el día de su propia onomástica y tenía que preparar algo. Se disponía a dar las órdenes precisas cuando sonó el timbre de la puerta. Ella misma fue a abrir. En el rellano de la escalera había un botones uniformado, con un gigantesco ramo de flores blancas. Le tendió un sobre cuadrado, con 10 su nombre y señas escritas en un ángulo: «A mamá, de su Romano.» Nunca olvidaría aquellas palabras escritas con letra de colegial, más bellas que cualquier ofrenda. Luego, durante toda la mañana, habían llegado otras flores. La casa era como un jardín de color blanco y el nombre de Romano lucía en todas las tarjetas. 15

El marido, al regresar, se puso frenético. Acababa de descubrir la desaparición del dinero e intentó pegar al chico. Pero ella se interpuso con los ojos anegados por el llanto: «Déjale, soy yo quien tiene la culpa.» Había sido tan gentil por su parte . . . También ella a su edad hacía cosas semejantes. Por una sonrisa de su padre 20 hubiese cometido cualquier delito. Sí. Lo comprendía. Una madre juiciosa debería regañarle. Pero Romano era un caso distinto.

Enrique juzgaba a su hijo como un niño ordinario. Le hubiera gustado educarle como a los otros chiquillos, cortarle las melenas, enfundarle en una blusa azul y enviarlo a un colegio de pago. Le 25 explicaba: «Querida, los Reverendos Padres saben lo que se hacen. El niño no tiene aquí ningún amigo. Si se acostumbra a vivir solo, acabará por volverse huraño. Además, ya es hora de que le quites los rizos y le saques las muñecas de su cuarto. A su edad, yo iba pelado al rape y jugaba con los chicos a hacer guerras.» Pero ella 30 le decía: «Romano no es un ser como los restantes. Nada de lo que pueda gustar a aquéllos está hecho para él. Sometiéndolo a una disciplina, no conseguirías otra cosa que vulgarizarlo. Además, si el niño es feliz conmigo, ¿por qué te empeñas en separarnos?»

* * *

Su fortuna había disminuido de modo considerable. Enrique 35 se obstinaba en no hacer nada. Por si fuera poco, se había metido en especulaciones desgraciadas, que acarrearon la pérdida de grandes sumas. Durante la guerra europea, por ejemplo, había

---

[12] **letra de colegial**   schoolboy's hand
[25] **un colegio de pago**   a private school
[29] **yo . . . rape**   I had my hair closely cropped
[36] **Por si fuera poco**   If this wasn't enough
[38] **la guerra europea**   i.e., World War I

comprado marcos. Sus amigos del casino le metieron en la cabeza
la idea de que iban a vencer los alemanes: «Bastará un pequeño
esfuerzo en Gallipoli y Europa entera estará en sus manos. Entonces
llegará la hora del marco.» Pero la guerra había seguido un curso
5 muy distinto al supuesto por los militares del casino. Los franceses
recibían cada vez mayor ayuda y Alemania perdía lo ganado. Las
monedas aliadas subían de valor, los especuladores se enriquecían
bajo mano, las gentes se desprendían de los billetes alemanes y él
seguía obstinado, almacenando marcos y más marcos. La casa
10 estaba llena de billetes: hubiera podido tapizarla con sus horribles
efigies. Pero, aunque ella lo había pronosticado desde un principio
—su padre había dicho siempre que se hallaba excepcionalmente
dotada para las finanzas y la política—, no quiso pedirle cuentas.
Se limitó a llamarle «mi pobre amigo» el día que se acercó a ella
15 llorando.

Recordaba la escena con claridad: el fuego de la chimenea, encendido; los periódicos dispersos por la estancia; el niño dormido en
su regazo. Enrique tabaleaba sobre el brazo del sillón. Tenía
junto a sí una botella de *whisky*, acudía a ella a intervalos regulares.
20 La Prensa acababa de dar la noticia de la depreciación y en la casa
reinaba un silencio que era casi zumbido. Fue entonces cuando algo
más fuerte que ella la había impulsado hacia adelante. Se levantó,
abrió la caja de caudales en que guardaba los fajos de billetes y, uno
a uno, los fue arrojando a la hoguera. Los billetes crepitaban,
25 crujían, se retorcían; inundaban de luz todo el despacho. Con las
luces de la lámpara extinguidas, la habitación era amarilla. No sabía
cuánto tiempo había permanecido así, arrodillada, atizando el fuego.
Cuando terminó, el niño estaba despierto y contemplaba la escena
con ojos absortos. «Corazón, corazón mío,» había dicho ella.
30 Aguardó que todo fuese un montón de cenizas y se puso de pie.
Su marido estaba hundido en el sillón y se tapaba la cara con las
manos. Ella se limitó a decir: «Mi pobre amigo.» Y abandonó la
habitación con el amor de su vida entre los brazos.

Había perdido mucho dinero, pero no quería que el niño se diese
35 cuenta de nada. Hubiera sido terrible para él saber que los asuntos
no marchaban por la inepcia de su padre . . . Prefería soportar el
Vía Crucis sola. Y así, mientras sufría en secreto las afrentas del

---

³ **Gallipoli**   seaport in Turkey and scene of naval campaign in World War I
⁶ **lo ganado**   what had been won
¹⁰ **sus horribles efigies**   i.e., the horrible German faces printed on the banknotes
¹³ **no quiso pedirle cuentas**   she refused to take him to task
²⁹ **«Corazón, corazón mío»**   ''My dear heart''
³⁷ **el Vía Crucis**   her cross [literally, ''the way of the cross'']

marido, se las arreglaba para ofrecer a su hijo un rostro lleno de confianza. Fingía que los negocios iban viento en popa. Le engañaba como a criatura. Pero era feliz porque pensaba: «Llegará un día en que Romano se hará cargo de todos mis problemas y entonces cesaré de debatirme.» Aquel ser maduro y noble en el que siempre 5 había soñado, era ese niño, su hijito, su Romano bien amado. Entretanto, debía resignarse. Con paciencia, aguardaba la llegada de su hora.

Cuando tenía quince años, decidió enviarlo al extranjero. Enrique había tratado, en un principio, de oponerse. Decía que Romano 10 era un chiquillo, que su estancia era demasiado cara. Pero ella repuso: «Romano es un ser extraordinario, contra el que jamás podrá ningún peligro. De cada cosa, aprecia únicamente lo que es bello y, como una abeja, elige el polen antes de probarlo.» Ningún obstáculo la arredraba con tal que Romano lograse ser feliz. Diariamente 15 recibía, desde lugares distintos, sus cartas de enamorado: matasellos de lejanos países, direcciones en lenguas extrañas. Romano era completamente dichoso y eso era lo único que importaba; y aunque la separasen miles de kilómetros, ella se sabía acompañada, mucho más acompañada que por el marido, por ejemplo, *pues el amor es* 20 *más fuerte que nosotros, como hojas livianas nos proyecta más allá de donde estamos, prescinde de la presencia física, inyecta realidad a nuestra apariencia.*

Todos los años, aguardaba con impaciencia la llegada del verano, a cuyo comienzo el niño se instalaba en *El Paraíso.* Era el hijo pró- 25 digo, el heredero perdido y recobrado. Para Romano, como para ella, aquello significaba el comienzo de una nueva vida. Mutuamente buscaban su compañía en los rincones y escondrijos de la casa, se aislaban de Águeda y del marido y modificaban las reglas del horario. Con preferencia se reunían después de cenar y permanecían 30 despiertos hasta la hora del alba. Romano le contaba cómo la había echado de menos durante el viaje: «Deseaba tenerte siempre junto a mí», decía. Ella contemplaba el parpadeo de la luna sobre el mar y se dejaba acariciar por sus palabras.

Se necesitaba algo más expresivo que el lenguaje para describir 35 aquello: el faro de la costa barriendo la bahía con sus aspas lácteas; los cipreses recortados en el cielo, como ante una lámina de papel de estaño; el cable del pararrayos con sus quejidos de violín. Su compañía tenía el encanto melancólico de todo lo fugaz. Las hojas

---

² **iban viento en popa** were going well
¹² **contra . . . peligro** who will be immune to danger
¹⁶ **cartas de enamorado** love letters

del calendario volaban arrastradas por el viento de setiembre: presentían ya la desnudez del invierno. Pero ella se decía en sus adentros: «Romano parte para volver a hacerse cargo de lo que le pertenece por la sangre. Los tesoros de experiencia acumulados no
5 habrán llovido en el vacío.» En tanto eso era posible, permanecía junto a él. Sus ojos grababan, sin tregua, instantáneas exquisitas de su hijo: como un dios antiguo, corriendo por la playa, su cabello, invocado por el viento de otoño, disfrazado de novia, con encaje y mantilla, ante el espejo de la sala. Pero el marido seguía sin compren-
10 der. Lo encontraba excesivamente mimado. Se enfurecía.

Su carácter había cambiado mucho durante aquellos años. Comenzaba a darse cuenta de lo inútil de su vida. La existencia cómoda, por la que tanto había suspirado, se volvía, como un bumerang, contra él. No sabía qué hacer para llenar el hueco. Du-
15 rante todo el día permanecía tumbado en una hamaca, haciendo cábalas sobre la convertibilidad de la libra. A veces, realizaba pequeñas operaciones en la Bolsa. Se buscaba coartadas y se irritaba consigo mismo por obrar así. La laboriosidad de ella le sacaba de quicio. Hubiera querido destruirla también y, como un cero,
20 anillarla en el círculo de su nada.

Por aquella época adelantó una gran suma de dinero para la construcción de un hotel de turismo, que debía alzarse en una punta de la bahía, en las tierras lindantes con la finca. El número de veraneantes que cruzaba la frontera y deseaba establecerse en la
25 costa catalana aumentaba cada año y Enrique se prometía grandes ganancias . . .

———

Iba a ser el hotel más importante de la costa. Durante varios meses, camiones cargados de material habían cubierto el trayecto de quince kilómetros que separaba Palamós de *El Paraíso*. Brigadas
30 de obreros comenzaron la ejecución de los trabajos. Enrique había invitado a la finca a un arquitecto sevillano, un hombrecillo menudo, enclenque, tocado con un sombrero de ala ancha, que agitaba continuamente una caña entre los dedos. Tenía una voz chillona, que alcanzaba fácilmente los registros más altos. Muchas
35 veces, desde la terraza, le había visto trepar, con la agilidad de un mico, sobre los recién tendidos andamios. Allí, agitando el bastón de modo burlesco, producía el efecto de un charlatán de circo disponiéndose a dirigir la palabra a un grupo de curiosos.

---

[8] **invocado . . . otoño** tousled by the autumn wind

El Paraíso se había visto invadido por una oleada de extraños: aparejadores, maestros de obras, delineantes que rondaban todo el día por la casa y que el marido reunía a veces en la biblioteca. Enrique, entre ellos, parecía haber encontrado un milagroso rejuvenecimiento. Todos los días se levantaba muy temprano, para 5 seguir de cerca el desarrollo de las obras. Sin hacer caso de las juiciosas observaciones de ella, en lugar de buscar en los Bancos el crédito necesario se exhibía por la finca disfrazado de albañil, estorbando, tal vez, la marcha del trabajo. Inútilmente había tratado de recordárselo. Enrique estaba obcecado por la magnitud del proyecto. 10 Le decía: «Aguarda. Ya verás cómo los capitalistas acuden a buscarnos.» Pero pasaban los días y las semanas—y con ello el plazo de buscar el dinero—y los capitalistas no llegaban. El dinero de que disponían se había agotado y era preciso afrontar los gastos. Alguien había hablado de unos judíos alemanes, y Enrique tomó al fin el 15 avión para Colonia.

La huelga en las construcciones, entretanto, acabó de complicar las cosas. Los obreros trabajaban con ritmo pausado. Cada día se hacía evidente que la obra no avanzaba. Sentada en la terraza, durante las tardes heladas de invierno, adivinó la magnitud de la 20 catástrofe: las carretillas tumbadas boca arriba, las pilas informes de ladrillos, la esquelética armazón de los andamios. El sindicato exigía, no obstante, el pago de los salarios, y era preciso obedecer. Poco después, cerraron.

Comenzaba el mes de marzo: el sol se ponía a las seis menos 25 cuarto de la tarde y un esplendor rojizo iluminaba los cimientos del hotel que ningún ser humano habitaría. Del brazo de Águeda, recorrió las ruinas silenciosas. Toda su fortuna estaba enterrada en ellas a causa de la inepcia del marido y Romano, su hijo, aún no sabía nada. 30

«. . . Romano estaba entonces en París. Sus últimas cartas, fechadas en la Ciudad Universitaria, anunciaban su regreso para aquella primavera. Yo había omitido en las mías toda alusión al negocio desgraciado de su padre. Habíamos tenido que hipotecar la finca, ¿comprendes? Faltaba sólo un año para que terminase 35 sus estudios y no quería preocuparle antes de tiempo.

»Unos días antes de su llegada, había pasado por *El Paraíso* una mujer italiana con un cargamento de muñecas. La encontré en la carretera, por azar, y le propuse comprar su mercancía. Con cierta desconfianza en un principio, comenzó a mostrarme el interior de 40

---

[21] **las carretillas . . . arriba** the wheelbarrows turned upside down
[27] **Del brazo de Águeda** Holding on to Agueda's arm

las cajas: Como princesas de cuento, aguardando un príncipe que las despertara, aparecieron ante mis ojos las figuras de la antigua comedia italiana. Arlequín, Polichinela, Colombina, Pierrot, llevaban coronillas de oropel en la cabeza. Sus trajes, diseñados con
5 sumo cuidado, evocaban el esplendor marchito de algún carnaval lejano: faldas de colores y antifaces de seda, un manto de lentejuelas prendido al grácil cuello de Colombina, un abanico de encaje entre las manos de Dominó. En las restantes cajas, aguardando también el conjuro que los librase del hechizo, había caballeros y prelados,
10 pequeños arzobispos con cara de pastel, mitra dorada, báculo y anillo.

»Yo, que nunca he podido soportar la presencia de un pájaro enjaulado, decidí libertar a aquellas criaturas de sus horribles prisiones. Las reuní sobre la cama de dosel de Romano y les restituí
15 la libertad. Quedaba una última caja, que la mujer no quería mostrarme, envuelta con una cinta de terciopelo. A mis preguntas, respondió con evasivas («No será del gusto de la señora; no vale la pena que la vea.») Sin embargo, no pude resistir la tentación de desatarla: era un esqueleto de marfil, que agitaba su cetro, sentado
20 en un trono negro. Sin saber por qué, lo coloqué junto a los restantes. Entre los rombos blanquirrojos de Arlequín y el gorro luminoso de Polichinela, la presencia de la muerte ponía una nota sarcástica y burlona, con su cetro erguido contra el fondo azul del lecho.

25 »Poco después, como respondiendo a la necesidad de mi regalo, llegó Romano. Bajó del automóvil, que todos los años alquilaba para regresar a *El Paraíso*, en compañía de una muchacha, de cuya existencia, hasta entonces, no había tenido idea. Claude era pequeña, fina y ágil; tenía la elegancia de una gacela. Llevaba el
30 cabello cortado igual que un chico: los mechones erguidos en forma de cresta. Vestida con blusa de marino, se había remangado los pantalones a media pierna. Confieso que su presencia me llenó de turbación. Romano, hasta aquel día, jamás me había hablado de muchachas y la familiaridad que demostraba hacia aquélla tampoco
35 contribuía a hacérmela simpática.

»"Mamá, te presento a mi amiga Claude, que ha venido a pasar el verano con nosotros." Ella me tendió la mano, sonriente. Sus ojos verdosos destellaban al sol de la mañana. Su mirada era de triunfo, como la que se dirige a una rival. Sin vacilar, la besé en

---

3 **Arlequín . . . Polichinela . . . Colombina . . . Pierrot** characters of puppet plays that originated with the Italian *commedia dell' arte*
21 **Entre . . . Arlequín** Between the pink and white faces of Harlequin
30 **los mechones . . . cresta** her hair was combed up in the form of a crest

ambas mejillas: «Bien venida a *El Paraíso*—dije—. Todos los amigos de mi hijo lo son míos también.» Con el alma en vilo los vi alejarse por la terraza con aire despreocupado. Apoyados en la baranda contemplaban el laberinto de cipreses y de tuyas, la cúpula agrietada del templete, los estanques cubiertos de hierbas y guija- 5 rros. Recuerdo que el mar estaba alborotado. Un viento seco trazaba menudos pliegues en su superficie azul, sembrándola de flores espumosas, que desaparecían al cabo de un instante. Un vacío inmenso usurpaba el puesto de mi alma. Me parecía que todo era un mal sueño; que aquella muchacha no existía en realidad. 10 Sin fuerzas para ordenar nada, me dejé caer en la gandula, donde permanecí absorta hasta la hora de la comida.

»Aquel mismo día tomé la decisión de atraerme el cariño de Claude; puesto que Romano la consideraba digna de su afecto, debía serlo también del mío. Decidí ser para ella algo así como una madre 15 —Romano me había dicho que era huérfana—, pero en seguida me percaté de lo inútil de mi intento. Claude era una criatura fría y egoísta. Ningún obsequio lograba conmoverla. Durante mucho tiempo, me esforcé en demostrar la medida de mi afecto, pero su desprecio me atajaba de raíz. Su independencia le había creado 20 una especie de invulnerabilidad. Su ser entero parecía proclamar: «Yo soy así. Si no os gusta, resignaos.» En un principio, impulsada por mi amor hacia ella, aventuraba algunas observaciones («Caminar descalza por la carretera, ¿no era peligroso? Permanecer tres días en ayunas, es decir, sin beber más que una taza de té por las ma- 25 ñanas, ¿no era perjudicial?»). Pero Claude me escuchaba como quien oye llover: nada de lo que le decía parecía interesarla y, más franca o más cínica que el resto de los seres, no ponía ningún esfuerzo en ocultarlo.

»Un día, en que descubrí por Romano que le agradaban las 30 camelias, le mandé a la habitación una canasta. Me acuerdo que era la víspera de la Virgen del Carmen, porque el jardinero preguntó si festejábamos el santo de alguna muchacha. Aquella mañana estaba en la galería bordando un tapete de flores cuando la oí bajar por la escalera cantando como un pájaro. Al verme, se detuvo en 35 seco. «Supongo que debería mostrarme agradecida por el ramo— dijo—y, para cumplir, le daré las gracias. Pero desearía que en lo futuro se abstuviese usted de iniciativas de esa clase.» Su juvenil rostro me contemplaba con petulancia. Sentí que la sangre me afluía

---

2 **Con el alma en vilo** With my heart in my mouth
26 **Pero . . . llover** But it seemed Claude was more interested in listening to the rain falling
32 **Carmen** Order of Our Lady of Mount Carmel

a la cabeza y apenas logré balbucear: «Como usted prefiera. Yo solamente había querido ser gentil con usted.» Pero ya Claude había vuelto la espalda.

»¿Comprendes? Estaba dispuesta a sacrificarme con tal de
5 ganar el afecto de aquella criatura; pero nada de lo que hacía le importaba un comino. Su egoísmo la eximía de toda clase de deberes. Era un pedazo de carne sin alma. Mis tentativas se estrellaban contra una sonrisa en la que toda la esencia de su rostro parecía evaporarse, como si el resto fuese sólo un molde de porcelana.
10 »Su llegada, por otra parte, había puesto la casa patas arriba. Claude era una criatura caprichosa, extravagante. Algunas veces se negaba en redondo a probar bocado. Decía que comer era una costumbre detestable; que el hambre aclara las ideas. A veces, vestida con un simple pijama, se paseaba por la terraza largo rato, a
15 pesar del fresco y a riesgo de atrapar una pulmonía. Tenía verdadero horror a los rostros sudados y cada cinco minutos, estuviera donde estuviese, sumergía la cara y las manos en agua clara. Me parece verla aún, con las tijeras de las uñas, cortándose las pieles, mordiéndolas hasta sangrar, levantándose la costra de las heridas, pelliz-
20 cándose las espinillas, cuyo crecimiento espiaba con un espejo de aumento, con el pulverizador siempre al alcance de la mano.

»También despreciaba las caricias y signos de afecto. Delgada, endeble, el rebelde mechón de cabello perpetuamente alzado, se encerraba en un mutismo exangüe, del que ni mi hijo lograba sa-
25 cudirla. Perezosamente se llevaba a la boca semillas de cacahuete, de cuyas cáscaras sembraba toda la casa. Tendida en la hamaca de la terraza, mataba el tiempo pintándose y despintándose las uñas. Nunca la vi dormir. Creo que la idea de que alguien pudiese contemplarla durante el sueño, es decir, sin defensa, le causaba verda-
30 dero pánico. La luz de su dormitorio, pese a los mosquitos, estaba siempre encendida. Lo cierto es que, muy de mañana, se dirigía a la glorieta con sus frascos de laca y el pincel de las uñas. Y, durante todo el santo día, jamás dormía un segundo.

»Lo peor era que el propio Romano comenzaba a darse cuenta
35 de la inutilidad de sus esfuerzos, y ese fracaso repercutía de modo terrible en su carácter. Él, tan atento de ordinario al menor deseo mío, se abandonaba de un día para otro. Había perdido el gusto por la lectura, la conversación. El mundo fantástico que apresaba la mente de Claude le atraía como un vértigo: ¡Oh, nadie se había

---

[18] **las tijeras de las uñas**   fingernail scissors
[19] **pellizcándose las espinillas**   squeezing the blackheads
[25] **semillas de cacahuete**   peanuts
[33] **todo el santo día**   the whole blessed day

dado cuenta aún, y el propio Romano era el primero en ignorarlo! Pero, a una madre primitiva como yo, ¿qué hubiera podido pasarle oculto? *El que en el vientre me hizo a mí, ¿no lo hizo a él?*

»Claude le había contagiado ya algunas extravagancias, como someter el cuerpo desnudo a la acción del viento, a la hora en que 5 el sol se oculta, o dormir con una bola de metal en cada mano, en un sillón a cuyos lados dejaban dos recipientes huecos de modo que, en el instante mismo de dormirse, los despertara el ruido producido por la caída de la bola, pues, según Claude, bastaba esa milésima de sueño para descansar al cuerpo humano.   10

»Esta chiquilla, con sus lacas de uñas, sus recortes fotográficos de artistas de cine y los ratoncillos blancos que, según descubrí un día, ocultaba en los bolsillos del pantalón, estaba reduciendo mis proyectos a cenizas.   Cuando todo presagiaba el comienzo de una nueva época, apoyada por la presencia de un ser fuerte del talento 15 y cualidades de Romano, entreví, de pronto, las posibilidades de un fracaso.   Había que proceder con energía y rapidez.   La mente de Romano era, por desgracia, excesivamente influible y su razón corría el riesgo de extraviarse en aquellos juegos.

»Una noche, mientras tomaba el fresco en la glorieta, me sor- 20 prendió un aullido en la estancia de Romano.   Aterrada, corrí hacia allí.   La luna inundaba de blanco la terraza, las sombras de los eucaliptos se extendían sobre la arena como los tentáculos de un pulpo.   Desde la escalera interior de la casa, por la que trepaba como una loca, les dirigí una breve ojeada: diríanse tinteros estre- 25 llados, inmóviles, sobre la arena.

»Encontré a Romano postrado en el lecho, desgarrando con los dientes el encaje de la colcha.   En la mesa escritorio, estrujada, había una carta de Claude: «Perdóname, pero era inevitable.   Tú y yo no estábamos hechos para comprendernos.»   Casi al instante, 30 descubrí una mancha oscura en la sábana: Romano se había abierto las venas de la muñeca y la sangre comenzaba a brotar en abundancia. Frenética, rasgué los cortinajes de la cama, y logré contener la hemorragia.   Sin reconocerme, Romano lloraba y se mordía los labios.

»Al cabo de media hora, el peligro había pasado.   El médico, a 35 cuya búsqueda había corrido Enrique, se presentó poco después. Le dio un narcótico y nos dijo que su estado no inspiraba ninguna alarma.   Toda la noche, lo recuerdo, lloré de alegría.   Romano iba a despertar con nuevo amor a la vida.   Jamás abandonaría *El Paraíso.*

---

² **Pero . . . él?** But how could anything have escaped the notice of a mother as instinctive as I am? Aren't we of the same flesh and blood?
⁹ **esa . . . humano** that tiny fraction of sleep was enough to rest the human body
³⁵ **a cuya . . . Enrique** whom Enrique had rushed to fetch

Allí en aquella casa, entre los suyos, se convertiría en el sostén de su madre, la aliviaría de todas sus tareas.»

———————

La propia Águeda le había hablado una vez de los últimos días del muchacho. Fue una tarde de otoño en que Abel se dirigió a su
5 dormitorio.

* * *

—En cuanto a Romano, fue como si desde aquel día también hubiese muerto. Septiembre avanzaba; los eucaliptos, con sus cortezas desgarradas, eran como gigantescos mendigos harapientos. «Mamá, que ante nosotros se esforzaba en guardar la calma, perseguía
10 a Romano con sus reproches, en cuanto papá y yo nos retirábamos. Del mismo modo que con David, se había formado de él una imagen arbitraria: le atribuía la fortaleza de tal persona, la reflexión madura de tal otra, la voluntad de hierro de un tercero, hasta formar un joven radiante, colmado de todas las virtudes y atributos que con-
15 traponía siempre al Romano real, que, a su lado, parecía casi un espectro.

»Así, se asombraba, por ejemplo, al saber que se divertía lejos de ella y lloró al enterarse de que sus pasiones eran como las de los restantes hombres. Durante cierto tiempo, había alimentado la
20 idea de un quimérico idealismo masculino que, por amor, desdeña la posesión, y el día que averiguó la naturaleza de sus relaciones con Claude, le reprochó con amargura su traición al personaje ideal que había creado.

»Una tarde, desde mi dormitorio, oí una discusión horrible.
25 Por vez primera desde que Claude se había marchado, Romano elevaba la voz, hacía caso omiso de sus gritos y le replicaba. Yo no movía un músculo del cuerpo. Oí llamar a mamá. Después, todas las puertas de la casa empezaron a batir ruidosamente, como si un soplo huracanado recorriese el edificio desde la galería hasta el
30 pasillo.

»Sus pasos resonaban sobre hueco, como si pisaran mi bóveda craneana. Romano revolvía los armarios, ponía la habitación patas arriba. Luego, el mismo huracán de puertas se había desencadenado en sentido inverso: la escalera, el pasillo, la galería y la entrada.

———————

[1] **entre los suyos**   among his own people
[26] **hacía . . . replicaba**   was ignoring her shouts and was answering her back
[31] **Sus pasos . . . craneana.**   His footsteps echoed in a hollow manner as if he were treading on the vault of my skull.

En el garaje dormitaba el automóvil que había alquilado meses antes.
Le oí ponerlo en marcha, mientras el zumbido hacía vibrar todos los
cristales.   Los faros iluminaron por un instante los cipreses del
laberinto y la grava crujió bajo el peso de sus llantas.

»Durante la cena nadie dijo nada; hacía mucho tiempo que 5
papá y mamá no cambiaban una sílaba.   Por una vez decidí seguir
su ejemplo.   Pensaba: «Tal vez logre reunirse con Claude y sea
feliz a su lado.»   No sé si soñé aquella noche, pero recuerdo que me
desperté varias veces sobresaltada.

»Al día siguiente, a media mañana, nos mandaron aviso desde 10
el pueblo.   El automóvil de Romano se había despeñado en la carretera de *El Paraíso* y venían a pedirnos que lo identificásemos.

»Cerca del puente, en el fondo de un barranco de veinte metros,
el automóvil, con sus ruedas al aire, era como una tortuga vuelta
de espaldas.   Rodeados de multitud de curiosos, descendimos. 15
Ni papá ni mamá ni yo llorábamos.   Nuestra tristeza estaba más
allá del llanto.

»El cadáver, cubierto por una sábana, no tuve el valor de mirarlo.
Recuerdo, en cambio, las muñecas italianas que Romano se había
llevado consigo, colgadas del volante: el viento les transmitía 20
movimientos infantiles, como si fuesen marionetas de teatro . . .

»Busqué con la vista la efigie de la muerte, pero no la descubrí
por ningún sitio. . .»

«Doña Estanislaa—le había dicho Filomena—es una mujer muy
complicada, que hay que conocer a fondo si se quiere andar bien 25
con ella.   El señor era un pobre diablo que cometió la imprudencia
de no saberle cortar las alas a tiempo.   Por mi madre santa que lo
pagó muy caro.   También conocí al niño, al señorito Romano y,
aunque imagino que a estas horas te habrá llenado la cabeza de
historias inventadas, creo que sé mejor que nadie el verdadero pro- 30
blema que mediaba entre ellos.

»Desde la cocina, mientras tomaban el fresco en la terraza, les
oía discutir diempre.   Romano le decía: «Soy un muchacho como los
demás; tan necio y vulgar como cualquiera.   No soy el bisabuelo ni
una señorita, ni un actor de teatro.»   Entonces se enzarzaban en 35

---

[1] **dormitaba el automóvil**   i.e., the car remained unused
[14] **una tortuga vuelta de espaldas**   a turtle turned over on its back
[27] **Por mi madre santa**   i.e., Filomena is so firmly convinced that Estanislaa's husband
suffered dearly for not controlling his wife's actions that she would stake her
mother's reputation on this.

una discusión descabellada: ella, deseosa de mostrarle que era un genio y él decidido firmemente a rescatar su mediocridad. «Nos engañamos desde hace tiempo—le decía—no queriendo afrontar las cosas de cerca. Siempre nos hemos alimentado de engaños y
5 fantasías. Ni yo soy tan inteligente como tú crees y me has hecho creer a mí, ni me diferencio en nada del resto de los mortales.» Y aunque ella, Filomena, no podía verla, imaginaba la cara de doña Estanislaa, frenética, obstinada, en su lucha contra toda evidencia.

»Aquel invierno, mientras estuvo fuera, el señorito no le escribió
10 ninguna carta. La señora iba todos los días al pueblo en busca del correo y regresaba con las manos vacías. Era horrible verla regresar así, hundida en el fondo de la tartana, con el semblante blanco, como enharinado, y el brillo de sus ojos cada vez más muerto. Al llegar la noche, para desahogarse, le escribía cartas larguísimas.
15 La lamparilla eléctrica de su dormitorio permanecía encendida hasta la hora del alba.

»Por fin, el mes de mayo, el señorito vino con la señorita Claude, y la señora estuvo a punto de desmayarse de rabia. Estaba muerta de celos, porque sabía que el señorito la quería y deseaba casarse
20 con ella; pero no se atrevía a decir nada por temor a disgustarlo. Sin embargo, era fácil saber lo que pensaba. La simple presencia de la señorita Claude le ponía los nervios de punta. Permanecía encerrada en el cuarto, con las persianas tendidas, inmóvil en medio de aquel horno, con un pañuelo empapado de colonia en la cabeza.
25 »Un día, aprovechando la ausencia del señorito, que había salido de caza con su padre, la señora pidió a la señorita Claude que se fuera de *El Paraíso*. La muchacha estaba aclarándose el cabello en la pila de la fuente y no opuso nada a su torrente de razones. Únicamente le oí decir: «Romano es una criatura a la que usted ha
30 malcriado. Suya será la culpa si llega a ocurrirle algo.» Momentos después se presentó en la cocina para pedirme que le enseñara el atajo que lleva a la carretera por donde pasa el coche de línea.

»Aquella noche, el señorito quiso suicidarse. Se había abierto las venas de la muñeca y hubo que avisar al médico. La señora
35 estaba como enloquecida y echaba las culpas de todo a la señorita Claude. Pero cuando pasó el peligro, difícilmente podía ocultar su alegría. Todos los días elaboraba planes fantásticos que el señorito escuchaba cabizbajo, sin decir jamás una sílaba.

»Hasta que una vez—Filomena no sabía cómo—, Romano
40 averiguó lo sucedido entre su madre y Claude. Doña Estanis-

---

9 **estuvo fuera** i.e., abroad
22 **ponía . . . de punta** set her nerves on edge

laa se había arrodillado, suplicándole, por misericordia, que permaneciera junto a ella, pero Romano se desprendió de su abrazo con violencia, subió a la habitación a hacer las maletas y abandonó la casa aquella noche.

»Su muerte hizo perder la razón a la señora. Durante algunos 5 meses se recluyó en la buhardilla, donde no quiso recibir a nadie. Había llegado a creerse que era un pájaro y se hacía servir maíz hervido. En voz alta dialogaba con sus hijos, David y Romano.

»Con paciencia de chino, aprendió a imitar a la perfección la letra del señorito y escribió a sus amigos firmando con su nombre. 10 Les decía que era feliz, que junto a su madre había alcanzado la dicha y que ya no pensaba casarse con Claude. La mayor parte cayeron en la trampa y le enviaron sus respuestas.

»Por otra parte—concluyó—, el juego prosigue todavía y las cartas a nombre del señorito, pese al bloqueo y a la guerra, nos llegan aún 15 de vez en cuando.»

* * *

---

13 **cayeron en la trampa**   were taken in

 # CAPÍTULO CUARTO

En el torrente cercano a la carretera, solía acampar un mendigo conocido en los pueblos de los alrededores por el apodo de el *Gallego*, cuya silueta hacía inconfundible gran número de mochilas y escarcelas que llevaba siempre a la espalda. Oriundo de
5 Lugo, hacía casi cuarenta años que vagaba por la comarca, desde que, recién venido de Cuba, fue dado de alta en el hospital militar en que convalecía, y su figura, a fuer de conocida, había acabado por incorporarse a aquel paisaje cual un elemento más, tranquilizador y cotidiano, como el coche correo del mediodía, el eco de las campanas
10 en la iglesia del pueblo o la ruidosa pandereta del buhonero cuando atravesaba el valle.

Aquella mañana, el azar le había obsequiado con la mejor de las sorpresas. Había pasado la noche en una gruta de la ladera, allí donde el hontanar formaba un arroyo, dormido bajo la espesa
15 enramada de los árboles y, en cuclillas al lado de la entrada, aguardaba la llegada de las tropas nacionales. A medio centenar de metros, aunque no visible, la carretera pululaba de fugitivos y vehículos, pero la paz de aquel remanso no se había alterado siquiera cuando entraron en acción las ametralladoras. Las balas silbaban por encima
20 de los árboles: a lo sumo, descolgaban alguna piña sobre el lecho

---

² **los pueblos de los alrededores**   neighboring towns
³ **cuya . . . inconfundible**   whose silhouette was unmistakable (because of the)
⁷ **a fuer de conocida**   as it was well known

arenoso del torrente; desde el amanecer las palomas zureaban discretamente en los zarzales y un ejército de inquietas alevillas moteaba el encinar de blanco.

El *Gallego* permaneció a la entrada de la gruta, absorto en la afiladura de sus navajas, cuando la súbita conmoción de la ladera 5 anunció una aparición extraordinaria: un automóvil de modelo anticuado bajaba velozmente por el talud, con las puertecillas abiertas y una enseña blanca en el parabrisas, como un albarán de desalquilado. Al llegar a la vaguada, había estado a punto de dar una vuelta de campana, pero recuperó finalmente el equilibrio y, lenta, muy 10 lentamente, descendió su curso arenoso, algo maltrecho y como sorprendido de su hazaña.

El mendigo se había aproximado en un principio, lleno de desconfianza. La irrupción brusca de aquel vehículo en un paraje que tan bien conocía, tenía algo de maléfico, inexplicable. Aunque 15 frenado por la arena del torrente, su motor continuaba trepidando. De la abertura del depósito, se elevaba un penacho de humo. Luego, cesó la trepidación y el automóvil se inmovilizó.

Entonces apoyó un pie en el estribo y arriesgó una mirada al interior. Alguien había dejado la colilla encendida de un cigarro en 20 el asiento delantero; las llaves de contacto estaban en su sitio y se balanceaban suavemente. El *Gallego* oprimió la bocina y aguardó a que le contestaran, pero en aquella hondonada crujiente y silenciosa sólo se oía el aleteo de los pájaros y el lejano restallar de las granadas. 25

—¿Es de alguien el coche?—preguntó y, diluidas a lo largo del torrente, otras voces repitieron sus palabras. Volvió a decir—: ¿Es de alguien?

Pero tampoco obtuvo respuesta (sólo los pájaros piaban). En vista de ello, regresó a la gruta y recogió todos sus trastos. 30

Desde la ladera, la abundancia de aulagas y cantuesos ocultaba tras un lienzo de espesura las ruedas del vehículo, que surgía entre el revoltillo del follaje, cuadrado y negro, enguirnaldado de tallos y de ramas. La capota, de hule impermeable, estaba cubierta de hojarasca y una ardilla saltó sobre ella de un brinco, pero emprendió 35 la huida al divisarle.

Regresó sin darse prisa y acomodó su ajuar en el asiento trasero. El coche era amplio y confortable y, ahora que se sentía su dueño,

---

[2] **moteaba . . . blanco** speckled the oak grove with white
[8] **como . . . desalquilado** like a for-hire sign
[9] **dar una vuelta de campana** to overturn
[26] **—¿Es de alguien el coche?** Anybody in the car?
[26] **diluidas** fading away

arrancó del parabrisas el pañuelo-albarán. Allí, al menos, no había insectos como en la gruta ni escarabajos ni ratones. El respaldo era cómodo y blando e invitaba a descabezar un sueñecillo.

* * *

Se durmió, acunado por el reverbero del sol en el guardabarros
5 hasta que el cercano rumor de una charla le quitó otra vez el sueño.

Una escuadra de cinco o seis soldados se había detenido a conversar junto al arroyo y el *Gallego* dedujo, por la hora, que se trataba de fuerzas nacionales. («¡Dios mío, cuántas cosas pueden ocurrir durante una mañana en el rincón olvidado del bosque!»)
10   Una vegetación de helechos y aulagas disimulaba milagrosamente sus miradas y le permitía entrever entre sus claros sin necesidad de incorporarse: los soldados llevaban botas bajas, pantalón noruego y jerseys color caqui, remangados. El cabo había abierto una caja de picadura y la hacía circular de mano en mano.
15   —¿Qué hora es?

—La una y media.

—¿A qué hora ha dicho Santos que le aguardáramos?

—De aquí a veinte minutos.

—Entonces, al acabar el pitillo, regresamos.
20   —Sí. La carretera está aún llena de soldados; no creo que se hayan atrevido a cruzarla.

Alguien dijo una frase en voz baja que el *Gallego* no pudo comprender. Luego:

—¿Cómo se llama el pequeño?
25   —Abel Sorzano.

—¿Lo has visto?

—No, no quise entrar.

—Pues yo sí que lo he visto. El pobrecillo era muy majo. Le dieron justamente aquí, en la sien.
30   —¡Qué extraño! Entre chavales . . .

—Dicen que él no era refugiado.

—Maldita la gracia que le habrá hecho a Santos si resulta que su hijo se encuentra entre ellos . . .

El *Gallego* dejó resbalar los brazos que apoyaba en el volante y se
35 incorporó del asiento temblando. Se sentía anonadado, con la cabeza llena de estrellitas. La dulce impresión de paz que el sueño

---

¹ **el pañuelo-albarán**   the for-hire flag
³ **invitaba . . . sueñecillo**   enticed him to take a snooze
¹² **pantalón noruego**   i.e., narrow trousers
¹⁸ **De . . . minutos.**   In about 20 minutes.
³² **Maldita . . . ellos . . .**   It will really be a bad thing for Santos if it turns out that his son is with them . . .

le había producido, le parecía ahora un espejismo, una trampa. Se
apeó del vehículo igual que un sonámbulo y salvó la docena de pasos
que le separaban de los hombres.

— ¿Qué están ustedes diciendo?

Los soldados interrumpieron su charla al divisarle y le contempla-   5
ron con sorpresa.

— Pues ya lo ves — dijo, al fin, el cabo —. Contando historias para
matar el tiempo.

Pasado el primer momento de sorpresa, su llegada le había devuelto el buen humor. El rostro del mendigo tenía algo de familiar,   10
lejano. Sin saber la causa, le hacía pensar en su infancia.

— ¿En qué guerra has ganado esas medallas, abuelito?

Señaló los tapones de gaseosa y de cerveza que le cubrían las solapas, pero el viejo no le hizo ningún caso.

— ¿Qué ha ocurrido con el pequeño Abel Sorzano? — preguntó.   15

Su voz, vacilante, desterró las sonrisas de los rostros y el cabo
carraspeó antes de hablar.

— Lo mataron, abuelo. Cuando llegamos al valle esta mañana, lo
encontramos en la escuela, asesinado.

El *Gallego* no decía nada, pero su respiración se había vuelto   20
difícil.

— ¿Asesinado?

— Sí.

                                    *   *   *

— ¿Le conocías, abuelito? — preguntó el cabo.

El *Gallego* afirmó con la cabeza, pero no dijo una palabra.   25

En un recodo de la carretera, justo donde empezaba el bosque de
castaños, había una fuente en forma de pozo que reflejaba los rostros de los que se inclinaban, como la superficie de un espejo ondeado, entre briznas de hierba, renacuajos y raíces de árbol y era en
aquella dirección donde había sonado el disparo. Abel apresuró sus   30
pasos en dirección a la curva, cuando la atenta expresión de *Lucero* le
llamó la atención: la pandilla de chiquillos refugiados perseguía a
pedradas a un mendigo, que se volvía contra ellos alzando el puño y
amenazándolos con una caña. Los chavales se habían desplegado
en torno y se divertían dando tirones al faldón de su levita. Uno le   35
arrebató una cantimplora que llevaba sujeta a la escarcela y la exhibió
ante sus amigos, orgulloso, y triunfante.

---

³⁴ **se habían . . . torno** had fanned out around him

—El Viejo de las Barbas. El Viejo de las Barbas.

El mendigo intentó recuperar su cantimplora y los insultó lleno de furia. Los niños no parecían preocuparse demasiado: marchaban detrás marcando el paso y aplaudían cuando intentaba decir algo.

5 Luego, en vista de que parecía resignarse, se detuvieron en medio de la carretera y permanecieron allí, cantando y dando gritos.

El viejo, después de poner un poco de orden en sus cacharros, se dirigió hacia el recodo. Abel le vio bajar por el sendero, apoyado en la caña, antes de decidirse a seguir su ejemplo.

10 Cuando llegó, estaba inclinado sobre la fuente: un rayo de luz, cribando la espesura del follaje, la asaeteaba igual que un dardo e iluminaba la arenisca del fondo, estremecida en menudos pliegues, como la superficie del mar en calma.

Advertido por el ruido de sus pasos, había ladeado el rostro y lo 15 estudió con la mirada: Abel, con *Lucero* acurrucado entre las piernas, tenía aspecto tímido, inofensivo. Con asombro, contemplaba las solapas del viejo, cubiertas de cintas de colores y tapones de hojalata, su barba blanca en forma de carámbano y el raído sombrero de fieltro que protegía su cabeza.

20 El mendigo sacó del bolsillo un trapo sucio con el que se secó cuidadosamente la cara y, lanzando un suspiro de alivio, tomó asiento en un tocón de castaño.

—Bonito, ¿no te parece?

Señaló la carretera, con el dedo, mientras con la otra mano hur-25 gaba en el interior de la boca.

—Vergüenza debería darles perseguir de ese modo a un viejo, que podría ser su abuelo y que sufrió dos heridas por la Patria, sin que obtuviera nada en cambio.

Abel, que hasta entonces no había despegado los labios, murmuró:

30 —Yo no era de ellos, créame. Estaba al otro lado de la curva paseando con mi perro *Lucero* y he visto todo lo ocurrido—se detuvo un momento y añadió recordando lo que su padre decía en esos casos—: Excuso decir que lo lamento.

El mendigo se despojó del sombrero de fieltro y lo puso encima de 35 la rodilla izquierda, donde el pantalón tenía un siete.

—Te creo, te creo. ¡Ah, si fuesen hijos míos! . . . A esos diablos les calentaría el trasero a palmadas.

Las perolas, el saco y la escarcela, que llevaba sujetos a la espalda, le obligaban a encorvarse. Con sumo cuidado aflojó el nudo de la cuerda que los mantenía unidos y los tendió encima de la hierba, procurando que estuviesen al alcance de la mano.

—En mis tiempos, una escena como ésta era algo completamente 5 inconcebible. Desde niños nos enseñaban a respetar a los viejos. Mientras que ahora . . . mucho progreso, y . . . ¡oh, estoy desengañado!

Abel le observaba en silencio y se limitó a asentir con la cabeza. Sin necesidad de presentaciones había adivinado que era el *Gallego,* 10 de que tanto le hablaba Filomena, y experimentaba una agradable sensación de sorpresa, que le hizo olvidar al cazador.

—Lo verdaderamente grave del asunto es que las cosas tienden a empeorar cada vez más. Hasta esa maldita guerra, había vivido tranquilamente en mi cabaña y nunca me preocupé de poner cerrojo 15 a la puerta, porque sabía que a nadie se le iba a ocurrir robar a un hombre que, como yo, había luchado contra los yanquis en la guerra de Cuba y que se ganaba la vida honradamente explotando sus inventos.

»Pero, desde hace dos años, el mundo se ha vuelto loco. La gente 20 lanza contra mí los perros guardianes y esos endiablados chiquillos se entretienen en hacerme la pascua. Hoy, tú mismo has podido verlo, me han robado una cantimplora que me pertenecía desde hace treinta años. Quién sabe lo que se les ocurrirá quitarme la próxima vez que me vean. 25

»Aunque, en fin, eres un niño y nada de lo que estoy diciendo puede interesarte demasiado. Además, se ha hecho tarde y es preciso que empiece mi trabajo.»

Abel le vio sacar una varilla ahorquillada, de avellano, del grueso de un dedo y medio metro de longitud. Después se incorporó 30 penosamente del tocón de castaño y pataleó unos segundos con asombrosa facilidad.

—Se me había dormido la pierna.

Avanzó una cincuentena de pasos en dirección al arroyo, sujetando con ambas manos los extremos de la varita de forma que el 35 dorso mirara hacia abajo y el vértice de la vara apuntase hacia adelante.

—Vigila que nadie nos vea, pequeño.

---

[5] **En mis tiempos**   when I was young
[16] **a nadie . . . robar**   nobody would think of robbing
[22] **hacerme la pascua**   to torment me
[33] **Se . . . pierna.**   My leg became numb.
[34] **una cincuentena de**   about fifty

Caminaba despacio, con la varita en posición paralela al horizonte. Al llegar al cañizal, volvía atrás, repitiendo exactamente el camino.

Se deslizaron unos minutos en completo silencio. Un túnel de
5 luz, como polen de oro, extendía una mancha rubia sobre la hierba húmeda del bosque. Libélulas con alas de celofán planeaban sobre los arbustos floridos de retama. En el espejo móvil de la fuente, Abel se entretenía en soplar sobre su imagen. El sol lucía cada vez más y convertía la nube de mosquitos que remolineaban sobre el
10 agua en una galaxia centelleante.

—¿Se inclina, di, se inclina?—dijo el *Gallego,* de pronto.

—¿Se inclina?

—La varita.

Abel se puso de pie, indeciso.

15 —No sé . . .

El *Gallego* había soltado la rama y se deslizó el pañuelo por la frente.

—Debo de haberme equivocado otra vez, ¿no crees?

—Por favor—dijo Abel—. No sé de qué me habla.

20 —¡Uf! Te ahogas en un vaso de agua.

Sus palabras, enunciadas con voz solemne, se difirieron unos instantes en la atmósfera luminosa de la mañana.

—Vamos, vamos, mi pregunta no es siquiera de las más grandes. Me atrevería a calificarla de «pregunta pequeña».

25 Le cogió cariñosamente una mano y depositó la varita en ella.

—¿Sabes lo que es esto?

El niño movió negativamente la cabeza: se sentía abrumado por la superioridad del viejo.

—Pues se trata, pura y simplemente, de un instrumental de
30 zahorí o, si lo prefieres, de una varita mágica.

—¿Y qué utilidad tiene?

El mendigo volvió a tomar asiento en el tronco de castaño y guardó la varita en la escarcela.

—Esas ramas—dijo—descubren el lugar donde se hallan ocultos
35 los manantiales, los cadáveres y los tesoros—leyó la sospecha en los ojos del niño y se apresuró a añadir—: Pero, a decir verdad, lo único que descubren es el origen de las fuentes y, a veces, hasta en esto se equivocan.

»Por ejemplo, hace más de treinta años que busco el lugar ade-
40 cuado para establecer el Depósito de Aguas del pueblo, respon-

---

[16] **se . . . frente** wiped his brow with a handkerchief
[20] **Te . . . agua.** You would drown in a glass of water.

diendo a una convocatoria del Municipio que aún no se ha fallado
(la hizo un alcalde monárquico después de las elecciones), y he
probado, desde entonces, más de cien varitas.

»A veces creo que los escribientes tienen razón cuando dicen
que es inútil que siga cansándome pero, a estas alturas, no puedo 5
honradamente volverme atrás. Una experiencia así es de las que
comprometen a uno de por vida y, puesto que la he empezado, estoy
obligado a continuarla.

»Ya sé que nunca se fallará este concurso, al que he presentado
más de cien propuestas (mi único competidor murió el pasado año); 10
pero el que siga buscando igual que el primer día, constituye una
base sobre la que puedo organizar mi vida y responder, cuando sea
preciso, al cuestionario de los empleados del Estado, y eso, pequeño,
es en el fondo lo único que buscamos.»

Concluyó su discurso con un bostezo y se ligó las correas al 15
hombro.

—Si quieres acompañarme a mi choza—ofreció—, podemos
tomar el almuerzo juntos.

Pero el niño se acordó de la carta que había escrito al general
antes de acostarse. Deseaba someterla a la censura de Martín y 20
movió negativamente la cabeza.

—Lo siento muchísimo. Casualmente tengo un importante compromiso y no puedo faltar de ningún modo.

El viejo le dirigió una mirada suspicaz.

—¿Estás seguro de que no lo dices por cortesía? 25

Abel respondió sin pestañear:

—Seguro, segurísimo.

—Bien, si es así, soy yo el que te pide que te vayas. En este
mundo se ha de saber mantener la palabra.

—Si usted quiere, podríamos vernos cualquier otro día—dijo el 30
niño temiendo que el viejo se hubiese disgustado—. Mañana
mismo, por ejemplo.

El *Gallego* reflexionó unos instantes:

Mañana . . . mañana . . . , no creo que pueda asomarme por aquí
mañana. Pero podría ser que viniese cualquier día de la semana 35
próxima; a esas horas suelo parar en la fuente.

—Está bien. No dejaré de ir a verle—prometió el niño—. Ahora
es tarde y en casa me están aguardando.

Regresó a la carretera precedido de *Lucero* y durante el trayecto
se volvió más de una vez para mirarlo. 40

«Usted me gustó desde un principio—le había dicho después—,

porque a su lado no me sentía niño. Usted me trataba de igual a igual, como Martín, y a mí me halagaba tanto . . .»

Durante aquel bochornoso mes de agosto, las jornadas transcurrían monótonas e iguales. Abel iba todas las mañanas a esperar la llegada
5 del camión de Intendencia, pero jamás recibía la respuesta que aguardaba. Un día se acordó de la promesa hecha al *Gallego* y, en lugar de ir al cruce de caminos, se desvió hacia la fuente. El viejo estaba sentado en cuclillas junto al tronco del castaño y̆ sonrió, satisfecho, al divisarle.

10 —Magnífico, pequeño, magnífico. Precisamente te estaba aguardando.

Había improvisado un fogón con cuatro pedruscos que servían de apoyo a una lata de enorme tamaño. El *Gallego* la destapó para mostrarle su asado de liebre.

15 —La maté esta mañana. Hacía tiempo que no iba de caza y me decidí a salir con la escopeta.

Le enseñó una especie de canuto hecho de bambú, con un extraño dispositivo de alambres y poleas.

—También yo acabo de ver una liebre—dijo Abel.

20 —¿Sí?—murmuró el viejo.

—Fue al salir de casa—mintió—. A diez o quince pasos de la puerta.

—A veces se tiene suerte.

—¿Y usted? ¿Tuvo que caminar mucho?

25 El *Gallego* esbozó un ademán vago.

—Así, así . . . A mi edad . . .

Abel estuvo a punto de preguntarle: «¿Qué edad tiene usted?», pero se contuvo a tiempo.

—Al menos no se fatigó demasiado.

30 —No, eso no—reconoció el mendigo.

Del borde de la lata, por la parte de fuera, se escurrían churretes de grasa y Abel observó que, junto al cuello, el animal conservaba fragmentos de pelaje. Como si hubiera adivinado su mirada, el *Gallego* los humedeció con cucharaditas de salsa, hasta dejarlos bien
35 empapados.

—Es muy difícil cocerlo todo—explicó—. Con este fuego no hay forma de terminar nunca.

—¿Quiere usted que vaya a buscar leña?—propuso Abel.

—Gracias, eres muy amable.

40 El niño se internó en el encinar. Conocía de memoria aquellos parajes y encontró sin dificultad una rama seca.

---

[10] **Precisamente . . . aguardando.** I was just waiting for you.
[12] **que servían de apoyo a** which were supporting
[21] **Fue** It was

Se la cargó al hombro, como había visto hacer a Elósegui, y regresó junto al *Gallego.*

—¿Le basta con ésa?

—Desde luego, pequeño.

Cogió la lata por el borde y la dejó sobre una piedra. Después 5 comenzó a remover los chamizos con los dedos y colocó los tizones encendidos debajo de la rama.

Abel tuvo un estremecimiento: la piel se le erizó como un cacto.

—¿No se quema?—murmuró con voz frágil.

El *Gallego* le tendió una mano nudosa.   10

—Mírala—dijo—. Pálpala.

El niño la rozó lleno de respeto: callosa, cubierta de placas y de escamas, parecía toda ella corteza de árbol. El viejo sonrió con orgullo.

—Las manos de los niños son delicadas y finas como las de una 15 salamandra—sentenció—. Luego se endurecen y semejan más bien garras de ave.

Se descalzó una bota y retiró la venda que le cubría el talón.

—También mis pies podrían caminar sobre brasas sin sufrir ningún daño.   20

Le tendió un calcañar deforme y mugriento, como el de una persona acostumbrada a andar descalza.

—Puedes tocarlo si quieres—concedió—. Te advierto que no da ningún calambre.

Abel lo rozó respetuosamente con la yema del pulgar. El mendigo 25 imprimió a los dedos un movimiento rotatorio que le produjo un ligero sobresalto: los unos hacia adelante, los otros hacia atrás, parecían dotados de un mecanismo interno, lo mismo que si pulsaran las cuerdas de una guitarra.

—Hace unos años tocaba de esta manera la *Marcha Real,* pero 30 ahora me siento demasiado viejo. Ese maldito reuma . . .

Se volvió a poner la bota resollando, y Abel se enfrascó en la contemplación de su equipaje. Su escarcela contenía un muestrario abigarrado y heteróclito: latas de sardina vacías, raíces de árbol, un bote amarillo en forma de tonel con las duelas, el grifo y la piquera 35 cuidadosamente pintados, un periódico viejo doblado en cuatro, un frasco de vidrio repleto de hormigas.

El *Gallego* sacó del bolsillo un botellín verdinegro que agitó antes de vaciarlo en un vaso de aluminio.

---

25 **El mendigo . . . guitarra.** The beggar made circular movements with his toes, which startled him a bit: some (toes) bent forward, others backwards and they seemed propelled by an inner mechanism, giving the impression that they were plucking the strings of a guitar.

—Alárgame el agua—dijo.

Abel miró en torno, desorientado.

—La botella oscura. Está llena de agua.

El muchacho se la dio. El viejo removió el líquido oscuro y lo
5 mezcló con agua en partes iguales. Sirviéndose del dedo índice a
guisa de cucharilla, volvió a agitar el contenido del vaso.

—¿Quieres un trago?

—¿De qué?—preguntó el niño.

—De licor. Yo mismo lo he preparado esta mañana.

10 Haciendo gran esfuerzo, Abel bebió un pequeño sorbo.

—Es muy bueno—dijo.

El mendigo elevó las cejas en ángulo hasta formar un acento circunflejo.

—¿No quieres otro poco?

15 —Le aseguro que no, gracias.

—Como prefieras.

Se llevó el vaso a los labios con movimiento rápido y se enjuagó
la boca con el líquido antes de tragarlo.

—Realmente, si no fuera tan descuidado en mis asuntos perso-
20 nales, hubiera hecho patentar mis inventos. Otro cualquiera habría
sacado de ellos un montón de plata; pero, pequeño, no en vano no he
nacido comerciante. Desde niño me ha sucedido así y ahora soy
demasiado viejo para intentar cambiarme. Yo doy la idea y otros la
ponen en práctica. El trabajo es mío y el beneficio se lo llevan ellos.
25 —Suspiró—: Así ha ocurrido siempre con los hombres de ciencia y
este país en que vivimos no se preocupa nunca de ayudarnos.

Se desabotonó la levita y comenzó a registrar el forro. Abel descubrió atónito que, sujetas a la tela, había gran cantidad de bolsas
ligadas con cintas de colores, repletas de toda clase de objetos: saca-
30 corchos, tapones de cerveza, canicas de vidrio, peines despuntados,
semillas, hierbas secas. El acto de registrar, siempre igual, constaba
de cuatro fases: extracción de material acumulado, examen del mismo,
revisión de la bolsa y, finalmente, reposición de las cosas al mismo
sitio de antes.

35 —La idea de los saquitos—explicó el *Gallego*—tuvo durante
cierto tiempo gran utilidad. ¿Tienes tú alguna idea?

—¿De qué?

—Del número de saquitos.

El niño abarcó con la mirada la levita del viejo cubierta de con-
40 decoraciones y de manchas.

---

[20] **hubiera hecho patentar** I would have patented
[39] **abarcó con la mirada** gazed at

—Es difícil—comenzó.

—Di una cifra—insistió el *Gallego*.

—No sé . . .

—Vamos . . .

—Treinta—dijo Abel.   5

—Más.

—Cincuenta.

—Todavía más.

—Sesenta y cinco.

—Caliente.   10

—Sesenta y siete.

—Sesenta y ocho. —El mendigo le contempló radiante—. Ni una más ni una menos.

—¿No se arma usted jaleo con tantas?

—Verás, en un principio había pensado ribetear los bordes de 15 hilo diferente para distinguirlas, pero me acostumbré en seguida y no fue necesario.

—La liebre—dijo Abel—. Se está quemando.

Sin apresurarse, el *Gallego* retiró la lata del fuego. La salsa se había evaporado totalmente y un montón de hierbajos oscuros cubría 20 la pelusa del roedor. El viejo sacó de la escarcela dos platos de aluminio y ofreció uno al muchacho.

—Toma, sírvete.

—Es usted muy amable, pero me aguardan en casa y no quisiera que se inquietasen.   25

—¡Bah!, no te preocupes. Yo mismo, si es preciso, iré a disculparme ante tu madre.

—No tengo madre—dijo Abel—. Hace más de ocho meses que murió.

—Entonces se lo diré a tu padre—corrigió el viejo.   30

Contempló el rostro pálido y demacrado del niño y añadió:

—No me irás a decir que tampoco tienes padre . . .

—También ha muerto.

—¡Atiza!—exclamó el *Gallego*—. A eso se llama entrar con el pie izquierdo.   35

Hizo una pausa durante la cual analizó al muchacho de arriba abajo.

—¿Puede saberse, si no es indiscreción, de qué murieron tus padres?

---

14 **¿No se . . . tantas?** Isn't it a nuisance to have so many?

15 **Verás . . . distinguirlas** You see, at first I had intended to sew each one with different thread to distinguish them

—A papá le hundieron con el *Baleares*. Lo de mamá no se sabe a ciencia cierta. Fui con mi abuela al depósito de cadáveres, a reconocerla. —Esbozó un gesto vago—. Era ella.

—¿Quién se encarga de ti ahora?

5 —Desde la muerte de mi abuela, estoy al cuidado de doña Estanislaa Lizarzaburu. No sé si la conoce: la propietaria de *El Paraíso*.

—La conozco—repuso el *Gallego*—. Hasta hace poco solía pasear por la carretera con una sombrilla lila, y siempre nos saludábamos.

—Es una mujer de sentimientos muy nobles—dijo el niño—, 10 que tiene la desgracia de estar muy por encima de su medio.

El viejo se rascó el mechón de pelos que le crecía en el cogote.

—Me hace gracia tu modo de expresarte. Oyéndote, todo el mundo diría que tienes veinte años más de los que aparentas.

Abel se llevó a la boca una hoja de jara.

15 —Creo que la guerra nos ha madurado a todos antes de lo ordinario. Actualmente, no existe ningún niño que crea en los Magos.

El *Gallego* le miraba de hito en hito.

—Tal vez tengas razón y los niños de ahora nazcan viejos. En mi época, a tu edad, vivíamos aferrados a las faldas de nuestras 20 madres. Pero en fin, dejémonos de charlas; lo mejor que podemos hacer ahora es dar buena cuenta de la liebre.

Revolucionó el macuto en busca de cubiertos, pero no encontró ninguno. Sin inquietarse, se volvió hacia el muchacho.

—Lo que se dice lujo, no lo hallarás, pero el guisado es excelente. 25 Toma. Elige tú mismo el trozo que prefieras.

Mientras el *Gallego* sujetaba la liebre por el lomo, Abel realizó un esfuerzo ímprobo para arrancarle una pata. Lo consiguió, al fin, y la dejó sobre el plato, jadeante.

—Sin cumplidos—dijo el mendigo.

30 Se había llevado a la boca el resto de la liebre y comenzó a devorarlo con voracidad. El sombrero de espantapájaros, que se mantenía en equilibrio sobre la porción posterior de su cabeza, le resbaló hasta la nuca.

—Vamos, adelante.

35 Sirviéndose del tenedor de palo, le colocó en el plato algunas castañas y hojas de hierba. Abel descubrió entonces que el viejo no le había limpiado las vísceras.

—No quiero comer—dijo con voz quejumbrosa.

—¿Que no quieres comer? ¿Puede saberse por qué?

40 El niño señaló unas bolitas oscuras embadurnadas de salsa.

---

[1] **A papá . . . «Baleares.»** Papa went down with the Baleares.
[16] **los Magos** In Spain, the *Magos* (wise men) bring gifts to children on January 6.
[29] **Sin cumplidos** You don't have to be formal

—No sé lo que es eso.

El viejo las observó despreocupado.

—¡Qué sé yo! Aceitunas pequeñas. Algo que he puesto para acompañar la liebre.

La explicación no pareció inspirar al chico demasiada confianza. 5 De aceitunas como aquéllas estaban llenas las jaulas de conejos que Filomena limpiaba todas las mañanas. Devolvió al *Gallego* el plato de aluminio y permaneció unos segundos inmóvil, con la mirada fija en los tizones.

—Está bien, haz lo que quieras —dijo el viejo—, pero no pongas 10 esa cara de pocos amigos. Si el guiso no te gusta, yo no tengo la culpa.

Vació el contenido del plato de Abel en el suyo y lo devoró también glotonamente.

En seguida cubrió los chamizos del fogón con un puñado de 15 arena.

—Haces mal en no alimentarte, pequeño. Con el estómago vacío jamás harás nada de provecho.

Miraba en torno con aire de buscar algo que no recordaba en aquellos momentos y sacó un tarro verde del macuto. 20

—Mi fijapelo —explicó.

Con los dedos manchados aún de salsa, cogió un buen cacho de jalea, que deslizó sobre los mechones vedijosos de las sienes, hasta darles un tono verdemar.

—Lo fabrico yo mismo con palas de higo chumbo mezcladas con 25 diente de león. ¿No quieres un poco?

Por cortesía, Abel frotó una delgada lámina sobre sus rizos.

—Su olor es muy agradable —comentó.

El *Gallego* restregaba ahora la punta de sus botas.

—También sirve como crema de calzado —aclaró—. Toma. Ponte 30 un poco. En el mundo, si quieres ser respetado, no debes olvidar nunca tu atuendo.

Se colocó el sombrero muy encasquetado y guardó los objetos dispersos en el macuto.

—¿Estás seguro de que no nos dejamos nada? 35

Abel inspeccionó los alrededores.

—No, creo que no . . . Aquel tapón de corcho.

—Dámelo —ordenó el *Gallego*.

Lo analizó un instante antes de decidirse a guardarlo en una de las bolsas. Después se desperezó.

—Óyeme—dijo—. Hemos estado hablando de mil vulgaridades y aún no me has dicho el motivo por el que has venido a verme.

5 Abel se sonrojó; el *Gallego* parecía leerle todos los pensamientos.

—¿Cree usted que durará mucho la guerra?—murmuró, al fin.

El viejo sacó del macuto un palillo usado y comenzó a hurgarse la encía.

—¡Quién sabe! Esas guerras modernas son endiabladamente 10 complicadas. Cuando luchábamos contra los yanquis en Cuba, todo era diferente. Aquello sí que era una guerra . . .

—Sin embargo—dijo Abel irritado—, en Belchite también se lucha duro.

Le molestaba la manía de los viejos de restar importancia a lo 15 presente y recargar los colores de los tiempos pasados. También deseaba mostrarle que el año mil novecientos treinta y ocho era capaz de heroísmos:

—Ayer, sin ir más lejos, hubo más de dos mil muertos.

El *Gallego* movió la cabeza con gesto de duda.

20 —Exageraciones. Una guerra como la de Cuba no volverá a haberla nunca. Entonces . . .

Abel, se incorporó, desalentado.

—Quiero luchar. Lo que pasaba entonces me tiene sin cuidado. He nacido en esta época y no en mil ochocientos.

25 El mendigo se mesó los afilados carámbanos de sus barbas.

—Sí—repuso—. Tal vez tengas razón. Eres joven, tienes ante ti muchos años y no debes olvidar nunca la edad. Aceptando la compañía de seres adultos, corres el riesgo de marchitarte. Juega con otros niños. Con ellos aprenderás muchas cosas que yo, con mi 30 experiencia, no podría enseñarte.

* * *

El viejo se puso de pie con ayuda de la caña.

—Ve a tu casa y come algún bocado.

Se encaminó hacia el pueblo con todos sus trastos.

Aquella amistad, surgida en tan extrañas circunstancias, se había 35 fortalecido durante el decurso de las semanas siguientes. El niño se presentaba cuando menos lo esperaba y desaparecía igualmente, de improviso. Juntos hacían funcionar las varitas de avellano e inspeccionaban en los observatorios diseminados por el bosque las variaciones del viento y la temperatura.

---

[15] **recargar . . . pasados** to paint the past in rosy colors
[20] **no volverá . . . nunca** will never happen again
[23] **me tiene sin cuidado** is unimportant to me

Un día, Abel se presentó en compañía de otro chiquillo y, desde
entonces, las cosas cambiaron.   El niño no era el mismo de antes y
parecía no tener ojos sino para su nuevo amigo.   Aunque, a veces,
venían a interrogarle sobre la significación de ciertos hechos («¿El
cuerpo de una golondrina hallado al pie de una ventana, es signo de   5
mala suerte?»), por regla general indagaban sus opiniones acerca de
la guerra («¿Por qué la lucha en Cuba había sido más dura que en
España?   ¿Qué sensación se experimentaba al recibir un balazo?»).

El otro niño solía llevar la voz cantante y Abel se limitaba a hacerle
coro.   El hambre había afiligranado los rasgos de su cara, que le   10
trajo a la memoria un rostro igual, olvidado hacía muchos años.   Era
el de un niño que vivía en Lugo, violinista, dibujante y matemático.
Como él, se movía con la gracia y ligereza de un felino, tenía los ojos
claros, moteados de mica, y se rechazaba el rizo que le caía por la
frente, cuando saludaba a alguien.   De vez en cuando se llevaba las   15
manos a las sienes y decía:

—Tengo un dolor ahí . . .

Aquel niño enfermó, un día, de improviso, murió al siguiente y
fue enterrado al otro, y el sobrino de doña Estanislaa le hacía pensar
en él cuando hablaba: 20

—Ni Pablo ni yo estamos hechos para la vida de este valle.   Dentro de poco, en cuanto reunamos algún dinero, nos iremos al frente a
probar fortuna.

Luego, a medida que el invierno se echaba encima, las visitas se
habían espaciado.   Los niños pensaban en otras cosas.   Más de una   25
vez los había vislumbrado desde lejos, pero pasaban de largo y no
se tomaban el trabajo de saludarle.

Poco después de Año Nuevo, volvió a sufrir una acometida de los
chiquillos refugiados y, lleno de tristeza descubrió a Abel entre ellos,
armado también con piedras.   30

Las señales de la lucha se advertían en su cara mientras evocaba
la imagen entrevista hacía media hora: un grupo de niños atra-
vesando el torrente en dirección al encinar.   Vuelto hacia la escuadra
de soldados que aguardaban sus informes para lanzarse en su búsqueda, pensaba sólo en la angustia de los chiquillos y señaló sin   35
vacilar el lado opuesto:

—Por allí.

Y desde el asiento delantero del vehículo que acababa de serle
ofrendado los contempló mientras enfilaban por el camino que—
como todos los caminos, por demás—no iba a conducirles a ningún   40
lado.

---

[9] **El . . . coro.**   The other boy sang at times and Abel would join in.

 CAPÍTULO QUINTO

* * *

Un día, Abel decidió romper el muro que le sepa-
raba del resto de los seres. La radical soledad de *El Paraíso*, tejida por
el monólogo ininterrumpido de sus tías, había acabado por hacérsele
insoportable. Estanislaa, Águeda y la misma Filomena hablaban
5 idiomas distintos e imaginaban que él, por una milagrosa cualidad
de espíritu, era el único que podría ayudarlas. «Después de haber
pasado la vida rodeada de personas vulgares—decían—, no sabes lo
maravilloso que resulta sentirse apoyadas y comprendidas por un
ser de tu clase.» Continuamente querían tenerle junto a ellas y le
10 impedían vivir la vida propia de sus años.
Basta ya. Abel había salido de la casa dando un portazo y se encaminó lentamente hacia la escuela. Aunque no se lo había confesado abiertamente, los niños refugiados le atraían. Algo menores
que él, se movían con independencia absoluta. Muchas veces los
15 veía correr desperdigados por el bosque ᴗe alcornoques y había
sentido deseos de participar en sus juegos pero, por timidez, jamás
se había acercado a hablarles y, cuando se cruzaban, no acertaba
siquiera a devolverles el saludo.
Había algo en su aspecto que le hacía sentirse avergonzado del
20 suyo. Los niños vestían trajes sucios y gastados; durante el verano
se paseaban descalzos y medio desnudos. Su pobreza no parecía

---

[11] **Basta ya.** It was enough already.

112

preocuparles lo más mínimo. Sus movimientos tenían toda la gracia de la edad. Sus cuerpos estaban llenos de vida. Enfundado en las prendas que Águeda confeccionaba, Abel se sentía por contraste, engolado y ridículo. Deseaba mezclarse con ellos, hacerles olvidar sus diferencias. Los vestidos, de colores chillones, le estorbaban y los escondía entre las adelfas al salir de El Paraíso. 5

Desnudo de cintura para arriba y con las piernas cubiertas de arañazos, se imaginaba admitido con todos los derechos. Las tardes de El Paraíso eran terriblemente largas y, cuando no le veían, Abel se dedicaba a espiarlos. Los niños se dirigían al bosque en pequeños 10 grupos: allí perseguían a los pájaros con tiradores y derribaban los nidos a pedradas. Abel los seguía a distancia, cuidando de no ser visto. Cada vez que volvían la cabeza, se ocultaba entre los arbustos del camino y, a salto de mata, los acompañaba a lo largo del trayecto.

Un día se aventuró demasiado. Los chiquillos estaban al borde 15 de una balsa que había en el torrente: acababan de capturar algunas ranas y se entretenían en hincharlas con pajuelas. Protegido por un muro de cañas, había avanzado junto a ellos y observaba a través de una rendija las incidencias de aquel juego, cuando unas manos se atenazaron a sus hombros y le empujaron hacia el cauce del arroyo. 20 Abel no había oído llegar a nadie y no tuvo tiempo de defenderse. Un chiquillo moreno, con el semblante cubierto de cicatrices, le había hincado la rodilla en el pecho y le contempló con orgullo.

—¡Al fin!

Como por arte de magia, habían surgido entre las cañas gran nú- 25 mero de niños, desnudos como lombrices y con el cuerpo untado de barro.

Algunos habían cogido algas verdosas que crecían en el estanque y las habían extendido sobre sus cabezas a guisa de peluca.

Todos lanzaban gritos de guerra y Abel comprendió que, al de- 30 jarle avanzar, no habían hecho otra cosa que tenderle una emboscada.

—Conque espiándonos, ¿eh?

El muchacho de las cicatrices le apretaba la garganta con tal fuerza que apenas podía respirar.

—No irás a decirnos que no lo hacías expresamente . . . Hace 35 varios días que te venimos observando . . . ¿Crees que somos imbéciles?

Se sentó encima de su estómago y con el índice empezó a golpearle

---

1 **lo más mínimo** in the least
14 **a salto de mata** stealthily running from bush to bush, fearful of being "spotted"
32 —**Conque espiándonos, ¿eh?** So you're spying on us, eh?
35 **Hace . . . observando.** We've been watching you for several days.

las costillas, como había visto hacer en los interrogatorios policíacos, en el cine.

Abel sintió que los ojos se le inundaban de lágrimas e hizo un ademán con el brazo.

5 — Suéltame — suplicó.

Los restantes niños — unos doce o trece — se habían aproximado también y le observaban con ojos malignos.

El cabecilla había aflojado la presión de su mano y el prisionero pudo incorporarse.

10 — ¿Qué quieres?

Abel se disponía a responder, pero uno de los rapaces señaló con el dedo *El Paraíso* y dijo algo al oído de su jefe. Los dos muchachos cambiaron impresiones en voz baja.

— ¿Es cierto que vives en la casa de ahí al lado? — preguntó el de

15 las cicatrices.

Abel afirmó con la cabeza.

— ¿No os lo decía? — exclamó el otro chiquillo —. El tipo es un faccioso y se dedica a espiarnos.

Hubo un clamor de voces. Los rostros de los niños se habían

20 vuelto hacia el que le había acometido en primer término. El jefe escupió en el suelo y se encaró con Abel.

— ¿Puede saberse qué quieres de nosotros?

Abel hubiera deseado decirles: «Quiero ser uno de vosotros, hacerme amigo vuestro», pero ante aquella asamblea de ojos hostiles

25 comprendió la imposibilidad de proclamarlo. Su mente formó una excusa rápida.

— Mi tía me había mandado a buscar ranas — dijo con gran aplomo.

Hubo un momento de desconcierto en el rostro de los niños y

30 Abel creyó la partida ganada.

— Como vosotros estabais ahí, no quise estorbaros.

El muchacho pequeño le dirigió una mirada llameante:

— ¿También te había enviado tu tía ayer tarde a cazar pájaros?

Hubo un aplauso cerrado y el cabecilla volvió a sujetarle por el

35 cuello.

— Vamos, déjate de monsergas y dinos quién te envía a espiarnos.

— Nadie — dijo Abel —. Ya os lo he dicho . . .

Pero los gritos de la banda ahogaron sus palabras.

— Pégale un buen golpe, *Arquero*.

40 — Enséñale al mariquita ese.

---

[14] **de ahí al lado** over there
[30] **Abel . . . ganada** Abel thought he had won the first round

Animado por las voces de los suyos, el *Arquero* le atenazó por la garganta.

—Anda, confiesa o . . .

Entonces ocurrió algo inesperado. Uno de los chiquillos puso una mano sobre el hombro del *Arquero* y le espetó con voz dura: 5
—Anda suéltale ya. Creo que la cosa ha durado bastante . . .

Abel volvió la cabeza para contemplar al protector que tan oportunamente había acudido en su defensa. Era un muchacho de la edad del *Arquero* y casi tan robusto como él. Llevaba un pantalón largo remangado a media pierna y sus pies se asentaban, firmes, en 10 el suelo.

El *Arquero* aflojó gradualmente la presión de sus dedos y se volvió hacia el aguafiestas.

—¿Qué diantre te pasa?—preguntó.

El otro hundió las manos en los bolsillos antes de responder. 15
—He dicho que ya hay bastante. Si tienes ganas de pelearte, hazlo conmigo, pero deja en paz al chaval ese.

Estaban el uno frente al otro, con los cuerpos dispuestos para el salto y los demás formaron un ruedo en torno.

—¡Cobardes, gallinas! . . . 20

Era una incitación directa a la pelea, pero ni el *Arquero* parecía dispuesto a arriesgar su jefatura ni su rival deseoso de llegar a las manos. Se limitaron a contemplarse a los ojos y aminoraron el tono de sus palabras como de común acuerdo.

—Te digo que el tipo es un espía—dijo el *Arquero*—. Si quieres 25 dejarlo sin que nos afloje el buche, haz lo que te plazca. Tuya será la culpa si después sucede algo.

—¡Bah!—repuso el otro—. El chaval es amigo de Martín y no nos ha hecho ningún daño. No veo la razón de sospechar de él.

La luz del sol le daba en plena cara, pero su piel parecía refractaria. 30 El niño tenía el cabello oscuro y anillado y un semblante de histrión, de ladronzuelo. Sus dientes eran blancos y afilados y, bajo el fino diseño de las cejas, sus ojos brillaban como los de un animal fiero.

El grupo se había disuelto poco a poco en vista de que la sangre 35 no iba a llegar al río y los niños regresaron a la balsa, donde sus compañeros seguían hinchando ranas. Pronto, en el cañizal, no quedaron más que Abel y el muchacho que había salido en su defensa. El niño le vio sacar del bolsillo una petaca de cuero que vació en el cuenco de su mano. 40

---

10 **remangado a media pierna**   rolled up to his knees
14 **—¿Qué diantre te pasa?**   What the devil has gotten into you?
26 **sin que . . . plazca**   without his spilling the beans, do what you want

—¿Fumas?

—No, gracias.

—Son hierbas—explicó—. Lo que es ahí, cualquiera consigue otra cosa . . .

5 Encendió con un mechero de campaña semejante al de Elósegui y aspiró el humo a grandes bocanadas.

—¿Te han hecho daño?

Abel negó con la cabeza. Tenía todo el cuerpo manchado de barro y lo lavaba en el arroyo sin separar la vista de su amigo.

10 —No les hagas caso—dijo éste—. Son una pandilla de tunantes y, después de lo ocurrido, procurarán hacerte la santísima. Pero si te molestan en serio, no vaciles en avisarme.

Aquél había sido su primer encuentro y, desde entonces, Pablo, el muchacho, se había convertido en su mejor, su único amigo. Todas 15 las tardes iba a buscarle a *El Paraíso* y se deslizaba como un reptil hasta la arcada. Allí agazapado entre las flores, emitía tres veces el canto del cuclillo. Abel, que aguardaba la señal con impaciencia, corría a su encuentro con el corazón lleno de dicha. El color matizado del paisaje, la límpida atmósfera de la tarde, el soplo inspirado 20 de la brisa, le parecía consecuencia lógica de su amistad con Pablo. El muchacho era el centro de su universo y todo se lo debía a él. Los días en que no acudía a verle, Abel creía desesperarse. En poco tiempo le puso al corriente de sus planes y Pablo se adhirió en seguida a ellos: la guerra, la necesidad de ser útiles en algo, constituían 25 el objeto de unas charlas que eran, para el niño, su verdadero sustento.

Pablo era un muchacho ingenioso, fértil en toda clase de recursos. Danzarín, boxeador, equilibrista, sabía montar diestramente a caballo y trepar por los árboles lo mismo que un mico. Con su tira-30 dor de goma derribaba los nidos de gorriones a más de treinta metros de distancia y era un experto lanzador de cuchillo. Vivir a su lado era tener acceso a un mudo misterioso, desconocido. Sentados en algún claro del bosque, leían las noticias de la guerra y elaboraban proyectos para el momento en que fuesen llamados.

* * *

35 Sobre este asunto había una diferencia que estuvo a punto de dar al traste con sus planes: Abel deseaba ser piloto aéreo mientras que Pablo mostraba mayor afición a la Marina. Al fin tomaron el acuerdo de servir en algún portaaviones. Las noches en que le era posible

---

³ **Lo . . . cosa . . .** No matter what's in it, everybody gets his own "kicks" out of it . . .
⁶ **aspiró . . . bocanadas** inhaled deeply
¹¹ **procurarán hacerte la santísima** they'll try to hound you

escuchar las informaciones de la radio, Abel se deslizaba hasta la escuela e imitaba a su vez el canto del cuclillo. Decía: «Belchite ha caído en poder de los republicanos», o «Los nacionales han llegado hasta Castellón». La idea de que la guerra se acercaba, los hacía sentirse casi soldados y, juntos, daban rienda suelta a su alegría. 5

Abel había proyectado valerse de su amistad con Elósegui para robar en la batería un par de mosquetes.

—Lo importante—dijo—es saber dónde los guardan y quién es el soldado que está de turno. Si es Martín, la cosa no tiene ningún peligro. 10

Todos los días iba a la carretera a charlar con Elósegui durante su trayecto de regreso y, cuando se reunía con su amigo, le daba cuenta de los progresos efectuados. Acababa de adquirir por correo un libro de Táctica y, juntos devoraban página tras página.

—El día que tú y yo vayamos a la guerra . . .—decía siempre Abel. 15

Lo veía aún lejano, borroso, pero su amigo le infundía nuevas esperanzas.

—Ayer vi fotos en una revista—explicaba—. El campo estaba sembrado de cráteres de obuses y en las alambradas había una mano cortada, ennegrecida por la pólvora. 20

A veces, Pablo tenía ideas extrañas, que Abel escuchaba sin aliento. Estaba convencido de que ningún muchacho alcanzaba su mayoría de edad si no tenía en su haber al menos una muerte. Cuatro años antes, durante las luchas laborales, la fuerza pública había cargado contra un grupo de obreros, y Pablo conoció por pri- 25 mera vez la emoción de ver sangre. Junto a su casa, yacía un hombre joven, pobremente vestido, con una bala alojada en la cabeza. Una mujer de mediana edad se había arrodillado a su lado y le cubría el rostro de besos y lágrimas. Un grupo de hombres oscuros obser- vaba el espectáculo con las manos crispadas y mascullaba amena- 30 zas con voz sorda.

«¡Asesinos! Día llegará en que nos las paguen todas juntas. Entonces verán si somos hombres o chiquillos.»

Pablo recordaba aún el semblante del hombre que decía aquello: era un gigantón barbudo, ancho de espaldas y escurrido de caderas, 35 a quien los otros llamaban el *Mula*. El niño había contemplado su cazadora de cuero, sus pantalones azules de mecánico, y las botas de caucho que le llegaban hasta media pierna. Era un hombre, un hombre de verdad, que no vacilaría en dar muerte al que intentara cortarle el paso. Pablo lo miraba con admiración y sintió deseos 40

---

[38] **le . . . pierna** came to above his knee
[40] **cortarle el paso** to get in his way

de parecerse a él. «Cuando sea mayor—pensó—, mediré también dos metros y me dejaré crecer la barba. Tendré una pistola en el bolsillo de la chaqueta y haré fuego sobre mis enemigos.»

Mientras la mujer sollozaba, aferrada al cadáver del muchacho,
5 Pablo se había acercado y le estiró de la manga con ademán impulsivo.

«También yo mataré—dijo—e iré adonde usted vaya.»

El *Mula* había reído al verle y le pasó la mano por la cabeza.

«Aguarda, muchacho, aguarda—aconsejó—. Ahora eres sólo
10 una cosa muy pequeña y no lograrías matar a nadie. Pero llegará un día en que, del mismo modo en que tendrás deseos de mujer y nadie podrá detenerte, sentirás la necesidad de vengar asuntos como éste y entonces matarás al que te ofenda.»

Habían pasado cuatro años desde entonces y las palabras se ha-
15 bían grabado en su memoria con letras de fuego. Llegaría un tiempo en que la sangre empujaría dentro de él y Pablo Márquez se convertiría en un ser maduro; la muerte habría desenrollado sus pétalos poco a poco y aquel día se trocaría en un fruto palpable. Con un revólver en la mano, saldría a la calle y cometería *su* crimen. Luego,
20 Pablo Márquez ingresaría para siempre en la comunidad de los hombres, de acuerdo con las palabras del *Mula*.

Desde entonces, el panorama de su vida había cambiado por entero. Pablo seguía a los obreros al trabajo, fumaba de su tabaco, les explicaba sus proyectos. Su padre tenía una pistola «Astra» en
25 la mesita de su cuarto y, cuando estaba fuera, Pablo salía con ella a la calle. Oculta en el bolsillo de la chaqueta, le comunicaba, no obstante, parte de su poder y le hacía sentirse, en virtud de una metamorfosis mágica, un ser enteramente distinto. Esas excursiones se le subían a la cabeza como si hubiese bebido y le determinaban
30 a realizar actos salvajes. Una tarde, al regresar a su vivienda, dejó caer un adoquín sobre el gato de la portera. El aullido del animal había despertado a su propietaria, que corrió por el patio dando gritos y llamándole asesino y Pablo experimentó por vez primera la ilusión de ser un hombre.
35 En compañía de otros camaradas, había constituido una Sociedad del Crimen, cuyos estatutos ocultaban en una Virgen de yeso y cuya misión consistía en combatir los poderes benéficos que ordinariamente rodean la vida del niño. Amparada en la confusión de los primeros días de la guerra, la banda se había dedicado al robo y al
40 pillaje. En un descampado de las afueras, había un paredón de tres

---

8 **le . . . cabeza**   he patted him on the head
24 **«Astra»**   the make of his father's pistol

metros de alto, donde los milicianos fusilaban a los presos: durante largas horas, los cadáveres yacían bajo el implacable sol de agosto, entre montones de basura corrompida y cubiertos por nubes de moscas, en espera de los parientes que acudiesen a reconocerlos para llevarlos a sus propios panteones. Pablo y los suyos se mezclaban 5 entre ellos, con grandes pañuelos sobre el rostro y, cuando veían a un muerto abandonado, le despojaban de todos sus objetos. Luego, llorando siempre abandonaban el lugar con disimulo.

A primeros del mes de diciembre, cuando empezaron los bombardeos nacionales, Pablo regresó un día a su casa y encontró un 10 montón de ruinas. Su padre, su madre, todos habían muerto. Huyó de allí lleno de pánico. Durante algunos días estuvo vagando por los barrios obreros cercanos a Guecho, hasta que le detuvo un policía cuando robaba en un puesto del mercado. Entonces lo incluyeron en la expedición de niños huérfanos y lo enviaron a Cataluña 15 a través de Francia.

Ese percance, según le explicó a su compañero, le había tornado desconfiado y reflexivo. Los niños de la escuela formaban ahora una banda semejante a la que él capitaneaba hacía un año, pero estaba desengañado de ese juego. Lo importante era participar en una 20 guerra de verdad, y para eso era preciso prepararse. Abel le contemplaba con aire interrogante y sacudió la ceniza del cigarrillo que, durante todo el relato de su amigo, había conservado entre los dedos.

—Entonces, ¿qué podemos hacer?

—Aguardar—repuso Pablo—, prepararnos y obtener algún 25 dinero. Sólo de ese modo lograremos abandonar el maldito valle y llegaremos a ser hombres de veras.

———

La propiedad de las hermanas Rossi se hallaba a mitad de camino entre *El Paraíso* y la escuela. Abel y Pablo acostumbraban pasear por las inmediaciones y, un día, mientras leían distraídos las 30 noticias de la guerra, tropezaron de improviso con sus dueñas.

Al contrario que doña Estanislaa, el aislamiento en que vivían les resultaba antipático y, al descubrir a los chiquillos, se apresuraron a invitarlos a su casa.

—Querido Abel . . . ¿Tú por aquí? . . . ¿A visitarnos quizá? . . . 35 ¡Cuán gentil de tu parte!

Las dos iban vestidas con largas batas de percal y se inclinaron sobre él para besarle. Pablo se había quedado atrás y las contemplaba con disgusto.

—¿Y ese otro muchacho? . . . ¿Un amigo, tal vez? . . . Encanta- 40 dor verdaderamente encantador . . . Casi un hombrecito.

Abel temía una explosión de ira por parte de su amigo; pero, con gran sorpresa suya, le vio sonreír de oreja a oreja. Había ofrecido una mano a Lucía mientras subían la pendiente y le deslumbró con lo versallesco de sus ademanes.

5 — ¡Cómo no, señora, cómo no!

En el interior de la casa les aguardaba una espléndida merienda: la muchacha había llenado las tazas de una infusión aromática y les tendió una bandeja con tostadas con aceite. Las dos hermanas, entretanto, parloteaban sin cesar y no parecían preocuparse de-
10 masiado de la comida.

Pablo las contemplaba con fingida atención y aprobaba lo que decían con inclinaciones de cabeza. En un momento en que los ha-bían dejado solos, le hizo comprender, en pocas palabras, el alcance de su proyecto.

15 — Mira — le dijo en un susurro —. Mejores que las del ejército.

Siguiendo la dirección del dedo, Abel descubrió una vitrina llena de material de caza, con dos soberbias carabinas cruzadas en forma de «equis». Se acercaron sigilosamente, pero no consiguieron abrirla: la armazón era de acero y estaba cerrada con candado.

20 En aquel momento, Ángela entró en el comedor con un paquete de golosinas y los niños volvieron hacia ella sus rostros asustados. Pero la mujer se había llevado el índice a los labios con misterio, y les tendió unas tabletas de chocolate.

— Guardároslas en el bolsillo — murmuró —. Pronto, ocultad-
25 las . . . Si se entera mi hermana . . .

Cambió con ellos una mirada de inteligencia y la expresión de cariño que leyó en sus rostros le hizo sentirse feliz.

Al cabo de unos minutos, la escena se había repetido a la inversa: antes de entrar en la casa, Lucía se había apresurado a advertirles
30 que su hermana era muy dura de oído, con lo que resultaba muy fácil reírse de ella a sus espaldas. Cuando regresó de la despensa, era portadora de una caja de galletas y miró a los muchachos con el rabillo del ojo.

— Yo os daría con gusto un puñado — murmuró —, pero como
35 también son de mi hermana . . .

Después, alzando la voz, había preguntado:

— ¿Me dejas que les dé unas galletas a los chicos? Sólo unas pocas, pierde cuidado . . .

Ángela lanzó un gruñido sordo y asintió con un movimiento de
40 cabeza.

---

[3] **con lo . . . ademanes** with his majestic gestures
[30] **dura de oído** hard of hearing

—Como si se las quieres dar todas. Lo que es a mí . . .

El resto de la velada transcurrió en medio de gran animación y, cuando al fin se hizo de noche, acordaron reunirse la tarde siguiente. Al despedirse, Pablo besó a las solteronas y, con un guiño del ojo, indicó a Abel que hiciera otro tanto. Como habían supuesto, el 5 efecto de aquel beso fue magnífico y, desde el camino, las vieron decir adiós con sus pañuelos.

—¿Te has dado cuenta?—dijo Pablo—. Las tenemos a las dos en el bolsillo.

Sus ojos de felino brillaban y, mientras bajaban por el sendero, 10 empezó a brincar de alegría.

—Lo lograremos, Abel, lo lograremos.

La luna les hacía sentirse habitantes de un país fantástico y corrieron por el campo cantando a voz en grito. Abel comprendía la magnitud de su proyecto y le parecía que en los tobillos le habían 15 brotado alas: pilotar un avión, calar en picado . . .

—Sí, lo conseguiremos.

Aquélla había sido su primera visita a las dos viejas y, a partir de entonces, acudieron a su casa con regularidad.

*　*　*

Lucía les daba la llave de la escalera y los dejaba vagabundear 20 por la buhardilla con entera libertad. Menor por su tamaño que la de *El Paraíso*, Abel la encontraba, sin embargo, más interesante. Constituida por una pieza única, su extensión y la cantidad de objetos que encerraba hacían pensar en un almacén. Cuatro vigas enormes, pintadas de verde, convergían en el centro desde cada uno de 25 sus vértices y, a medida que se alejaban de él, descendían, siguiendo la inclinación del tejado, hasta rozar casi el suelo.

Según les contó Ángela, la habitación había pertenecido años atrás a un muchacho loco llamado Nino, cuya madre, una condesa italiana divorciada cuatro veces, había alquilado la finca para tenerlo 30 confinado entre aquellas paredes. El muchacho era aficionado a la música y su madre le regalaba gran número de instrumentos que el hijo rompía en sus accesos de demencia. Llenos de respeto, Abel y Pablo contemplaban los amasijos de cuerdas, los rotos violines polvorientos, las despanzurradas guitarras: nada se había librado de 35 sus arrebatos de furia.

En un rincón había un aparato extrañísimo, que Ángela llamaba

---

Como . . . mí . . .　Give them all if you want.　What's mine . . .
se hizo de noche　night fell
calar en picado　to swoop down in a dive

heterofón, formado por un disco de metal cribado de agujeros y que, al hacerlo rozar contra una varilla, emitió una marchita melodía.

—El *Carnaval de Venecia*—exclamó Abel.

Se lo había oído tocar a su madre docenas de veces en una pianola
5 y, al escucharlo de nuevo, después de tanto tiempo, le pareció entrar en contacto con algún elemento de su vida, olvidado casi.

En uno de los cajones de un bargueño, encontraron una cajita de música, de madera laqueada y que, al abrirse, hacía sonar unos acordes del himno italiano, tocado como por un conjunto de deli-
10 cadas campanillas. Con gran sorpresa suya, Pablo cerró la tapa de un manotazo.

—¡Uf!—exclamó—. Es el himno fascista.

Abel no se separaba de su lado y aceptó el cigarrillo que le ofrecía. La luz del exterior se había vuelto escasa y hubo que encender. Una
15 bombilla única, cubierta con una pantalla de porcelana en forma de sombrero japonés, destiló una luz lechosa, calmante. El mundo irreal de la buhardilla pareció adquirir entonces vida propia y algo más fuerte que ellos los impulsó a cogerse de la mano.

Deseaban permanecer allí y, sin embargo, tenían miedo. En
20 los postigos de las ventanas enrejadas, había escenas de la Adoración de los Reyes Magos y, mientras se pasaban el cigarrillo del uno al otro, Abel le explicó en un susurro las razones de su resentimiento contra ellos. Había sido en la última Navidad, en el momento más crudo del invierno. Su abuela estaba ya mortalmente enferma y él
25 vagaba todo el día por el piso sin saber en qué ocuparse. Entonces se le ocurrió escribir una larguísima carta a los Reyes, solicitándoles juguetes, vestidos y provisiones. Sus tíos vivían demasiado atareados para atenderle y él mismo depositó la carta en el buzón de correos. Había sido hasta entonces un niño rico y estaba acostum-
30 brado a recibir cuanto pedía, de modo que regresó cantando al piso y se echó tranquilamente a esperar. Pero, aquel año, los Reyes no le hicieron ningún caso. Los zapatos que había dejado en la ventana, los encontró al día siguiente empapados de lluvia, sin ningún regalo dentro.

35 «Aquel día—concluyó—me di cuenta de que ni los Reyes ni los padres existían, puesto que, en los momentos difíciles, me abando-

---

[3] **Carnaval de Venecia** a musical composition written in 1928 by the Italian Vincenzo Tommasini (1880–1950)

[4] **Se . . . madre** He had heard his mother play it

[10] **Pablo . . . manotazo.** Pablo shut the lid with a bang.

[17] **algo . . . mano** and some force greater than they compelled them to take each other by the hand

[20] **Adoración de los Reyes Magos** Adoration of the Wise Kings, i.e., the nativity scene. The Wise Men perform the role of Santa Claus on January 6.

naban en la estacada.» Y Pablo había apoyado sus palabras con un enérgico movimiento de cabeza.

Antes de irse, su amigo se llenó los bolsillos de objetos esparcidos por la estancia y le incitó a hacer otro tanto.

—Anda, aprovéchate. Nadie va a darse cuenta. 5

Era la primera vez que robaba algo y Abel sintió en las mejillas un ligero cosquilleo de vergüenza. Pero, observando los ademanes de su compañero, mientras se embolsillaba los objetos que más le interesaban, comprendió, de repente, que debía pasar por aquella prueba. 10

Los verdaderos hombres pisoteaban las leyes establecidas por los débiles y llegaban hasta el asesinato en caso necesario. Vivían en una época de violencias y de guerras y el que no era verdugo corría el fácil riesgo de ser sacrificado.

Imitando el ejemplo de Pablo, cogió unos gemelos de teatro y un 15 rollo de cinta de seda. Todo podía tener algún valor en el momento en que quedaran abandonados a sus propios medios, y cuanto más completo fuese el equipo que reunieran, tanto mayores serían sus posibilidades de triunfo.

Las carabinas de la sala continuaban siendo su principal objetivo. 20 Pablo aconsejaba a su compañero un poco de paciencia. Habían fijado como tope el día de Año Nuevo, fecha en que inexcusablemente dejarían el valle, y Abel se había acostumbrado a señalar en el calendario de su cuarto el número de días que le separaba de la guerra. A veces, en el cuaderno de deberes, hacía el cómputo de las 25 horas y una vez se entretuvo en extraer el de los minutos.

Los objetos robados en casa de las hermanas y otros muchos que sustraían de *El Paraíso,* los entregaba a la custodia de Pablo que, unos días antes de la partida, se encargaría de venderlos en el pueblo para obtener dinero líquido. Ante la imposibilidad de ocultarlos 30 en la escuela, acordaron hacerlo en el viejo molino, cuyas ruinas conocían palmo a palmo.

A cambio de ello, las molestias que les causaban las dos viejas carecían de importancia. Todos los días acariciaban los horribles gatos de Lucía, aunque en su interior ardieran en deseos de coserlos 35 a balazos. Los dos mininos estaban llenos de pulgas y, habiéndoselo dicho a Ángela, Abel tuvo que admitir como buena la teoría de ser él, con sus caricias, el que había infestado de pulgas a los gatos, que eran limpísimos y jamás habían tenido parásitos de ninguna

---

[26] **se . . . minutos** he amused himself in figuring it out according to minutes
[30] **dinero líquido** i.e., cash
[35] **coserlos a balazos** to shoot them up

clase. Mientras la escuchaba, Abel sintió brotar dentro de sí un impulso de ira, pero Pablo le había hecho comprender con una simple mirada que con aquellas viejas era imposible discutir de modo lógico, por lo que, humildemente, se lamentó de su torpeza y pro-
5 metió lavarse en lo futuro con mayor asiduidad.

Otras veces, alguna de las hermanas, envidiosa de su amistad con la otra, le preguntaba por ella y era precisa cierta diplomacia para eludir sus celadas.

—He observado que hablas a menudo con mi hermana—le
10 decía—. A un hombrecito como tú debe de contarle todo lo que ella piensa. Tú eres su confidente, estoy segura . . . Óyeme, ¿no te habla de mí a veces?

Abel comprendía en seguida adónde quería llevarle.

—¿De usted? No recuerdo. Me parece que no.

15 —¡Tonto! No quise decir que te hable mucho rato, sino frases al azar, qué sé yo. . . Indirectas o pullas, como tú lo llames.

—¿Pullas?

—Sí, alusiones. ¿No te dice nada?

Abel ponía el semblante de profundo asombro.

20 —No.

—Que soy tonta, por ejemplo, o que tengo mal humor. . .

—Que yo recuerde, no.

—Me estás mintiendo, Abel. Te lo veo en los ojos.

El niño bajaba entonces la mirada y contemplaba la punta de
25 sus sandalias.

—¿Lo ves? ¿A que no lo juras por el recuerdo de tu madre?

—Lo juro—decía Abel.

—Mientes. Sabes de sobra que es una mentira. ¿Tan horrible es lo que te cuenta para que me lo ocultes de ese modo?

30 Abel no decía nada y la mujer adelantaba hacia él su rostro apergaminado.

—Un juramento en falso es un pecado. ¿Lo sabes? ¿Te han enseñado eso, al menos, en la escuela? ¿Sí? Pues no sé cómo puedes estar tranquilo . . . Si te oyera tu madre . . . Escúchame quiero ha-
35 cer de ti un caballero. Un hombre de bien no miente. Eso lo hacen los niños de la calle . . . ¿Prometes decirme la verdad?

—Sí.

—Bien; así me gusta. Ya sabía yo que me querías un poquito.

---

[15] **No . . . pullas** I didn't mean that she speaks a lot to you, rather occasional words, how do I know . . . indirect remarks or "digs"
[26] **¿A que . . . madre?** Why don't you swear it on your mother's memory?
[35] **hombre de bien** gentleman

Dímelo, pues.   No, todo no . . .   Un poco, solamente.   Lo que tú
quieras.
   —¿Qué quiere que le diga?
   —¡Qué memoria, Jesús! ¿De quién estábamos hablando sino de
mi hermana?   5
   —Pero si no me dice nada. . .
   Hasta que la mujer, desalentada, desistía de su empeño y se alejaba de su lado refunfuñando.
   Durante aquel otoño lluvioso y triste, continuó frecuentando
regularmente su casa en compañía de Pablo.   El botín reunido en 10
el molino aumentaba poco a poco y pronto fue necesario habilitar
otro escondrijo.   Cada noche, después de dejar la casa, bajaban a la
rambla y levantaban la losa que ocultaba el tesoro.   El material robado aquella tarde pasaba a engrosar el ya existente y constituía
como una promesa renovada de su próxima evasión.   Luego se 15
separaban, cuadrándose al saludarse, igual que dos soldados, y
Abel subió el camino de su casa silbando de contento: el día concluía
para él al despedirse de su amigo y, al llegar a su dormitorio, se apre-
suraba a arrancar la hoja del calendario que pendía encima de su
cama.   20

                              *   *   *

   El robo de las carabinas de casa de las hermanas Rossi se realizó
una lluviosa tarde de comienzos de año, sin ninguna dificultad.
Pablo había averiguado días antes el lugar en que dejaban el llavero
y, mientras las solteronas los acompañaban por la buhardilla, fingió,
con su mímica de payaso, una urgente necesidad de orden físico. 25
Una vez en la planta, vació la vitrina en un abrir y cerrar los ojos y
ocultó las carabinas en el macizo de adelfas del jardín.   Tras despedirse de las viejas con sus sonrisas más galantes, corrieron con su
precioso cargamento al escondrijo.   Allí, a la luz de la luna, le ins-
truyó en el manejo del arma: las dos carabinas estaban en perfecto 30
estado y sólo les faltaba la munición correspondiente.
   Las noticias de la guerra, que Abel recibía a través del receptor
de Águeda, daban cuenta de la ruptura del frente del Ebro y de la
irrupción de las tropas nacionales en Cataluña.   El niño las escuchaba
con creciente atención y las repetía a Pablo palabra por palabra.   La 35
radio hacía continuo llamamiento a las armas y, al escucharlos, la
propia Filomena había dicho que pronto llamarían a los niños.

---

16 **cuadrándose al saludarse**   saluting each other
26 **en . . . ojos**   in a jiffy

«Si no nos adelantamos — dijo Abel a Pablo — , nos obligarán a alistarnos a la fuerza.»

El día de Reyes adoptaron el plan definitivo: Pablo iría a Gerona, oculto en el camión de Intendencia, para obtener algún dinero con
5 la venta de las cosas robadas. Después regresaría en el mismo camión y se reuniría con Abel en el cruce de caminos. Una vez allí, los dos marcharían en dirección a Palamós, andando a campo traviesa.

Una maraña de aulagas, zarzas, nopales y retama cubría la incierta
10 superficie de hojas secas en que habían ocultado su tesoro. Toda aquella hojarasca, arrastrada hasta las ruinas del molino, por el viento y la lluvia, estaba habitada por un universo misterioso de animalillos y de insectos: gusanos rojizos del tamaño de sanguijuelas; huevecillos aglutinados, envueltos como en capullos de algodón en rama; telas de
15 araña de aplicada estructura geométrica. Tras el declive ondulante de los campos, el mar era una masa oscura y densa. La noche había caído sobre ellos mientras trabajaban y el paisaje entero se hundía en un lecho de sombras.

— ¿Crees que no se darán cuenta?
20 Pablo estaba sentado en cuclillas y la rosada punta de la lengua asomaba entre sus dientes, mientras se esforzaba en ligar la boca del saco.

— No — dijo — . Una vez arrancan, no se detienen hasta Gerona.

Había concluido su trabajo y sacó del pantalón dos cigarrillos de
25 hierbas.

— ¿Quieres?

Abel encendió sin decir palabra: la llama iluminó por un momento el rostro de su amigo y, al extinguirse, hizo más patente la oscuridad que los rodeaba.
30 — ¿Y si te descubrieran al llegar a Gerona? — preguntó.

A última hora su espíritu era un mar de dudas y necesitaba la presencia de su camarada para disiparlas. Pablo tenía algo de payaso, de curandero y de charlatán. Sus astutos ojos brillaban como si tuviesen dentro una llamita encendida, y su sonrisa, poblada de
35 dientecillos de lobezno, sabía devolver la confianza.

— No te preocupes — le decía — . Todo saldrá a pedir de boca.

Ahora parecía más excitado que de costumbre. Antes de cargar

---

[1] «Si . . . fuerza.» "If we don't volunteer," said Abel to Pablo, "they will draft us."
[23] Una . . . Gerona. Once they pull out they won't stop until they get to Gerona.

el saco sobre sus hombros, escupió en las manos como había visto hacer a los estibadores.

—Llevaré toda esta porquería a casa de un anticuario y regatearé hasta que me pague un precio aceptable—dijo—. Que me parta un rayo si no le hago soltar al tío baboso hasta el último pavo de lo que 5 vale.

Se habían puesto en marcha en dirección a la playa y bajaron por el camino de herradura. Una banda de cuervos agitaba sus alas como remos y poblaba la tarde agonizante con sus gritos. Las palas de las chumberas absorbían la luz con un reflejo mate. Los niños 10 caminaban con lentitud y cada cincuenta metros se turnaban la carga.

—¿Estás seguro de que en la escuela no se sospecha nada?— preguntó Abel.

Sabía que la operación de retirar la ropa del armario no ofrecía 15 ninguna dificultad, pero la pregunta había asomado a los labios a pesar suyo; una necesidad de tranquilizarse, más fuerte que su propia voluntad, le poseía por entero.

—¿Quién quieres que se haya dado cuenta?—repuso Pablo.

Estaba congestionado por el esfuerzo y se detuvo a tomar aliento. 20

—Bastante trabajo tiene el profesor con llevar adelante la escuela, para preocuparse encima de lo que haga cada uno de nosotros.

—Yo creo que el *Arquero* se está mascando algo.

Pablo se llevó a la boca un mendrugo de pan y lo mordisqueó igual que un ratonzuelo. 25

—Pues bien: que se lo huela. No será él quien pueda echarnos mano.

Había vuelto a cargarse el saco sobre los hombros y Abel le miró lleno de gratitud. A fuerza de repetirse el proyecto, había llegado a perder la fe y requería que Pablo viniera a avivársela. 30

—Te esperaré en la carretera—dijo por enésima vez—. Aunque no me veas, ten por seguro que yo estaré allí, aguardándote.

La luna condecoraba el firmamento como una medalla de plata. Un mochuelo ciego voló sobre sus cabezas batiendo furiosamente las alas y el graznido siniestro de un cárabo parodió la agonía de un 35 estrangulado.

—Es extraño—dijo Abel, de pronto—. Esta noche es la última que duermo en *El Paraíso* y, sin embargo, no noto ninguna diferencia.

A partir del día siguiente, se iniciaría para él una carrera de

---

4 **Que . . . vale.** May lightning strike me dead if I don't squeeze the last penny of its value from that slob.
26 **que se lo huela** let him try something

heroísmo. Vestido con su uniforme de oficial, recorrería los campos de batalla en los momentos más duros del combate: los obuses abrirían cráteres terribles y convertirían la pacífica campiña en paisaje lunar; los soldados se cuadrarían al verle y le pedirían consejos
5 antes de emprender el ataque: «Lo que usted quiera, mi coronel», «A la orden de usted, mi general».

—¿Extraño?—dijo Pablo—. ¿Por qué extraño?

Abel deslizó la lengua sobre sus labios resecos.

—No sé, sería difícil explicarlo. Es la idea de que ahora estamos
10 ahí, los dos, hablando como siempre, y de que mañana esa idea será una realidad. Hay algo que me resulta imposible comprender en ese cambio. Yo imaginaba que sería algo terrible, que tendría ganas de gritar y dar saltos, pero estoy tan tranquilo como siempre y no logro explicármelo.

15 Las pupilas de Pablo relucían como charquitas de agua helada. Abel creyó adivinar la comprensión que requería y prosiguió con voz temblorosa:

—Suponía que iba a correr de un lado a otro, hecho un manojo de nervios, pero creo que ni el corazón me palpita más aprisa. Me
20 gustaría que hubiese alguien que me aclarase esto: por qué hay tanta distancia de lo vivo a lo pintado. Se lo he preguntado a muchísimas personas y nadie ha sabido qué contestarme.

* * *

Habían llegado a las cercanías del campamento y se acercaron con precaución a los depósitos: la camioneta de Intendencia estaba en
25 el sitio habitual, sin vigilancia. Mientras Abel custodiaba el camino, Pablo subió con el fardo a la plataforma y lo ocultó entre los sacos. Después saltó otra vez a tierra y se reunió con su amigo.

—¿Qué hora tienes?—dijo.

Abel consultó la esfera del reloj.
30 —Las siete y cuarto.

—No pueden tardar ya.

El proyecto estaba ultimado hasta el detalle más insignificante, pero Abel experimentaba la terrible necesidad de hacer preguntas. La impaciencia de la aventura empezaba a ganarle y aceptó con
35 agrado el cigarrillo que su camarada le tendía.

—Tal vez sea el último que fumamos juntos—dijo Pablo.

Después, al tropezar con los ojos de su amigo, añadió apresuradamente:

---

6 «A la . . . general». I'll carry out your orders, general.
19 Me . . . pintado. I wish somebody could tell me why there is so much distance between what is real and what is imagined.

—Es decir, aquí, en el valle.

Tomaron asiento en un rincón bien camuflado y Abel le tendió el sobre con sus ahorros. Pablo lo dobló en dos mitades y lo guardó en el bolsillo. Se deslizaron unos minutos sin que ninguno dijese palabra. 5

Luego, cuando menos lo esperaba, Pablo comenzó a hacer payasadas: sus ojos se inmovilizaron igual que dos botones, su lengua asomó yerta como la de un ahorcado, sus manos simularon aleteos de mariposa sobre el fondo lunar del paisaje: «Estás acabado, Abel Sorzano, a-ca-ba-do—y al pronunciar cada sílaba, su boca se abría 10 como un estuche de joyería, como el molusco guardián de una perla—. Pablo, el canallita, se va con el dinero y el botín y te deja ahí plantado; se va el canallita Pablo, se va, se va.» Y, aunque en el corazón había sentido frío, Abel se vio obligado a reír. Pablo, el payaso, removía sus ágiles dedos, hechos para robar, para hacer 15 trampas en el juego y repetía su sentencia con los ojillos en blanco: «A-ca-ba-do, ¿me oyes? A-ca-ba-do.»

Nunca había podido explicarse el porqué de aquella explosión. Pablo se llevaba su dinero, su tesoro, su amistad, sus esperanzas. Enriquecido con todos sus despojos, ¿había sentido necesidad de 20 ser sincero? ¿Se había confesado de verdad, fingiendo hacer teatro? Abel rió hasta saltársele las lágrimas. Pablo el canallita, Pablo el payaso, Pablo el ladronzuelo, el mejor, el más bueno, el más amigo. . . Contempló sus deditos de ratero y no pudo por menos de admirarlo. Todos los objetos de las hermanas Rossi habían pasado a través 25 de ellos a su bolsillo siempre hambriento. Mientras se despedía de las viejas, diciéndoles cosas exquisitas, sus pantalones estaban llenos de reliquias y objetos familiares. Desde su encuentro en el verano, ¿había dejado de hacer teatro?, ¿le había hablado una sola vez en serio? Pablo estaba sentado frente a él, parodiando suce- 30 sivamente a Lucía, a Filomena, a Ángela y, sin hacer caso de su miedo, repetía con aire de burla su tonadilla obsesionante: «Se va tu amigo Pablo, se va, al mar, a la montaña, a la llanura. Se va y no volverás a verlo, nunca, nunca y nunca.»

Los dos andaluces de Intendencia bajaban por el camino en 35 aquel momento y Pablo se vio obligado a interrumpir su pantomima. Era la hora de la despedida y Abel sintió que los ojos se le nublaban. Se iba Pablo; lo sentía a su lado, al acecho, dispuesto para el salto. Sus astutos ojillos brillaban como chispas. «Iré con él, a la guerra—

---

¹¹ **como . . . perla** like a shell guarding its pearl
¹⁶ **con . . . blanco** showing the whites of his eyes
²¹ **fingiendo hacer teatro** putting on an act

pensaba—; vendrá mañana a buscarme y marcharemos los dos juntos.» Pero no podía decírselo ya en voz alta y se contentaba con mirarle mientras se aproximaba con sigilo a la camioneta.

Pablo trepó a la plataforma en el momento en que el motor se
5 puso en marcha. La luz de la luna afinaba sus rasgos y, mientras Abel suplicaba en voz baja: «Ven, ven», había hecho juegos malabares, como agitando pañuelos invisibles: «Adiós, adiós, Abel.» Se iba. El camión había adquirido velocidad y lo alejaba de su lado, con todo su cargamento de sueños. Pronto no fue más que un fan-
10 toche blanco que sacaba la lengua, bizqueaba y hacía reverencias, antes de que el telón oscuro de la noche cubriera definitivamente la boca del teatro.

Abel había llegado al cruce una hora antes de la fijada y aguardó la llegada de su amigo en continuo sobresalto. La luz se había
15 evaporado en el intervalo de unos momentos. Las sombras salieron de sus rincones y disolvieron el perfil de los objetos. Una débil claridad lunar se colaba entre las masas flotantes de nubes, la suficiente para indicar la línea de la carretera; pero, antes de que el reloj señalase las ocho, se ocultó tras un nubarrón amenazante. Casi
20 en seguida, comenzó a lloviznar.

* * *

Mientras permanecía en su refugio, algunos automóviles habían surcado la carretera a gran velocidad. Sus faros proyectaban unos conos amarillos que barrían a brochazos el bosque de alcornoques y, de vez en cuando, una débil ráfaga de viento desgranaba las gotas
25 de lluvia que pendían de los árboles.

A las ocho y media, la tempestad se desató con inesperada violencia. Era como si el aire se hubiese vuelto agua. Los arbustos del bosque se contorsionaban como enloquecidos danzarines y un rumor tan intenso como el fuego de metralla amordazó el espanto de los
30 pájaros. Luego, la luna reapareció entre las nubes y el vendaval cesó con la misma rapidez con que había comenzado.

El eco difundía el rumor de los vehículos quinientos metros antes de su llegada al cruce y Abel creyó perder el aliento cuando percibió el de la camioneta. Era inconfundible; lo hubiera reconocido entre

---

[6] **juegos malabares** balancing tricks
[11] **la boca del teatro** the proscenium of the stage
[29] **amordazó . . . pájaros** terrified the birds
[34] **el** i.e., **el rumor**

otros mil. Antes de abandonar la carretera para enfilar por el camino, debía tomar una curva muy cerrada que le obligaba a disminuir la velocidad. Allí debía encontrar a Pablo.

Abel bajó a la cuneta y se ocultó tras un cantueso. El vehículo estaba en la ladera opuesta de la colina. Después oyó el chirrido de 5 los frenos en la curva y los faros proyectaron una claridad amarilla sobre los recientes charcos. Eran las nueve en punto. La camioneta se había retrasado una hora escasa.

Abel se incorporó de su escondrijo y tuvo que agacharse cuando el vehículo frenó. Oía perfectamente la conversación de los dos 10 andaluces mientras realizaban la maniobra, y cuando la onda luminosa se corrió hacia adelante saltó a la carretera en busca de su amigo y no lo descubrió por ningún lado.

La camioneta marchaba ya por el camino y se perdía a lo lejos con su burlona lucecilla. No, no cabía duda, allí no había bajado nadie. 15 Desorientado, avanzó cincuenta metros por la pista, esperando verlo surgir tras cualquier matorral, con su sonriente rostro de payaso: «Vaya susto que te has dado, ¿eh, Abel? Creías que te había dado el pego, ¿no es eso? Pues, no, chico, no, chico, no; aquí me tienes, vivito y coleando.» Era una broma de las suyas y quería hacerle 20 pasar un mal rato.

Los ojos le escocían a fuerza de mirar en torno, pero no se atrevía a llamarlo por miedo a tropezar con un silencio. Estaba en medio de la carretera y la luna se reflejaba en todos los charcos. Abel la pisoteó a medida que aminoraba la velocidad de sus pasos: primero, 25 distraídamente; luego, para calmar su impaciencia, casi con miedo. Sentía un gran vacío dentro del pecho y la lengua que deslizó sobre los labios no alcanzó a humedecerlos.

—¡Pablo! —gritó—. ¡Pablo!

Una banda de grajos atravesó, graznando, el bosque, oscura como 30 un presagio de muerte. Abel sintió que las rodillas le temblaban y se sentó en el mojón indicador de los kilómetros. Necesitaba reposar, dar calma a sus nervios. Sentado aún, y ya sin esperanza, repitió de nuevo el «¡Pablo, Pablo!» coreado por los chillidos de aves histéricas y por el rumor negro del viento al estrellarse sobre los 35 árboles.

---

[18] **Vaya . . . dado** What a scare you had
[20] **vivito y coleando** alive and kicking
[20] **Era . . . rato.** It was one of his jokes and he just wanted to make him have a wretched time.
[23] **por . . . silencio** out of fear of breaking the silence
[32] **el mojón . . . kilómetros** milestone

No lloraba. Se sentía yermo, incluso para el llanto. Estaba en el lugar de la cita y Pablo no se había presentado. Como un sonámbulo, regresó a su antiguo emplazamiento y ocupó el mismo lugar de antes, sobre la panorámica de la carretera.

* * *

5   Abel continuaba al lado de su equipaje, con la vista perdida en el cruce. Sabía que Pablo no regresaría nunca y se sentía excluido, condenado. Permaneció absorto, con la cabeza completamente en blanco, y sólo cuando el reloj marcó las once regresó lentamente a casa.

* * *

CAPÍTULO SEXTO

Los cadáveres de los soldados muertos durante el combate de la mañana estaban extendidos al borde de la cuneta, entre los nauseabundos desperdicios arrojados por los vecinos y los cascotes de yeso de una cercana fábrica. El soldado encargado de su custodia sentía vivos deseos de descabezar un sueñecito y aguardaba 5 con impaciencia la llegada del capellán para enterrarlos. La gente del pueblo iba allí en traje de gala, los viejos, con sus chaquetones de cuero y la gorra encasquetada hasta las cejas; las mujeres con trajes que olían a naftalina y el pelo recién mojado. Todos formaban un anillo de curiosos en torno a los cadáveres; hablaban en voz alta y se 10 reían.

El soldado se había sentado en el estribo de la camioneta y seguía el espectáculo con aire de fatiga. Hacía unos minutos que, con el brigada de su compañía, había procedido a la identificación de los cadáveres. Unos al lado de los otros formaban una mancha parda de 15 imprecisos contornos, entre los escombros polvorientos: enjambres de moscas negras paseaban por encima de sus rostros sin que nadie se preocupara de apartarlas. Arrodillados a su lado, habían procedido a un minucioso registro de los bolsillos: todos los documentos, cartas, tarjetas y retratos pasaban a manos del brigada, que los sujetaba con 20 una gomita y los señalaba con un número.

* * *

---

[7] **en traje de gala**   in their good clothes

El rumor de un vehículo que frenaba le sacudió de su modorra: a pesar del frío que hacía a aquella hora, el capitán Bermúdez iba en mangas de camisa y contestó a su saludo apresurado con sonrisa campechana. Un curita con cara de novicio—el pelo cortado en
5 cepillo, gafas de miope y orejas en forma de asa—descendió detrás de él, mediante un ágil brinco. Como era el primer cura que veían desde hacía varios años, los vecinos allí reunidos prorrumpieron en un aplauso cerrado. El curita marchó hacia ellos con las manos tendidas y, con una sonrisa, permitió que se las besaran. Las madres
10 le acercaban sus niños de pecho y él les acarició la cabeza con sus dedos gordezuelos.

— ¿Están bautizados?—preguntaba.

Las mujeres inclinaron la frente: ellas no entendían de aquello. El último cura párroco había huido en el automóvil de terrateniente
15 cuando los milicianos fueron a buscarle y la capilla se había convertido desde entonces en el almacén de abastos. La vida del pueblo había seguido el curso de siempre: los soldados engendraban a sus hijos durante los permisos y, cuando nacían, las mujeres se olvidaban de bautizarlos.

20 —Si se hubieran muerto antes de nuestra llegada—dijo el curita—, ustedes serían las culpables de su exclusión de Reino de los Cielos.

En pocas palabras, las puso al corriente de la doctrina de la Iglesia sobre esta materia, hasta que el capitán Bermúdez le detuvo con un golpecillo en la espalda.

25 —Está anocheciendo ya, señor cura . . .

El curita sacó entonces el breviario del bolsillo de la sotana y la media docena de viejos allí reunidos se descubrieron. Con la delicada unción de un canónigo, leyó una oración en voz alta. Luego, otorgó su bendición a los cadáveres.

30 —*Dómine, qui, innefabili providentia* . . .

El capitán Bermúdez seguía la ceremonia desde lejos y se guardó el estadillo que le tendía el brigada.

— ¿Catorce?—preguntó.

—Sí, mi capitán. Y dieciséis heridos en la enfermería.

35 Regresó hasta el vehículo y puso el motor en marcha. Desde allí dirigió una última mirada al grupo de curiosos que rodeaban los cadáveres: recortado a contraluz, en el ocaso, el curita estaba aureolado de un halo color de rosa, lo mismo que un santo de estampa.

---

⁴ **Un curita . . . asa** A little priest with the face of a novice—his hair closely cropped, wearing thick glasses and with ears shaped like handles of a cup
¹⁰ **niños de pecho** infants
³⁰ **Dómine . . . providentia** . . . Oh Lord, who in thy ineffable providence . . . [Latin]
³⁷ **recortado . . . estampa** silhouetted against the setting sun, the little priest had a pinkish halo over his head, like a saint in a religious picture

—Dígale que le enviaré el coche en cuanto llegue a la escuela—
dijo al brigada, señalándole.

Durante el trayecto, la noche se le había echado encima sin que
se diera cuenta. El aire se fue espesando, como saturado de una
fumigación oscura y una luz incierta aquilató la sorprendente in- 5
movilidad de los árboles.

En el cruce había coincidido con el automóvil del capitán médico.
Las enfermeras, al divisarle, se asomaron a la ventanilla, y le hicieron
saludos con las manos.

—¿Cena usted también aquí? 10

Bermúdez contestó con un ademán afirmativo y aceleró la marcha
para alcanzarlos.

—¿Qué tal el trabajo?

Antes de bajar, Begoña se desperezó voluptuosamente, exten-
diendo los brazos hacia arriba. Inscrita en la Cruz Roja desde hacía 15
cinco años, había hecho toda la guerra en el Regimiento, donde era
tan reputada por su pericia de enfermera como por su belleza de
mujer. Algo gruesa para sus años, tenía, sin embargo, la agilidad
y la gracia de movimientos de una adolescente. Su aire despabilado,
su sonrisa fácil y el rentintín burlón de sus palabras le habían dado 20
un prestigio inmenso entre los miembros de su unidad. La radio la
había interviuado varias veces durante el curso de la lucha, y un
periodista americano, que la vio curar en un solo día a más de cien
heridos, no vaciló en escribir un artículo en su semanario llamándola
la *Novia del Ejército*. Pero Begoña acogía estos elogios con cierta 25
indiferencia y únicamente parecía satisfecha de su universal apodo
de *Mamá*.

Delante del edificio de la escuela, los soldados habían encendido
una fogata. Sentados en cuclillas en torno a un cazo de rancho,
hundían en él la cuchara, digna y reposadamente. Una pareja de 30
mozos que cantaban apoyados contra las jambas de la puerta detuvieron su letanía al descubrir a los capitanes.

Begoña contempló al alférez Fenosa mientras se cuadraba entre
los capitanes y acogió con una sonrisa la observación que, en voz
baja, le hacía su compañera. El interior del edificio estaba a oscuras, 35
a causa de una avería en el tendido de los cables, y los asistentes del
Regimiento acudieron a recibirlos provistos de palmatorias.

—¿Has visto?—dijo Begoña—. Parecen almas en pena.

Canturreando, se había acercado a la fogata y aproximó las
manos a las llamas. 40

—¡Hola, *Mamá!*

---

[13] —**¿Qué tal el trabajo?** How's the work?

—¡Hola, muchachos!

Le señalaron el caldero del rancho:

—Si gusta . . .

—Gracias.

5 La luz inventaba arrugas en el rostro de los soldados y se reflejaba en sus pupilas como en la lente inversa de unos prismáticos.

—¿Hay apetito?

—Bastante.

Begoña les dirigió una amplia sonrisa y se reunió con el grupo
10 de oficiales. El alférez proseguía con voz monótona el relato de lo sucedido al niño Abel Sorzano, a quien sus compañeros habían pegado un tiro. En aquel momento se les había acercado el brigada para decirles que la cena estaba lista.

El comedor se hallaba iluminado por media docena de candelabros
15 que el brigada había distribuido sobre la mesa ovalada. Dos tenientes del Regimiento charlaban en voz baja con el comandante y al entrar los capitanes se incorporaron prestamente. Hubo un intercambio de taconazos.

Begoña comenzó a distribuir el guisado y permaneció como
20 abstraída mientras Fenosa exponía lo sucedido.

—. . . cuando el soldado, un tal Martín Elósegui . . .

La enfermera detuvo el tenedor a mitad de camino entre el plato y la boca, y se volvió hacia el alférez.

—¿Martín Elósegui?

25 Su voz reflejaba tanta sorpresa, que todos los oficiales se volvieron a mirarla. Fenosa hizo un guiño con sus ojos miopes y carraspeó antes de responder.

—Sí, Martín Elósegui.

Begoña había dejado el tenedor sobre el mantel.

30 —Un muchacho alto, moreno, con cara de pocos amigos.

—El mismo.

Ella rompió a reír de modo brusco.

—¡Cristo!—exclamó—. Esto sí que tiene gracia. Es, es . . .

Se detuvo como para encontrar un adjetivo que calificara y defi-
35 niera aquel momento, pero se contentó con rechazar el tirabuzón que le caía sobre la frente.

—Un chico de unos veinticinco años—dijo Fenosa—. Estudiante de leyes, me parece.

Begoña reía sin decir nada.

---

³ —**Si gusta** . . . "If you want some . . ."
⁷ —**¿Hay apetito?** "Are you hungry"?
³⁰ **con . . . amigos** who looks as if he has few friends

—¿Puede saberse qué misterio es ése?—dijo uno de los tenientes, con la boca llena de guisado.

—Va usted a hacer que nos sintamos celosos . . .

Begoña paseó una mirada triunfal sobre el grupo de hombres; hacía mucho tiempo que tomaba en serio el nombre de *Mamá* y consideraba a los oficiales como una pandilla de chicos crecidos. 5

—Elósegui fue mi primer novio—rió—. Vivía en mi misma calle, en Logroño, e iba todos los días a buscarme a la salida del colegio.

—Se volvió hacia el alférez y le preguntó con voz burlona—: ¿Dónde diablos lo ha metido usted? 10

Fenosa sonrió desconcertado:

—Debe de estar en el cobertizo, con los otros . . .

—¡Pobre *Bichito!*—exclamó ella—. Con el frío que hace . . .

Adelantándose a sus intenciones, el comandante la detuvo con un movimiento de la mano. 15

—Vamos, *Mamá.* No irá usted a dejarnos mientras cenamos.

—Aguarde usted, mujer. No sea impaciente.

Pero Begoña no les hizo ningún caso. Instintivamente se había alisado la blusa del delantal y los dominó con una mirada.

—¡Ah, no! Créanme: no soy mujer para estarme ahí de charla, 20 sabiendo que un amigo está en un apuro; se me indigestaría la cena.

Había tal firmeza en sus palabras, que ninguno se atrevió a replicar. Satisfecha de sí misma, Begoña se volvió hacia Fenosa.

—Señor alférez—dijo—. ¿Quiere usted acompañarme?

Fenosa vaciló, como siempre que Begoña pedía algo: el tono pro- 25 tector que asumía respecto a sus diecinueve años le sacaba de quicio. Para colmo, esperaba que el teniente explicara a Bermúdez su gesta de la mañana y aquella interrupción desbarataba todos sus planes.

—Está bien—gruñó—. Si usted se empeña . . . 30

El asistente alumbró el trayecto con una linterna de campaña. El cobertizo estaba a treinta metros de distancia y para llegar a él era preciso cruzar un sendero de pálidas mimosas. En la puerta prestaban vigilancia dos soldados que, al ver a Fenosa, se cuadraron como autómatas. 35

—¿Quiere usted abrir la puerta?

—Sí, mi alférez.

El cobertizo era una habitación estrecha y larga, refugio de murciélagos, de inmundas, pálidas alas. Sobre los sacos, entre las

---

9 **¿Dónde . . . usted?** Where the devil have you put him?
13 **Bichito** "little brat," Begoña's term of endearment for Elósegui
21 **se . . . cena** I would have indigestion

cajas de madera vacías, una docena de prisioneros dormía a pierna suelta. Al oír el crujido de los goznes, algunos se incorporaron y un brochazo de luz amarillenta seleccionó sus rostros temerosos. Otros dormitaban con el brazo apoyado en la rodilla y, al oírlos, 5 alzaron ligeramente la cabeza.

—Martín Elósegui—tronó el alférez.

Uno de los que estaban estirados se incorporó con parsimonia, asediado por los haces luminosos. Martín tenía la expresión malhumorada, soñolienta y, desde su rincón, dirigió miradas ciegas al 10 grupo de recién llegados.

—A la orden.

El timbre familiar de su voz fue como una revelación para Begoña. Elósegui había enflaquecido mucho desde su último encuentro, pero la expresión de su semblante no había cambiado.

15 —Le aguarda una visita—dijo, con sorna, el alférez.

Martín la miraba sin verla aún, deslumbrado como estaba por el foco, y Begoña sintió que el corazón le palpitaba más aprisa.

—¿No me conoces?—preguntó con una voz cuya fragilidad la hizo avergonzarse.

20 Martín la veía sin dar apenas crédito a sus ojos. Tenía el mismo rostro duro, granítico, de siempre y una barba de dos días que le hacía parecer avejentado.

—Begoña—balbuceó—, ¿eres tú?

Entonces, toda la ternura almacenada en el corazón de la enfer-25 mera se derramó de golpe.

—*Bichito*—exclamó—. ¡Oh, *Bichito* . . . !

Durante el resto de la tarde, los chiquillos de la escuela que vagabundeaban por el valle se fueron entregando poco a poco a las patrullas destacadas en su busca.

30 Una primera expedición de dieciséis había partido hacia el pueblo a poco de anochecer, bajo la vigilancia del sargento Santos. Entre ellos se encontraba el pequeño Emilio que, al verle, había intentado escabullirse, pero que concluyó por echarle los brazos al cuello con los ojos llenos de lágrimas. Gracias a sus confesiones, 35 completadas con los informes del profesor Quintana, había logrado esclarecerse la historia de aquellos últimos días, y con ella los hechos que indujeron a dar muerte al pequeño Abel Sorzano.

---

[9] **dirigió . . . llegados** looked blindly at the group of new arrivals
[16] **deslumbrado . . . foco** since his dazzled eyes were still out of focus

La huida de Pablo, al parecer, produjo entre los niños refugiados impresión muy honda. Quintana partió en su busca por los pueblos vecinos y el centro de gravedad de la escuela pasó a manos del *Arquero*. La propaganda retransmitida por la Prensa y la radio había llevado al corazón de los niños el desorden y la anarquía reinantes en 5 el campo republicano. La locutora repetía continuamente su advertencia: «Vigilad; formad vosotros mismos vuestra policía: aprended a delatar a los traidores; si vuestros compañeros son facciosos, castigadlos», y sus consignas, recibidas por algún niño oculto tras las cortinas del cuarto de Quintana, corrían de boca en boca en 10 cuanto el espía trepaba hasta el dormitorio sujeto al cable del pararrayos. Los niños sabían leer entre líneas: en cualquier recorte de periódico arrinconado en el lavabo, descubrían lo mágico, lo inesperado, lo milagroso; subían al dormitorio pensando en ejecuciones, atentados y golpes de mano y, durante el día eludiendo la 15 vigilancia del maestro, se entregaban a lo sangriento de sus juegos. El *Arquero* los instruía en las reglas del combate y adiestraba sus fuerzas para la toma del poder.

Desde la terraza de *El Paraíso*, Abel contemplaba a menudo las evoluciones del pequeño ejército. Las horas transcurrían con len- 20 titud desde la huida de su amigo y los días se le antojaban iguales los unos a los otros. Las noticias de la radio habían dejado de interesarle desde que se había excluido del mundo de los hombres, y a las preguntas que Filomena le dirigía de vez en cuando oponía un silencio de estatua. 25

* * *

Una tarde, mientras el niño se entretenía en arrancar las cortezas harapientas de los eucaliptos de la terraza, se presentó un grupo de chiquillos de la escuela, con el pelo rapado y la cara llena de carbonilla. El más pequeño tenía el rostro astuto de ladronzuelo y escupió en las palmas de las manos antes de hablar. 30

—Venimos a que nos des las carabinas, Abel Sorzano—dijo—. Tenías que habérselas entregado a Pablo el día que se largó del colegio, y ahora nos pertenecen por derecho.

Estaban erguidos frente a él, oscuros y desconfiados y sus ojillos brillaban de codicia. Abel fue a su habitación y regresó con las dos 35 armas. Los chiquillos se las arrebataron de las manos y regresaron a la escuela sin darle las gracias.

El niño los vio partir con aprensión. Su visita le había dejado en la boca un sabor amargo: ¡qué hermosos eran sus cuerpos, qué gracia

---

[21] **los días . . . otros** every day seemed the same to him

tenían sus movimientos! A su lado, todas las personas mayores parecían desprovistas de misterio y de belleza. Un amor hondo, tristísimo, le quemaba las entrañas. ¡Ah, ser uno de tantos, borrar las diferencias, intercambiar la sangre!

5 El día siguiente Abel recibió la visita del *Arcángel.* El pequeño llevaba un mechón de plumas en la cabeza, semejante al de los indios pieles rojas y un jersey cubierto de vestigios mortuorios que había sustraído del camposanto.

—¿No te aburres ahí, tan solo?—preguntó—. Anda, ven; en el 10 colegio tienen deseos de saludarte.

Indicaba el camino con el dedo y Abel le siguió en silencio. En el bosque vecino a la escuela, los chiquillos jugaban a la guerra y acogieron su presencia sin dar muestras de asombro. Le admitieron en sus pruebas como uno de tantos y nadie hizo preguntas acerca 15 de la huida.

Las pruebas consistían en trepar a la copa de los árboles y buscar un escondrijo entre sus ramas. El descubierto era sometido a un correctivo, cuya gravedad se apreciaba según el grado de la falta. También Abel se había ocultado en la cima de un alcornoque y, 20 aunque el *Arquero* le vio en seguida, no respondió a sus esperanzas de castigo.

—¡Eh, tú!—gritó—. Baja, te he visto.

Abel se dejó deslizar por el tronco y al llegar abajo se encontró con el *Arcángel.*

25 —No temas—le susurró éste al oído—. A ti no te harán nada.

Excluido. Basura. Aparte siempre.

—¿Por qué?—balbuceó—. Si me han visto . . .

Pero sus preguntas llovían sobre mojado: aunque los niños fingieron considerarlo como uno de ellos, ninguno le dirigía la 30 palabra a menos que fuera indispensable. Un muro, más fuerte que sus propios cabezazos, le separaba de los otros.

En la escuela, según pudo darse cuenta, imperaba una situación cada vez más anárquica. La delación, el miedo y el castigo estaban a la orden del día y nadie se atrevía a franquearse con Quintana. Abel 35 le vio una vez mientras regresaba a *El Paraíso,* y a regañadientes consintió en acompañarle. El maestro le había dado cuenta de algunos de los rumores que corrían y le aconsejó que no saliera de su casa hasta la llegada de las tropas nacionales.

---

9 **Anda, ven** Come on
17 **El descubierto . . . falta.** Anyone discovered was punished and the severity of the punishment meted out varied according to the degree of failure.
28 **llovían sobre mojado** were ignored

—Óyeme bien, déjalos antes que sea demasiado tarde. Exaltados como están, son capaces de cualquier locura y no quisiera que pudiese ocurrirte nada.

* * *

Por la tarde el *Arcángel* vino a buscarle como si nada hubiese ocurrido; el resto de los chiquillos los aguardaba en el torrente, y 5 juntos emprendieron su marcha rambla abajo. Durante el trayecto, el *Arcángel* le había hecho preguntas acerca de David, pero Abel no se sintió con fuerzas para contestarle. Tal vez había intuido su destino. Mientras escalaba la ladera que llevaba hacia la fuente, le había asaltado una impresión curiosa. Todo estaba al acecho: animales, árbo- 10 les y seres humanos. El mar era una lámina de color plomizo en la que el oleaje parecía petrificado. En el cielo, las nubes se agolpaban amenazantes y, como surgido de toda aquella espera, un avión con la bandera roja y gualda voló sobre sus cabezas, igual que un aerolito de color ocre, y se lanzó hacia la batería en vertiginosa calada. 15
—¡La guerra, la guerra!—exclamaron los niños.
La aparición del bólido había provocado un efecto de catástrofe: ráfagas de viento despeinaron los pinos del sendero y el mar se cubrió de un reguero de baba espumeante. El avión pirueteaba encima de la bahía y el corazón de los niños latió de miedo cuando le vieron 20 soltar las bombas: una, dos, tres, cuatro. Casi al mismo tiempo, nubecillas en forma de copos se elevaron desde la escollera hasta fundirse en el color gris ceniza del ocaso.
Los antiaéreos de los fortines dispararon, pero ya el avión había tomado altura. En la batería ardía uno de los barracones y los solda- 25 dos llevaban un herido a la ambulancia. Mientras ellos se acercaban a husmear lo que pasaba, oyeron la bocina de la camioneta conducida por Elósegui, y Abel hizo seña de que parara. Se había distanciado del grupo sin que los demás se dieran cuenta y acogió la presencia del soldado como una tabla de socorro . . . 30
—¿Imaginaba ya lo que iba a ocurrirle?—preguntó Santos.
El niño vaciló antes de responder. Hablaba con la cabeza baja e interrogaba a su padre con los ojos temerosos.
—Creo que sí—contestó—. La mayor parte de nosotros lo sospechábamos desde hacía tiempo y él mismo dijo al *Arcángel* que 35 el profesor le había avisado.
—Entonces—dijo Santos—,¿por qué volvió con vosotros después de esa tarde?
—No lo sé. No tengo la menor idea.

---

[28] **Abel . . . parara** Abel signaled him to stop

Sin atreverse a alzar la vista de la alfombra, Emilio prosiguió la exposición de los hechos: los planes de matar a Abel—dijo—se habían retrasado varias veces a causa de la presencia de soldados en el edificio de la escuela. Después del bombardeo de los fortines por
5 los nacionales, el oficial había ordenado el traslado a un sitio diferente y, previo permiso de Quintana, requisó la totalidad de las habitaciones de la planta baja del colegio. Aquello constituía un serio contratiempo para los proyectos del *Arquero* y el mismo día quedó decidida la eliminación del profesor . . . «Desde hacía algún tiempo,
10 nosotros teníamos en el bosque un depósito de armas y esperábamos la marcha de las tropas para hacernos también cargo del suyo . . .»

Entretanto—dijo—se dedicaban al pillaje del material que los fugitivos abandonaban al borde de la cuneta. Carricoches, mantas, sacos, colchas, trastos viejos. Un día, en las cercanías del puente,
15 encontraron un automóvil. Lo recordaba bien: había llovido durante la mañana y un intenso olor a tierra fresca embalsamaba el prado de los álamos. El sol proyectaba una luz rubia sobre la hierba empapada y alevillas efímeras moteaban de blanco el paisaje. El automóvil tenía levantada la tapa del motor y desde lejos era como un
20 monstruo de mecánicas fauces. Ellos se acercaron indecisos, temiéndose una emboscada y prorrumpieron en vítores al descubrir que no había nadie. En la maleta hallaron un saco de azúcar y un viejo aparato de radio. El azúcar fue devorado allí mismo, a puñados, y la radio destrozada a culatazos. Una vez revisado el coche, sirvién-
25 dose de una lata de petróleo lo incendiaron.

Oscurecía y las llamas se elevaban ligeras y voraces. Oleadas de aire caliente se estrellaban contra sus mejillas y una constelación de chispas danzarinas evolucionaba alegremente hacia lo alto. Era la primera operación de esa índole que realizaban y su facilidad infun-
30 dió ánimo a todos. Después, a medida que el tráfico se hacía más intenso y mayor era el número de objetos abandonados, los chiquillos habían corrido por el bosque provistos de ruedas de automóvil, neumáticos, volantes y bocinas. Los despojos cubrían las orillas de la carretera, como arrojados allí por una subida de las aguas, y el
35 paisaje entero parecía resentirse de una reciente catástrofe.

Precisamente fue en una de esas incursiones cuando él, Emilio, se enteró del complot que se fraguaba. Había ido a la carretera a charlar con los soldados fugitivos y al regresar oyó voces en un claro del bosque. Desde el lugar en que se hallaba, se dominaba gran
40 parte de la escena y Emilio se acurrucó detrás de una roca para no ser descubierto.

---

[6] **previo permiso de Quintana** having obtained Quintana's permission

El *Arquero* estaba sentado en el suelo y sacudía con el dedo la ceniza de su cigarro. Las cicatrices de su rostro eran, a la luz del sol, como sinuosas cintas blancas y sus dientes, que mostraba al escupir, parecían brillar con luz propia.

—¿Para cuándo quieres que lo dejemos? —decía—. ¿Para el año 5 próximo?

Su lugarteniente, al lado, jugaba con la navaja en torno al tronco de una encina. Le habían dicho que, para matar un árbol, bastaba practicar una incisión alrededor de su corteza y, desde hacía unas semanas se dedicaba a exterminar el bosque en masa. 10

—Yo creo que sería preferible esperar a que se larguen los guripas. Si lo descubrieran . . .

El *Arqueró* sonrió desdeñosamente.

—¿Y qué, si lo descubren?

—Siempre hay almas caritativas que informan de todo. 15

—Que se atrevan—dijo el *Arquero*—. Que se atrevan.

En aquel momento se habían dado cuenta de su presencia y el lugarteniente le espetó lleno de furia:

—¿Qué? ¿Se te ha perdido algo? ¿O es que acaso tenemos monos en la cara? 20

Y él tuvo miedo porque comprendió que, si decía algo, sería inmediatamente eliminado. «Que se las arreglen como puedan— pensó—; al fin y al cabo no es asunto mío.» Fingiendo ignorancia, se alejó con las manos hundidas en los bolsillos. La palabra muerte corría ya de boca en boca y el dedo del *Arquero* señalaba a Abel 25 Sorzano.

—¿Por qué causa? —dijo Santos—. ¿Acaso os había hecho alguna pasada?

Emilio movió negativamente la cabeza.

—No, ninguna; pero el *Arquero* decía que él pertenecía al otro 30 bando y que era preciso matarle para sentirnos liberados.

Por la expresión de su semblante supuso que su padre no le había comprendido y se apresuró a añadir:

—Su familia era propietaria desde hacía muchos años y él tenía dinero en la época en que nosotros pasábamos hambre . . . Además, 35 todos le echaban la culpa de lo sucedido con Pablo . . . Ayer tarde se celebró una reunión secreta de los jefes y en ella quedó decidido que Abel debía morir . . .

. . . La junta se había celebrado en las cocheras, a la oscilante luz de un candelabro: media docena de muchachos, con las insignias de 40 su jerarquía tatuadas en el rostro, se reunieron en torno a una caja

---

[19] **¿Se te . . . cara?** Have you lost something? Or maybe we all look like monkeys?

de madera, para decidir la suerte del faccioso. Durante todo el día, la radio del Gobierno había lanzado sus consignas desesperadas: RESISTID. HACED DE CADA CASA UNA TRINCHERA, DE CADA CAMINO UNA ZANJA. Los aviones nacionales surcaban la bahía como dueños
5 y señores, y corría el rumor de que las avanzadillas habían llegado hasta Palamós.

La emisora gerundense estaba jalonada de silencios preñados de amenazas, y las voces, a medida que se corría la mancha de aceite, se hacían cada vez más acuciantes: COMBATID. TOMAOS LA JUSTICIA
10 POR LA MANO. QUE EL ENEMIGO NO ENCUENTRE SINO RUINAS Y CA-DÁVERES. Luego se había hecho perceptible el ruido de las sirenas y la emisora dejó de funcionar. Aviones, bombardeos. Su imaginación se había poblado de imágenes sangrantes: manos rojas, abiertas como crisantemos; ojos inmóviles; banderillas de fuego en todos los
15 cadáveres.

El *Arquero* había decidido liquidar personalmente al niño y delegó en su lugarteniente la tarea de acabar con Quintana.

—Mañana a primera hora—anunció—, los guripas se largarán de la escuela y nos convertiremos en los únicos dueños de la casa.
20 Aun suponiendo que entren los facciosos, no debemos dar cuenta a nadie y, tapando la boca a esos dos pájaros, habremos eliminado los únicos testigos.

—¿Y luego?—había dicho uno de los niños, a quien el miedo de su propia pregunta formaba un nudo en la garganta—. ¿Qué ha-
25 remos luego?

—Obraremos—repuso el *Arquero*—como nos dé la real gana. La escuela será sólo nuestra y haremos de ella la primera ciudad de los muchachos.

Las llamas se inscribían en sus ojos como la miniatura de un
30 esmalte y acentuaban, por contraste, la dureza granítica de sus rasgos.

—Seremos libres y no obedeceremos jamás a nadie.

El ansia de gritar había escalado como un oleaje el pecho de los presentes y, durante unos minutos, ni el propio *Arquero* logró imponer la calma. Cuando fue posible, siguiendo la indicación del
35 secretario, escribió su sentencia con lápiz. Ocho rectángulos de papel pautado con el aviso: «La ejecución será a las diez». Seguidamente levantaron la sesión tras estrecharse las manos.

—Durante toda la noche—dijo Emilio—nos quedamos en la

---

8 **a medida . . . acuciantes**   as the enemy forces advanced, became more and more urgent
29 **la miniatura de un esmalte**   an enamel miniature
32 **El ansia . . . presentes**   the yearning to shout on the part of all those present erupted like a tidal wave
35 **Ocho . . . aviso**   Eight rectangular bits of paper containing the announcement

terraza de *El Paraíso,* montando guardia. El *Arquero* nos había señalado la ventana de su dormitorio, cuya luz permaneció siempre encendida. El resto de la casa estaba a oscuras y no parecía que nadie la habitara. Por turnos de hora y media velamos al pie de la ventana, aguardando la llegada del día y, aunque Abel no se asomó una sola 5 vez, creo que ya sabía que le estábamos esperando.

«Lo cierto es que, al salir el sol, cuando el *Arquero* subió a buscarle, lo encontró vestido encima de la cama. Abel se lavó delante de él las manos y la cara y bajó por el cable del pararrayos sin oponer resistencia. Tampoco demostró ningún asombro cuando nos des- 10 cubrió junto al garaje; sólo el *Arcángel* parecía ligeramente inquieto y, al darle la mano, dejó un mensaje en ella.»

—¿Decía por casualidad *Dios nunca muere?*—preguntó Quintana—. Elósegui dice que, cuando encontró el cadáver del niño, había un papel con esa inscripción en su mano. 15

—Sí—dijo Emilio—. Si no decía eso, al menos era algo por el estilo. Abel lo leyó disimuladamente y lo mantuvo apretado en la palma. Yo, que estaba a su lado, me había dado cuenta del manejo, pero no quise decir nada para no complicar al *Arcángel.* Debían de ser entonces más de las ocho y media y, en fila india, nos dirigimos 20 al colegio. En el vestíbulo nos aguardaban los restantes: el camión con los últimos soldados había partido hacía media hora y nosotros éramos, al fin, los amos de la escuela.

. . .Entonces decidieron ir al bosque con Abel en tanto que los otros se hacían cargo de Quintana. Pero ya las avanzadillas na- 25 cionales habían llegado junto al valle y las primeras ráfagas de metralla batían la carretera. Mientras deliberaban, Abel permanecía en un rincón, oprimiendo entre las manos el mensaje del *Arcángel.* Tenía el rostro muy blanco y la mirada vuelta hacia adentro.

Solemnemente lo llevaron a la ladera del monte y allí el *Arquero* 30 le leyó la sentencia condenatoria. Él mismo, con la carabina de caza que el propio Abel le había entregado, le disparó en la sien a una distancia de tres metros. Abel se derrumbó como un fantoche. Y mientras todos huían llenos de pánico, el *Arcángel,* convertido su sueño en realidad, le extendió las piernas y los brazos y, al igual que 35 los niños del relato, deshojó un ramo de flores en su pecho.

—Fue él—concluyó Emilio en un susurro—quien descubrió allí a Elósegui, y el que intentó matarle luego con una bomba de mano.

———

La presencia de los oficiales los intimidaba y se retiraron a la vecina habitación; era una pieza inhóspita con una sola mesa y dos 40

———

[36] **deshojó . . .pecho**   placed a bouquet of flowers on his chest

sillas sin respaldo, y se sentaron el uno frente al otro, como dos viejos amigos. La palmatoria iluminaba sus rostros lo suficiente para poder intercambiar unas miradas. Fuera, a través de las ventanas sin visillos, las mimosas eran como pálidos fantasmas y los recién
5 podados plátanos alzaban sus ramas hacia el cielo en actitud de plegaria.

— Entonces — decía Begoña — no terminaste los estudios.

— No — repuso Martín —. Apenas había aprobado media docena de asignaturas cuando estalló la guerra. Ya sabes. La vida era tan
10 fácil antes . . .

— ¿Y ahora? — preguntó ella —. ¿Qué piensas hacer ahora?

Martín contemplaba la llama que ardía en el cabo de la vela.

— No tengo la menor idea, palabra. A mi edad resultaría difícil estudiar otra vez leyes. Además, nunca me ha gustado esa carrera . . .
15 Al otro lado de la mesa, Begoña le contemplaba con los mismos ojos de hacía siete años: Martín era el niño crecido de siempre a quien había que arrancar las palabras con sacacorchos.

— Pues algo habrás de hacer, *Bichito* — murmuró.

Él encendió la colilla que tenía entre los labios y exhaló una
20 bocanada de humo blanco.

— Sí, ya lo sé — dijo —. Estoy como siempre, en pañales. Pronto cumpliré veintiséis años y no sé en qué demonios ocuparme. Como no me reenganche en el ejército . . . Tal vez llegara a sargento con los años . . .
25 Hablaba con voz grave, sin pizca de ironía, y Begoña creyó que el tiempo retrocedía más de un lustro: el prado estaba florido en primavera y el sol arrancaba reflejos de las aguas del arroyo. Martín y ella iban allí, de paseo, algunas tardes y se tendían perezosamente en las hierbas de la orilla. Bajo las ramas en flor de los manzanos habían
30 aprendido a conocer la maravilla de sus cuerpos, galopados de sangre tumultuosa, como embriagada también de primavera. El aire estaba maduro de polen, de vuelos atareados de insectos, de árboles ricos en promesas, de flores que se deshojaban, mecidas por el viento sobre sus pechos abiertos como surcos. Ella tenía entonces veintidós años:
35 la fecha de la muerte de su padre y del comienzo de su libertad. Martín únicamente diecinueve y en junio concluía el bachillerato. Pero lo había preferido a todos los empleados de Ministerio que, con el sombrero en la mano, rondaban en torno suyo igual que moscones.

---

16 **Martín . . . sacacorchos** Martin was still the overgrown child from whom you had to pull out words with a corkscrew
22 **en qué demonios ocuparme** what the devil I ought to do
30 **galopados . . . primavera** through which their excited blood raced as if intoxicated with spring

Ella no poseía entonces el conocimiento de los hombres brindado por la guerra y cometió el error imperdonable de enamorarse. Pero Martín se le había escapado: «Si para casarme he de trabajar—le explicó un día—, prefiero no casarme.» Martín había nacido el mes de agosto, durante las vacaciones escolares, y «como era plena canícula 5 —decía—, me quedé ya cansado para siempre.» Ahora, a pesar de su corpachón de gigante, su carácter no había cambiado. Estaba delante de ella, sonriente, y era como si una esponja hubiese borrado los años.

Al buscar la cajetilla de cigarros, había sacado, sin advertirlo, una 10 flor seca: la rosa que Dora, la maestra, había cortado un día; estaba arrugada y negra, y Elósegui la contempló con nostalgia.

—Seguro que es algún recuerdo—dijo Begoña con sorna—. Alguna bella campesina que te ama . . .

Martín se encogió de hombros: la flor, reseca, no servía siquiera 15 para ponerla en un libro de estampas.

—¡Bah!—dijo—. No tiene ningún valor.

Y la arrojó al suelo.

Luego alzó la vista hacia Begoña y le cogió suavemente la mano:

—¿No es gracioso que nos hayamos encontrado?—dijo—. Hay 20 que ver lo pequeño que es el mundo.

———

El cadáver del niño, convenientemente escoltado, fue conducido a *El Paraíso* a la caída de la tarde. Filomena y Águeda habían preparado el túmulo con colgaduras y con flores y el salón revivió por un momento las jornadas de su antiguo esplendor. Los candelabros de 25 plata proyectaban sus rotos reflejos sobre las paredes cargadas de recuerdos: cortinajes de seda con borlas de raso; espejos acuosos, como visiones de borracho; innumerables retratos de adustos caballeros vestidos de negro y encantadoras damas presentadas a través del remolino de las gasas. En medio de tanta gloria muerta, los sol- 30 dados permanecían erguidos y solemnes. El cadáver debía ser trasladado al cementerio el día siguiente y el capellán había prometido su asistencia.

* * *

Arriba, en su dormitorio, doña Estanislaa estaba tendida sobre el lecho, oliendo un frasquito de colonia. El soldado que la acompa- 35 ñaba tenía diecinueve años escasos y hacía tan sólo unas semanas

---

⁵ **plena canícula**   at the height of the dog days
⁷ **corpachón de gigante**   giant build

que había ingresado en el ejército. Su cara, redonda, bermeja, sin bozo, reflejaba un asombro ingenuo ante la dueña de la casa. Era la primera vez que veía una verdadera dama y se esforzaba en no dejar traslucir su falta de modales. Todo en aquel lugar evidenciaba una
5 categoría, una clase a la que nunca podría tener acceso. Charlar con una señora de aquella alcurnia equivalía a una especie de milagro: realmente, no era cuestión de hacer el payo.

Cuando Águeda le comunicó la noticia de la muerte del niño, doña Estanislaa no había manifestado ninguna sorpresa. Contem-
10 pló el cadáver, tiesa, erguida, y aceptó gentilmente que el soldado la acompañara hasta su habitación.

—Una—dijo—se hace la ilusión de haber encontrado un ser maduro que la comprenda y que la apoye, pero acaba por darse cuenta de que se debate siempre sola. Yo, que tanto he amado a lo largo de
15 mi vida, me considero mucho más rica que el resto de los seres, y si me interrogan acerca del amor, diré que, como Proteo, se disfraza de máscaras cambiantes. Más que a los hombres, he amado a las flores y a los pájaros, y una vez, llegué incluso a prendarme de un árbol. Era un almendro que crecía al pie de la terraza y que constituía, por
20 sí solo, el símbolo de mi destino.

»Yo trataba entonces de escurrirme a mi suerte. Me había ocurrido algo horrible. Todo se me había venido abajo con la rapidez de un relámpago. Era una sucia tarde de septiembre, lo recuerdo bien, y alguien me había vestido de negro, como para unos funerales. Me
25 contemplé en el espejo y apenas pude retener un gemido. Me vi yerma, vacía por dentro, sin porvenir posible. Y una idea espantosa brotó en mi cerebro: era una mujer acabada.

»Lo decía mi rostro, con claridad, pero yo no quería aceptarlo. Deseaba evadirme e hice lo imposible para dejar de ser lo que era.
30 Me imaginaba flor, abeja, árbol. Quería eludir el tiempo y lo conseguí a fuerza de olvidarme. Vivía en el ático, rodeada de palomas, prisionera en una gigantesca jaula. Sostenía con ellas largas conversaciones, salpicadas de besos y caricias, de las que sólo conservo un recuerdo fragmentario: aleteos, murmullos fugaces que resuenan
35 de noche en mis oídos, como un eco, como un viento lejano. Era paloma ya. A veces sentía dolor en las alas, comía con el pico, notaba la caída de una pluma. Durante largas horas, adormilada, seguía sus arrullos y piruetas. Se posaban en mis hombros. Me

---

[7] **no era . . . payo**   he must not act like a hick
[16] **Proteo**   A Greek sea god who could change his form at will
[27] **era una mujer acabada**   I was an old woman

besaban. ¡Oh!, mi marido decía que yo estaba loca; hacía gestiones para que me encerraran. Pero ¿qué otra cosa podía hacer?

»Todo se había puesto a vivir en torno mío. Los objetos me hacían guiños, cambiaban de cara a mis espaldas . . . Veía de nuevo a mis hijos y los asediaba bajo sus disfraces. Un día los descubrí sobre la 5 hierba y creí que me traspasaban el cuerpo a alfilerazos. Eran ellos, rosados y juguetones, como en la época en que los criaba, y me pedían que fuese a su encuentro. Cada mañana acudía a la terraza con la esperanza de sorprenderlos. En primavera resultaba muy difícil. Los campos estaban llenos de amapolas y retama, y era entre esas 10 flores donde de ordinario se ocultaban. El viento despeinaba las ramas de los pinos y la hierba de los prados; el mundo era inocente y azul, y únicamente yo buscaba. Tanteaba una a una todas las flores antes de decidirme a abandonarlas. Les decía: «David, ¿estás aquí? Romano, ¿estás aquí?» Oía sus risas, livianas, fugitivas, y hasta a 15 veces, el eco de sus pasos. Hablaba con ellos, aunque rarísimas veces consiguiese verlos. Durante el invierno asomaban en la flor del almendro y entonces podía localizarlos sin fatiga. Sentada en la sala, con la ventana abierta, tocaba el piano para ellos.

»Transcurrió esa temporada en medio de gran calma; días ligeros 20 como plumas, como copos de nieve, alargándose a partir del nuevo año, febrero, marzo, y la primavera otra vez. Algo en el aire anunciaba la proximidad de la catástrofe y el corazón palpitaba como un pájaro en lo hondo de mi pecho. Impotente, me esmeraba en la ejecución de mis cuidados. Regaba con leche al almendro, velaba 25 por la pureza de su blanco. Una vez tuve un sueño oscuro que nunca he podido recordar. Me desperté con la garganta seca y, como una sonámbula, corrí la cortinilla de la ventana: el día era gris, plomizo. Los pájaros volaban a ras de tierra y un silencio cómplice paralizaba árboles y plantas. Recuerdo que bajé las escaleras tambaleándome. 30 Debían de haberme dado un soporífero, pues la cabeza me pesaba. Un deseo inmenso de protección me guiaba hacia el almendro. Al llegar a la terraza, aun antes de verlo, comprendí que había ocurrido algo. Piedad, piedad. Todo estaba destruido: las flores, sus gargantas, segadas por el tallo. Los niños, esta vez, habían 35 muerto. Contemplé los pétalos esparcidos, el tronco inmóvil, las mariposas alocadas. Mi cuerpo estaba vacío a fuerza de atención. Se negaba a creer lo que veía. Le oí gritar. «David, Romano.» Buscaba entre los pétalos, con las rodillas hincadas en el suelo, un débil testimonio de su vida. 40

---

[37] **Mi cuerpo . . . gritar.** My body was empty by dint of concentration. It refused to believe what it saw. I heard it shout.

»¡Oh, nadie sabía lo que significaba para mí aquel árbol! Cuando estaba a solas y *él* no me veía, permanecía horas enteras abrazada a su tronco. Cada uno de sus temblores me producía placer y, al igual que con las palomas, había aprendido el lenguaje del viento
5 sobre sus ramas. Él, que me había privado de amor a lo largo de mi vida, ¿por qué tenía que asesinarlo?

»Pues hay asesinos de flores y asesinos de árboles. Yo he visto pájaros cogidos en el abrazo de una trampa. Hay hombres que estrangulan a un niño en una carretera y otros que cortan un árbol
10 a hachazos. Los asesinos no conocen la piedad, querido joven: trabajan en la sombra, con el tiempo por toda compañía, eternos solitarios. Pero yo, que los conozco, se lo digo: desconfíe. Tenga siempre guardadas las espaldas. Vivimos sobre una cuerda floja y el golpe puede venirnos cuando menos lo esperemos . . .»
15 La luz de la luna, que se colaba por la ventana, confería a su rostro como un brillo autónomo y el soldadito creyó vivir el más extraordinario de sus sueños: doña Estanislaa se había incorporado y le tomó la mano con afecto.

—Usted, que es sensible y joven—murmuró—, puede comprender
20 qué significa eso: haber tenido dos hijos, bellos como ángeles, y que la muerte los haya arrebatado. También Abel era como ellos y llevaba en la frente la marca del destino. Era un ser extraordinariamente formado para sus pocos años y me quería con verdadero delirio. —Sonrió—. ¡Oh!, tengo centenares de recuerdos suyos:
25 regalos, versos, cartas . . . Cada noche, desde su llegada, venía a darme un beso antes de acostarse y me decía una y otra vez que deseaba permanecer siempre conmigo. Y aunque yo le contestaba: «Eres muy joven todavía y te queda mucho camino por correr; es injusto que un ser de tus años se vincule a uno desengañado de la
30 vida como yo», él no me hacía ningún caso y sabía destruir con su lógica incisiva todos mis razonamientos . . .

Se había dejado caer otra vez sobre los cojines y aspiró ávidamente el perfume de magnolia. Fuera, el viento soplaba fuerte en torno a las paredes de la casa y traía a sus oídos el crujido familiar
35 de los postigos. La luna inundaba de gris la terraza cubierta de hierbajos y los eucaliptos recortaban en el cielo sus harapientas cortezas. Lejos, muy lejos las campanas repicaban. A júbilo. A alegría.

Doña Estanislaa se volvió para mirarle:

—Mire usted: una vez, hace de ello bastantes años . . .

---

[11] **con el . . . compañía**   with time as their only companion
[12] **Tenga . . . espaldas.**   Always look behind yourself.
[26] **una y otra vez**   over and over again
[39] **hace . . . años**   many years ago

CUESTIONARIOS

CAPÍTULO PRIMERO

Páginas 1–16

1. ¿Cómo reaccionó Elósegui al oir el disparo de un arma de fuego?
2. ¿Por qué había sido fácil la deserción de Elósegui?
3. ¿Qué oyó y vio Elósegui en el camino de *El Paraíso*?
4. ¿Por qué dice el autor que todo perdía su valor con la huida?
5. ¿Qué oyó Elósegui después del disparo?
6. Describa al chiquillo que estaba escondido.
7. ¿Qué pasó entre el niño y Elósegui?
8. ¿Por qué permaneció Elósegui tumbado sin atreverse a mover un dedo?
9. ¿Carecía de toda lógica este incidente?
10. ¿Qué estaban haciendo los niños en el bosque?
11. ¿Qué papel encontró Elósegui en la tierra?
12. ¿En qué pensaba Elósegui al mirar el cuerpo de Abel?
13. ¿Qué huellas de los asesinos se encontraban allí?
14. ¿Cómo se divertían los niños?
15. ¿Qué pasó entre las dos mujeres de avanzada edad? ¿Simboliza algo esta disputa?
16. ¿Adónde llevó Elósegui el cuerpo de Abel?
17. Al oir el zumbido de un motor, ¿qué hizo Elósegui?
18. ¿Por qué salió afuera con los brazos en alto?
19. Después de dejarse registrar, ¿qué dijo Martín al sargento tocante a sus compañeros?
20. ¿Por qué balbuceó Emilio Santos?
21. Al fin del capítulo, ¿por qué sintió Elósegui «que una gran carcajada ascendía dentro de él»?

Temas

1. Los efectos de la guerra
2. El talento que tiene Goytisolo en la descripción de la naturaleza,

las acciones y las actitudes de los personajes, la violencia de la guerra, etc.

3. Lo que le pasa a Martín Elósegui

Páginas 16–33

1. ¿Por qué temía el alférez Fenosa que la guerra acabase en seguida?
2. ¿Qué relación tenía Elósegui con la escuela de niños refugiados?
3. ¿Qué opinión tenía Fenosa de la guerra?
4. ¿Qué preguntas le hizo Fenosa a Martín?
5. ¿A qué vuelven los pensamientos de Elósegui?
6. Según Elósegui, ¿cómo debería ser la vida?
7. ¿Qué tenía que hacer Martín en la fonda?
8. ¿Qué contiene la carta dirigida a Wencke?
9. ¿Quién es el pasajero y adónde va?
10. ¿Por qué protestó Jordi?
11. ¿Qué hacía Abel en Barcelona?
12. ¿Qué tenía Abel en la caja de zapatos?
13. ¿Por qué no quería Martín casarse con Dora?
14. ¿Por qué escuchaba Abel la radio todas las noches?
15. ¿Por qué quería aprender lenguas extranjeras?
16. ¿Qué es el contenido de la carta que Abel envió al Gobernador Militar?
17. ¿Qué planes tenía para *Lucero* en la guerra?
18. ¿Por qué temía Abel que sus proyectos no llegaran a realizarse?
19. ¿Por qué orientó sus esfuerzos hacia el lado nacional?
20. Un día, ¿por qué arrojó una botella al mar?
21. ¿Cómo reaccionó Elósegui al enterarse de la muerte de Dora?
22. ¿A qué se dedican los niños después de la muerte de Dora?
23. ¿Cómo tratan a Quintana?
24. ¿Qué hacen los niños por la noche?
25. ¿Tiene Quintana una solución para la mala conducta de los niños?
26. ¿Con quién se encontró Martín en la carretera? ¿Cómo estaba el niño?
27. ¿Por qué fueron Martín y Abel al cementerio?
28. ¿Qué sintió y cómo reaccionó Martín al pensar en Dora y Abel?

Temas

1. Los proyectos que tiene Abel para participar en la guerra
2. Los contactos entre Martín y Abel
3. Las actividades de los niños en la escuela

CAPÍTULO SEGUNDO

Páginas 34–45

1. ¿Qué esperaba el chiquillo que descendió por el atajo?
2. ¿Qué destrozó de un manotazo? ¿Por qué?
3. ¿De qué tenía miedo el *Arcángel*?
4. ¿Quién había caído sobre él?
5. ¿Qué hizo el *Arquero*?
6. Según el *Arquero*, ¿qué error había cometido el *Arcángel*?
7. ¿Por qué dejó de pegar el *Arquero* al *Arcángel*?
8. ¿Qué quería hacer el *Arquero* con Elósegui?
9. ¿Qué piensa un niño de este proyecto?
10. ¿Por qué quiere el cabecilla liquidar a Elósegui?
11. ¿Qué vio el *Arquero* en Oquendo?
12. ¿Qué efecto tuvieron las palabras del *Arquero* con respecto a los niños?
13. ¿Por qué indicó el *Arquero* que se ocultaran los niños?
14. ¿Fue Elósegui el único que iba a ser liquidado por los niños?
15. ¿Por qué dice el autor que «la carretera producía el efecto de un lugar recién sacudido por un tornado»?
16. ¿Adónde iban los soldados que estaban en el cuatro plazas?
17. ¿Qué aspecto tenía *El Paraíso*?
18. ¿Quién abrió la puerta?
19. ¿Reveló en seguida el cabo lo que le había pasado a Abel? ¿Por qué?
20. ¿Quién es Filomena?
21. ¿Por qué quería Águeda la paz?
22. ¿Por qué no estaba doña Estanislaa en su dormitorio?

Temas

1. La organización de los niños refugiados
2. Las mujeres en *El Paraíso*

Páginas 45–63

1. ¿Qué anunció el soldado al alférez?
2. ¿Cómo reaccionó Filomena al enterarse de la muerte de Abel?
3. ¿Qué sentimientos tiene Filomena con respecto a Abel?
4. ¿Cuándo llegó Abel a la casa?
5. ¿De qué manera se anunció Abel?
6. ¿Cómo recibió doña Estanislaa la noticia de la llegada de Abel?

7. ¿Por qué se opone Águeda a que se quede Abel?
8. ¿Cómo estaba el dormitorio que habían dado a Abel?
9. Los que viven en *El Paraíso*, ¿son afectados por la guerra?
10. Mientras que Abel estaba en Barcelona, ¿qué interés tenía en la guerra?
11. ¿Qué dijo Filomena de la comida que sirvió a Abel?
12. ¿Por qué buscó Abel la hospitalidad de doña Estanislaa?
13. Un día, ¿qué vio Abel en la estación del Norte?
14. Según Abel, después de lo ocurrido en la estación, ¿qué iba a pasarles a los niños refugiados?
15. ¿Y qué iba a pasarles a los huérfanos que no tenían lugar donde alojarse?
16. ¿Qué echó Abel de menos en *El Paraíso*?
17. ¿Por qué estaba Abel envuelto en un ridículo camisón de cintas?
18. ¿Por qué no le gustó a Abel la tela de la chaqueta?
19. ¿Desea Abel la guerra? ¿Por qué?
20. ¿Qué hacía Abel cuando estaba en Barcelona?
21. Después de salir de la cocina, ¿qué sentía y en qué pensaba?
22. ¿Para qué solía ir Abel al dormitorio de Águeda?
23. ¿Qué programa le gustaba a Águeda?
24. ¿Qué contenía la carta leída por la señora Serrano?
25. ¿Quién es la *Solitaria*?
26. ¿Cómo y por qué se había transformado Abel?
27. ¿Qué encontró Filomena un día, antes de Navidad?
28. ¿Qué hizo Abel una noche?
29. ¿Qué pasó durante los últimos días de la dominación republicana?
30. Después de ver a Filomena debatiéndose junto al cadáver de Abel, ¿cómo reaccionó Fenosa?

Temas

1. La relación entre Filomena y Abel
2. Las experiencias de Abel durante la guerra y sus reacciones a ellas
3. Los sentimientos de Águeda

CAPÍTULO TERCERO

Páginas 64–75

1. ¿Por dónde iba el grupo de Santos?
2. ¿A quiénes buscaba?
3. ¿Qué habían hecho los niños en el molino?

4. ¿Qué encontró Santos dentro del molino?
5. ¿Por qué fue difícil sacar el cuerpo?
6. ¿Cómo sabía Santos donde estaba la puerta del molino?
7. ¿Qué hizo el niño que García había descubierto?
8. Describa al niño.
9. ¿De qué manera se defendió el niño?
10. Después de coger al niño, ¿qué hizo García?
11. ¿Qué significan los dibujitos que llevaba el niño en la frente?
12. ¿Cómo hablaba el niño a García?
13. Al principio, ¿cómo respondió el niño a las preguntas de los soldados?
14. ¿Qué dijo el niño al fin?
15. ¿Qué hicieron los niños al adueñarse de la escuela?
16. ¿Qué cosa interesante reveló Quintana al sargento?
17. Después de condenar a Quintana a muerte, ¿qué opiniones tenían los niños sobre su liquidación?
18. ¿Qué murmuró Quintana al enterarse de la muerte de Abel?
19. ¿Cómo defiende Quintana las acciones de los niños?
20. ¿Qué dice la gente de doña Estanislaa?

Temas

1. Lo que ocurrió entre Quintana y los niños
2. Lo que pasa entre el chico capturado y los soldados

Páginas 75–95

1. ¿Cómo eran los hijos de doña Estanislaa?
2. ¿Cuándo y dónde sucedió lo de David?
3. ¿Qué propuso Enrique, el esposo de doña Estanislaa?
4. ¿Cómo había sido la vida entre Enrique y su esposa?
5. ¿Cuándo llegaron a Balboa?
6. ¿Qué tiempo hacía?
7. ¿Qué sentía doña Estanislaa por su hijo?
8. ¿Quiere ella seguir el ejemplo de la señora Blázquez?
9. Una tarde de febrero, ¿qué hizo el marido?
10. ¿Qué pasaba entre Enrique y la señora Blázquez?
11. ¿Adónde corrió doña Estanislaa? ¿Por qué?
12. ¿Qué prometió el niño a su madre?
13. Cuando David dijo algo sobre la conducta de su padre, ¿qué contestó doña Estanislaa?
14. ¿Por qué no deseaba doña Estanislaa ir al baile?
15. ¿Por qué decidió ir?

16. ¿Qué hizo ella para comprar el consentimiento del niño?
17. ¿Cuál es la película de que habla el autor?
18. ¿Qué vio doña Estanislaa en el baile?
19. ¿Por qué quería ella salir de la sala?
20. ¿Qué le pasaba en el invernadero?
21. ¿Por qué dice el autor que "todo se paralizaba en torno suyo"?
22. ¿Qué le había pasado a David?
23. ¿Qué sentía doña Estanislaa después de la muerte de su hijo?
24. ¿Cómo fue el entierro de David?
25. Según doña Estanislaa, ¿cómo era Romano?
26. En una ocasión, ¿qué hizo Romano para mostrar el cariño que le tenía a su madre?
27. ¿Cómo reaccionó Enrique?
28. ¿Tenía Enrique talento para los negocios?
29. ¿Qué fue arrojando Enrique a la hoguera?
30. ¿Qué día aguardaba con paciencia la madre?
31. Cuando tenía quince años, ¿adónde fue Romano?
32. ¿Qué pasaba durante los veranos?
33. ¿Cómo había cambiado el carácter de Enrique?
34. ¿Qué decidió hacer?
35. En vez de buscar el dinero necesario para la construcción del hotel, ¿qué hacía Enrique?
36. ¿Qué efecto tuvo la huelga en las construcciones?
37. ¿Dónde estaba Romano y qué hacía allí?
38. ¿Qué mercancía tenía la mujer italiana?
39. ¿Qué hizo doña Estanislaa con las muñecas?
40. ¿Qué contenía la última caja?
41. ¿Con quién regresó Romano a *El Paraíso*?
42. ¿Cómo afectó a doña Estanislaa la presencia de Claude?
43. ¿Qué opinión de Claude tenía la madre?
44. Un día, ¿cómo enojó doña Estanislaa a Claude?
45. ¿Cuáles son algunas de las costumbres de Claude?
46. ¿Qué evidencia tenemos de su pereza?
47. ¿Por qué dormía Claude con una bola de metal en cada mano?
48. Una noche, ¿por qué corrió doña Estanislaa a la estancia de Romano?
49. ¿Por qué estaba Romano postrado en el lecho?
50. Según Águeda, ¿cómo deseaba la madre que fuese Romano?
51. ¿Qué le pasó a Romano después de marcharse Claude?
52. Según la interpretación de Filomena, ¿cuál era el verdadero problema entre Romano y su madre?
53. ¿Cuál es la verdadera reacción de la madre ante la presencia de Claude?

54. ¿Por qué se marchó Claude?
55. ¿Por qué abandonó Romano la casa?
56. Después de la muerte de Romano, ¿qué hizo doña Estanislaa?

Temas

1. El carácter de doña Estanislaa
2. La relación entre doña Estanislaa y sus niños
3. La vida que lleva doña Estanislaa con su esposo
4. El carácter de Enrique

CAPÍTULO CUARTO

Páginas 96–111

1. ¿Quién es el *Gallego*?
2. ¿Dónde había pasado la noche?
3. ¿Qué encontró el *Gallego*?
4. ¿Qué hizo en el asiento trasero?
5. ¿Quiénes llegaron cerca del lugar donde estaba el *Gallego*?
6. ¿Cómo reaccionó el *Gallego* al saber que Abel había sido asesinado?
7. ¿Qué le pasaba al *Gallego* cuando Abel le vio por primera vez?
8. ¿Por qué contemplaba con asombro Abel las solapas del viejo?
9. ¿Qué piensa el *Gallego* de los chiquillos?
10. Según el viejo, ¿cómo era la vida antes?
11. ¿Qué hacía con la varilla ahorquillada?
12. ¿Para qué sirve la varita?
13. ¿Qué busca desde hace más de treinta años?
14. ¿Por qué no fue Abel a la choza del *Gallego*?
15. ¿Qué estaba haciendo el *Gallego* un día de agosto?
16. ¿Cómo ayudó Abel al viejo?
17. ¿Por qué tuvo Abel un estremecimiento?
18. ¿Qué talento tenía el *Gallego* con los pies?
19. ¿Qué dice el viejo de sus inventos?
20. ¿Para qué servían las bolsas del *Gallego*?
21. ¿Qué le había pasado al padre de Abel?
22. ¿Por qué quería comer Abel?
23. ¿Qué hizo el *Gallego* con el fijapelo?
24. ¿Qué opiniones tenía el viejo sobre la guerra?
25. ¿Cómo progresó la amistad entre los dos?
26. ¿Por qué cambiaron las cosas entre ellos?

158

27. ¿Por qué recuerda el *Gallego* un niño de Lugo?
28. ¿Qué le pasó al *Gallego* poco después de Año Nuevo?
29. ¿Ayudó el *Gallego* a los soldados? ¿Por qué?

Temas

1. La vida del *Gallego*
2. La relación entre Abel y el *Gallego*

CAPÍTULO QUINTO

Páginas 112–132

1. ¿Cómo era la vida de Abel en *El Paraíso*?
2. ¿Qué deseaba hacer Abel con respecto a los niños? ¿Lo hizo?
3. Un día, cuando Abel se aventuró demasiado, ¿qué le pasó?
4. ¿Qué piensan los chiquillos con respecto a Abel?
5. ¿Por qué soltó el *Arquero* a Pablo?
6. ¿Qué era Pablo para Abel?
7. ¿Cómo era Pablo?
8. ¿Qué diferencias había entre los planes de los amigos?
9. ¿Qué idea extraña tenía Abel?
10. ¿Qué ocurrió durante las luchas laborales?
11. ¿Quién fue el *Mula*?
12. ¿Qué le aconsejó el *Mula* a Pablo?
13. ¿Qué deseaba hacer Pablo?
14. ¿Cuándo experimentó Pablo por vez primera la ilusión de ser un hombre?
15. ¿Cuál era el propósito de la Sociedad del Crimen?
16. ¿Cómo es que enviaron a Pablo a Cataluña?
17. ¿Por qué fueron invitados Abel y Pablo a la casa de las hermanas Rossi?
18. ¿Qué atracción había para Pablo en la casa?
19. ¿Por qué besó Pablo a las solteronas?
20. ¿Quién fue Nino?
21. ¿Por qué no creía Abel en los Reyes Magos?
22. ¿Qué sintió Abel después del robo?
23. ¿Qué deseaban hacer los niños con los gatos de Lucía?
24. ¿Cómo es que los gatos tenían pulgas?
25. Escriba sobre la competencia (*competition*) entre las hermanas Rossi.
26. ¿Qué hacían los niños cada noche?
27. ¿Cómo robó Pablo las carabinas?

28. ¿Qué plan adoptaron los niños?
29. A última hora, ¿por qué era un mar de dudas el espíritu de Abel?
30. ¿Qué pensaba hacer Pablo con el contenido del saco?
31. ¿Cómo se imaginaba Abel su futuro?
32. ¿Cómo le afecta a Abel su salida de *El Paraíso*?
33. ¿Qué empezó a hacer Pablo cuando menos lo esperaba Abel?
34. ¿Qué dijo Pablo a Abel?
35. ¿Adónde fue Abel antes de las ocho?
36. ¿Qué tiempo hacía a las ocho y media?
37. ¿Quiénes estaban en el vehículo que frenó?
38. Al gritar el nombre de Pablo, ¿qué oyó Abel?
39. ¿Qué sabía Abel al final?

Temas

1. La amistad entre Abel y Pablo
2. La vida y los pensamientos de Pablo
3. Lo que le pasa a Abel mientras espera el regreso de Pablo

CAPÍTULO SEXTO

Páginas 133–150

1. ¿Cuál es la actitud de los soldados y la gente del pueblo en cuanto a los cadáveres?
2. ¿Por qué prorrumpieron los vecinos en un aplauso cerrado al ver al cura?
3. ¿Por qué no estaban bautizados los niños?
4. ¿Quién es Begoña?
5. ¿Qué relación tiene ella con los soldados?
6. ¿Cómo es que Begoña conoce a Elósegui?
7. ¿Dónde estaba Martín?
8. ¿Qué hacían los chiquillos durante la tarde?
9. ¿Cómo lograron saber lo que pasó en la escuela durante los últimos días?
10. ¿Qué efecto produjo la huida de Pablo entre los niños y en Quintana?
11. ¿Cómo reaccionaron los niños a las noticias en la Prensa y la radio?
12. Una tarde, ¿por qué vinieron los niños a ver a Abel?
13. Durante el juego con los niños, ¿por qué se sentía excluido Abel?
14. ¿Qué preguntas le hizo el *Arcángel* a Abel?
15. ¿Qué hizo el avión?

160

16. Según Emilio, ¿por qué se habían atrasado los planes de matar a Abel?
17. ¿Qué decidieron hacer con Quintana?
18. ¿Qué encontraron en el automóvil abandonado?
19. ¿Por qué jugaba el lugarteniente con la navaja en el tronco de una encina?
20. ¿Por qué quería el *Arquero* matar a Abel?
21. ¿Qué consignas oyeron en la radio?
22. ¿Cuál fue la sentencia que escribió el *Arquero* con lápiz?
23. Cuando el *Arquero* subió a buscar a Abel, ¿qué hizo éste?
24. ¿Por qué escribió el *Arcángel* la frase «Dios nunca muere» en el mensaje que dio a Abel?
25. ¿Cómo cumplió el *Arquero* con la sentencia condenatoria?
26. ¿Qué hizo el *Arcángel* después?
27. ¿Qué planes tiene Martín para su carrera?
28. ¿Qué recuerdos tiene Begoña?
29. ¿Por qué no quería casarse Martín?
30. ¿Adónde llevaron el cadáver de Abel?
31. ¿Qué hacía doña Estanislaa en su dormitorio?
32. ¿Qué significó un árbol para doña Estanislaa?
33. ¿Cómo se sentía ella una tarde de septiembre?
34. ¿Qué hacía en el ático?
35. ¿A quiénes veía doña Estanislaa?
36. Después de un sueño oscuro, ¿qué vio doña Estanislaa en la terraza?
37. ¿Qué recuerdos tiene doña Estanislaa de Abel?

Temas

1. La muerte de Abel
2. La locura de doña Estanislaa

VOCABULARY

The following types of words generally have been omitted from this vocabulary:

1. Exact or easily recognized cognates.
2. Articles; personal, demonstrative, and possessive pronouns; and adjectives except in special use and meaning.
3. Cardinal and ordinal numbers, months of the year, and days of the week.
4. Well-known proper and geographical names.
5. Names of persons and places and cultural or historical references explained elsewhere in the book.
6. Verb forms other than the infinitive except uncommon irregular forms or past participles with special meaning when used as adjectives.
7. Adverb ending in **-mente** when the corresponding adjective is listed.
8. Common diminutives and superlatives unless they have a special meaning.

Gender has not been indicated for masculine nouns ending in **-o, -ón, -ista, -dor,** and **-tor** and feminine nouns ending in **-a, -d, -ez, -ión,** and **-umbre.**

Abbreviations used:

adj.	adjective		n.	noun
adv.	adverb		pl.	plural
conj.	conjunction		p.p.	past participle
f.	feminine		pron.	pronoun
inf.	infinitive		rel.	relative
m.	masculine			

A

a at, to, in, by, on

abajo below, down; **de arriba—** from head to toe; **hacia—** downward; **más—** lower down

abandonar to abandon, leave behind; to discard

abanico fan

abarcar to include, take in, embrace

abarrotar to pack; to clutter

abastecimiento supplying, provisioning

abasto supply (*of provisions*)

abatir to lower; to knock down; to dishearten

abecedario alphabet

abeja bee

abertura opening

abierto (*p.p. of* **abrir**) opened, open; frank

abigarrado varied, motley

abismal abysmal

abismarse (en) to give vent to

abismo abyss, gulf

abofetear to slap in the face

abogado lawyer

abolladura dent

abotonarse to button oneself up

abrazar to hug, embrace

abrazo embrace, hug

abrelotodo all-purpose can opener

abrigo overcoat

abrir to open; **en un—y cerrar de los ojos** in a jiffy; **—se paso a** to force one's way; **—la marcha** to set out

abrumar to overwhelm

abrupto steep

absoluto absolute; **en—** not at all

absorber to absorb

absorto (*p.p. of* **absorber**) absorbed

abstener to abstain

abstraído absent-minded; deep in thought

absurdo absurd

abuela grandmother; **tía—** great aunt

abuelo grandfather

abundancia abundance

abundante abundant, numerous

abundar to abound

aburrir to bore; **—se** to get bored

abyecto abject; vile

acá here

acabar to finish; **—de** + *inf.* to have just . . . ; **—con** to put an end to; **—por** to end up, by

acalorado excited, angry

acampar to encamp

acaramelado syrupy, over sweet

acariciar to fondle, caress

acarrear to cause; to transport

acaso perhaps; **por si—** just in case

acceder to agree

acceso approach, access; fit, spell

accidente *m.* accident

acción action

acechar to ambush, lie in ambush; to spy

acecho ambush; **estar en—** to lie in ambush

aceite *m.* oil

aceituna olive

acelerar to accelerate; **—la marcha** to step on the gas

acento accent; voice

acentuar to accentuate, bring out

aceptable agreeable, acceptable

aceptar to accept

acera sidewalk

acerca de about, concerning

acercar to bring near; **—se a** to approach

acero steel

acerrojar to bolt, lock

acertar to succeed, manage

aclaración explanation

aclarar to explain, clarify; to rinse

acodado leaning over

acodarse to lean (*on the elbows*)

acoger to receive, welcome, accept; **—se a** to take refuge in

acolchado muffled

acometer to attack; to undertake

acometida attack
acomodar to accommodate, arrange;
—**se** to get settled
acompañar to accompany; escort
aconsejar to advise
acontecer to happen
acordar to agree (upon), come to an
agreement; —**de** to remember
acorde *m.* chord (*music*)
acordeón accordion
acorralar to surround, corner
acortar to reduce, shorten, cut down
acostarse to go to bed, lie down
acostumbrado usual
acostumbrar to accustom; —**se a** to
get used to
actitud attitude, position
acto action, act
actuación performance
actual present; present-day
actualidad present time or condition; timeliness; **en la—** at present
actualmente at present, now
actuar to go into action, perform
acuciante stimulating
acudir to go; to come; to approach; to
rush; —**a** to come to
acuerdo agreement; **de—con** according to; **ponerse de—** to agree;
tomar el— to agree
acumulación accumulation
acumular to accumulate
acunar to cradle; to rock (*a cradle*)
acuoso watery; cloudy
acurrucar(se) to huddle; to nestle; to
shorten
adecuado adequate; suitable
adelantar to advance; —**se** to lean
forward; to push forward; —**se a**
to anticipate
adelante ahead, forward; **en—** from
now on; **hacia—** ahead, forward;
¡**adelante!** come in
adelfa rose-bay (*a bush*)
ademán *m.* gesture, look, attitude;
hacer—de to make a move to
además moreover, besides

adentro within, inside
adherirse to stick
adiestramiento training, teaching
adiestrar to train; to guide
adiposo fat
adivinar to guess, imagine
adjunto attached; adjunct
admiración admiration, wonder
admirar to admire
admisión admission, acknowledg-
ment
admitir to admit, accept; to permit
adonde where
adoptar to adopt
adoquín *m.* paving stone
adormecerse to fall asleep; to grow
benumbed or torpid
adormecimiento sleepy state, stupor
adormilarse to doze, drowse
adornar to adorn, embellish, decorate
adorno decoration
adquirir to acquire
adueñarse to take control, possession
advertencia notice, warning; observation
advertir to notice, observe; to warn
aéreo air, aerial
aerolito meteorite
afán *m.* desire, zeal; care
afanarse to busy oneself; to be eager
afectar to affect, move
afecto fond; *n.* affection, fondness,
love
aferrar to bind; to grasp; —**se a** to
stick to, hang on tightly
afianzar to support, prop up; —**se**
to hold fast
afición taste, inclination; fondness,
affection
aficionado fan, devotee
afilado sharp, thin, keen
afiladura grinding, sharpening
afiligranado delicate
afiligranar to polish; to work in fil-
igree
afinar to purify, polish

afirmación affirmation, statement

afirmar to affirm, assert; to nod (*affirmatively*); —**con la cabeza** to nod assent

afirmativo affirmative

afligir to afflict

aflojar to loosen, relax, lessen; to let go

afluir to flow, rush

afrenta affront, disgrace

afrontar to confront, face

afuera *adv.* out, outside; *f. pl.* outskirts, environs

agacharse to squat, crouch

agarrotar to bind with ropes; to strangle

agazapado hidden, crouched

ágil agile, quick

agilidad agility

agitar to stir; to shake; to wave; to circulate; to excite; —**se** to get excited

aglutinar to stick or cluster together

agobio oppression, burden; oppressiveness

agolparse to crowd, rush

agonía agony

agonizante dying, fading

agotar to exhaust, drain

agradable agreeable, pleasant

agradar to please

agradecer to thank

agradecido thankful, grateful

agrado pleasure

agrietar to crack, split

agrio sour, sharp, unpleasant

agua water

aguafiestas *m.* kill-joy, spoil-sport

aguantar to suffer, endure

aguardar to wait for, expect

aguja needle

agujerear to pierce; to riddle

agujero hole

aguzar to sharpen

ahí *adv.* there

ahogado oppressed; *n.* drowned person

ahogar to drown; to smother; to squeeze; to choke

ahogo choking

ahora now

ahorcar to hang

ahorquillado forked

ahorros *pl.* savings

aire *m.* air, wind; aspect, manner; **dar**—**con el abanico** to fan

aislamiento isolation; loneliness

aislante *m.* insulator

aislar to isolate

ajuar *m.* housefurnishings

ala wing; brim (*of hat*)

alacena cupboard

alambrada barbed wire

alambre *m.* wire

álamo poplar tree

alargar to extend, to stretch, to lengthen; to hand; —**se** to grow longer

alarma alarm

alarmarse to become alarmed

alba dawn

albañil *m.* mason

albarán *m.* rent sign

alborotar to disturb, agitate

alcance *m.* scope; **al**—**de** within reach of

alcanzar to attain; to reach; to overtake; —**a** to succeed in

alcor *m.* hill

alcornocal *m.* plantation of cork trees

alcornoque *m.* cork tree

alcurnia family lineage

aldaba bolt, latch

aldea village

alegre happy

alegría happiness, joy, gaiety

alejar to move aside, away; —**se** to go off, withdraw

alelado stupified

alemán German

alero eaves; projecting edge

alertar to alert

aletargado lethargic

aleteo fluttering, flapping

alevilla moth

alférez *m.* second lieutenant

alfiler *m.* pin

alfilerazo pin prick

alfombra carpet, rug

alfombrar to carpet

alfombrilla rug

alga pond scum

algarrobo carob tree

algo something

algodón cotton; —en rama raw cotton

algodonoso cottony

alguien someone

algún, alguno any, some, someone, one; alguno que otro an occasional, some or another

aliado ally

aliento breath, breathing; sin— breathless(ly); tomar— to catch one's breath

aligerar to lighten, alleviate, ease

alijo smuggled goods

alimentar to feed; to harbor; —se de to feed on

alimenticio nourishing

alimento food

alisar to smooth out; to iron lightly

alistar to enlist

alita small wing

aliviar to lighten, relieve

alivio alleviation, relief

alma soul

almacén *m.* warehouse, depot

almacenar to store up

almendro almond tree

almohada pillow; cushion

almorzar to have lunch

almuerzo lunch

alocado maddened, wild

alojar to lodge; to quarter

alquilar to hire, rent

alquimia alchemy

alrededor around; —de around; a su— around (someone); *m. pl.* outskirts, environs

altavoz *m.* loudspeaker

alterar to change, alter

alto high; tall; *n.* top; en alta voz out loud; en lo— up high; subido a lo—de perched at the top of

altura height, altitude; tomar— to gain altitude

alud *m.* avalanche

alumbrar to light

aluminio aluminum

alusión allusion

alusivo allusive

alzar to lift up, elevate; —se to rise; to stand; —se de hombros to shrug one's shoulders

allá there; más— farther away, on; más—de beyond

allí there

ama housekeeper; governess

amabilidad kindness, goodness

amable kind; lovable

amanecer to dawn

amapola poppy

amar to love

amargo bitter

amargor *m.* bitterness; sorrow

amargura bitterness

amarillento yellowish

amarillo yellow

amartillar to cock (*a gun*)

amasijo medley, hodgepodge

ambiente *m.* atmosphere, environment, surroundings

ambos both

ambulancia ambulance; field-hospital

amenaza threat, menace

amenazante menacing, threatening

amenazar to threaten, menace

amenguar to diminish

amerengado sweet; *n.* gauze-like material

ametrallador machine gunner; fusil— machine gun

ametralladora machine gun

ametrallar to machine-gun

amigable amicable, friendly

amigo friend

aminorar to diminish, lessen
amistad friendship
amo master, boss
amontonar to accumulate; —se to gather (*as a crowd*)
amor *m.* love
amordazar to gag, muzzle, muffle
amparar to protect, shelter; to help
amplio full, large, roomy
analizar to analyze
anaquel *m.* shelf
anaranjado orange-colored
anarquía anarchy
anárquico anarchic
ancho wide, broad
andaluz Andalusian
andamio scaffolding
andanza fate; act, happening
andar to walk; to go; to proceed; to be; to get along; ¡anda! come on, go on
andén *m.* railway platform
anegar to flood; to drown; —se en llanto to be bathed in tears
ángel *m.* angel
ángulo angle, corner
angustia anguish, distress
angustiado grieved, sorrowful
anilla pin, ring
anillado curly, in curls
anillar to form a ring, circle; —se to walk in a circle
anillo ring, circle
animación animation, bustle
animado animated, excited; inspired
animar to encourage; to drive
ánimo spirit; mind, courage
anochecer to get dark; *n. m.* dusk
anonadar to destroy; to overwhelm; to stupefy
anormal abnormal
ansia anxiety, worry; longing
ansiedad anxiety
ansioso anxious
ante before, in the presence of
anteayer day before yesterday
antebrazo forearm

antemano: de— beforehand, in advance
anterior former, preceding
antes before; rather; —de before; —(de) que before; de— as before
antiaéreo anti-aircraft gun
anticuado antiquated, old fashioned
anticuario antique dealer
antifaz *m.* mask, veil
antiguo ancient, old
antillano Antillean, West Indian
antipático displeasing, disagreeable
antojarse to appear, seem; to strike one's fancy; to imagine
anudar to knot, to join
anunciador announcer; *adj.* announcing
anunciar to announce, proclaim; to advertise
anuncio announcement
añadidura: por— in addition
añadir to add
añicos pieces; hacer— to break to smithereens
año year; —nuevo New Year's Day; el pasado— last year; todos los—s every year
apacible peaceful, mild, gentle
aparato apparatus; machine
aparcar to park
aparecer to appear
aparejador builder; foreman
aparentar to look, seem; to pretend; to look to be
aparición appearance; apparition
apariencia appearance, aspect
apartar to remove; to chase away; —se to withdraw, move away
aparte apart, aside
apearse to get out, get down
apedrear to stone
apego attachment, fondness
apenas hardly, scarcely
apergaminado parchment
apesadumbrado sad(ly)
apetito appetite
apiadarse (de) to have pity on

aplastar   to flatten
aplaudir   to applaud
aplauso   applause
aplicado   fine, laborious
aplicar   to apply
aplomo   tact; self-assurance, poise
apoderar: —se de   to take hold of, seize
apodo   nickname
apolillado   moth-eaten
apoyar   to rest; to support; —se en to lean on
apoyo   support; sustenance
apreciar   to appreciate; to value; to notice
aprender   to learn
aprensión   apprehension, fear
apresar   to capture, seize
apresuradamente   quickly
apresurarse (a)   to hurry (to)
apretado   tight, compact
apretar   to press, squeeze; to clench
apretón   sudden pressure; quick hug; —de manos   handshake
aprisa   fast, quickly
aprobar   to approve; to pass (*courses*)
aprovechar   to make use of; to profit by; —se de   to avail oneself of
aproximar   to bring near; to approach
apuntar   to point at; to point out; to note
apuro   difficulty; need; trouble; sorrow; **estar en un—**   to be in trouble
aquí   here; **por—**   around here, through here
aquilatar   to test; to gild
arabesco   arabesque; elaborate design
aragonés   Aragonese
araña   spider
arañar   to scratch
arañazo   scratch
arbitrario   arbitrary
árbol *m.*   tree
arbusto   shrub
arca   box, chest
arcada   arcade; archway

arcángel *m.*   archangel
arcilloso   earthy, muddy, clayey
arco   arch; bow (*of violin*)
arder   to burn
ardilla   squirrel
arduo   arduous, difficult
arena   sand; **reloj de—**   hour glass
arenisca   sandy bottom; sandstone
arenoso   sandy, gravelly
argumentar   to argue
arlequín   Harlequin
arma   military weapon; —de fuego firearm
armamento   armament
armar   to arm, equip
armario   wardrobe, closet, cupboard; —de luna   wardrobe with a mirror on the door
armazón   frame, case
aro   hoop, circle; napkin ring
aromático   aromatic
arquero   archer
arquitecto   architect
arrancar   to pull out, pluck; to force out; to tear off; to start off
arrasado   satiny
arrasar   to wreck; to fill to the brim; to clear up
arrastrar   to drag, haul, move; to degrade
arrebatado   impetuous, rash; anguished; inflamed
arrebatar   to grab; to snatch
arrebato   fit, tantrum
arredrar   to frighten
arreglar   to arrange, settle, straighten; **arreglárselas**   to manage
arrepentido   a repentant person
arrepentirse (de)   to repent, regret
arriba   up, upward; **boca—**   face upward; **de—abajo**   from head to toe; **para—**   up; **patas—**   upside down
arriesgar   to expose to danger, to risk, venture
arrinconar   to lay aside; to neglect, slight
arrodillarse   to kneel down

arrojar to throw, hurl; to launch
arrojo courage; boldness
arroyo brook, small stream
arruga wrinkle; fold, crease
arrugar to wrinkle; to fold
arrullo cooing
artefacto artifact, object
arteria artery
articulación joint (*of the body*)
arzobispo archbishop
asa handle of cup
asado stew; —**de liebre** rabbit stew
asaetear to pierce
asaltar to assault; —**le a uno una idea** to be struck by an idea
asalto assault
asamblea assembly, meeting
ascender to ascend, mount, climb
ascendiente *m.* ascendancy; influence, power
asediado dazed
asediar to besiege, blockade; to importune
asegurar to affirm, assure; to secure, fasten
asentar to place, seat; to plant firmly
asentir to assent, agree, approve
asesinar to murder, assassinate
asesinato assassination, murder, treachery
asesino assassin, murderer
asfixiar to asphyxiate, smother, stifle
así thus, so, like that; —**como** like, as well as
asiduidad diligence
asiento seat; **tomar—** to sit down
asignatura course, subject
asir to grasp, seize, hold
asistencia attendance; assistance, help
asistente assistant; orderly
asistir to attend; be present; —**a** to witness
asolar to destroy
asomar to show; to stick out; to peep out; —**se** to show up; —**se por** to lean out of

asombrar to astonish
asombro fear; amazement, astonishment
asombroso astonishing
asomo mark, sign
aspas: —**lácteas** milky beams (*of light*)
aspecto aspect, look, appearance
aspirar to inhale; to aspire
astillar to splinter
astronómico astronomical, very high
astuto smart, clever, sly
asumir to assume; to take on
asunto topic, subject matter; business; affair
asustar to frighten, terrify
atajar to cut off; to stop
atajo short cut, interception
atañer to concern, affect
ataque *m.* attack
atar to tie
atareado very busy
atarear to give or assign work to
ataúd *m.* coffin
atenazar to seize
atención attention
atender to pay attention; to take care of
atentado offense; crime; assault
atento attentive; polite, courteous
aterrador frightful, frightening
aterrar to terrify
aterrorizar to frighten, terrify
ático attic
atiza darn it! my gosh!
atizar to rouse, stir up
atleta *m.* athlete
atmósfera atmosphere
atónito astonished
átono atonic, unaccented
atontar to stun, confuse
atormentar to torment
atraer to attract
atrapar to catch, trap
atrás behind, back; **años—** years ago
atravesar to cross, go through
atreverse (a) to dare (to)

atropellado decrepit, sickly
atropellar to trample, knock down;
 — **se** to bump into each other
atribuir to attribute
atribular to grieve
atributo attribute, quality
atuendo show; appearance; apparel;
 grooming
aturdir to stun, amaze, bewilder
auditivo auditory
augurar to augur; to predict
aula classroom
aulaga furze, gorse (*spiny legume
 plant*)
aullar to howl
aullido howl, yelp
aumentar to increase, grow
aun, aún even, yet, still; although;
 — **no** not even
aunque although, even if
aureolar to adorn
auscultar to ausculate; to scrutinize
ausencia absence
ausente absent, distant, far away
autobús *m.* bus
autocar *m.* bus
autómata automaton, robot
automóvil *m.* car
automovilista motorist
autónomo autonomous, free
autor author
autoridad authority
avance *m.* advance
avanzadilla advance group, attackers,
 etc; outpost
avanzar to advance, go forward
ave *f.* bird
avejentado aged prematurely
avellano hazelnut tree, hazel
avenirse (a) to agree (to)
aventura adventure, venture
aventurarse to hazard; to take a risk
avergonzar to shame; — **se** to be
 ashamed, embarrassed
avería breakdown
averiguar to find out, discover
avidez eagerness
ávido eager, greedy

avión airplane
avioneta small plane
avisar to warn, advise, inform
aviso notice, information; announcement; warning
avivar to enliven; encourage; to revive
ayer yesterday
ayudar help
ayunar to fast
azabache *m.* jet
azar *m.* chance; misfortune; **al-**
 by chance, haphazardly; **por—** by
 chance, accident
azote *m.* whip, lash, spanking
azúcar *m.* sugar
azul blue
azulado blue, bluish
azulete *m.* blue hue
azulino bluish

B

baba saliva, slime
baboso drivelling, slavering
báculo staff
bache *m.* bump; rut
bachillerato high school degree
bahía bay, harbor
bailar to dance
bailarina dancer
baile *m.* dance, ball
bajar to descend, come or go down;
 to lower; — **de** to get out of
bajo low; soft; short; *adv.* under-
 neath, below; — **mano** secretly
bala bullet, shot, ball
balancearse to swing
balazo shot, bullet wound; **coser
 a—s** to shoot full of holes
Balboa *a town in the Canal Zone*
balbucear to stutter, stammer; to
 mumble
balcón balcony
balsa pond; raft, float
bambú *m.* bamboo

bancal *m.* field, sand bank; **—en bar-becho** fallow field
banco bench, bank
banda band, group, gang
bandada band, bunch
bandeja tray
bandera flag
banderilla barbed dart (*used in bull-fighting*)
bandido bandit, outlaw
bando side, faction
bandolera: en— slung
bañar to bathe
baño bathroom
baranda railing, bannister
barato cheap
barba beard; *pl.* whiskers
barbecho fallow; **bancal en—** fallow field
barbilla point of the chin
barbotar to mutter
barbudo bearded
barca boat
Barcelona *seaport in northeast Spain*
barcelonés from Barcelona
barco ship, boat
bargueño writing desk
barra fan
barracón barracks
barranco ravine, gorge, cliff
barrer to sweep
barrio district, neighborhood, quarter
barro mud, clay, dirt
barrote *m.* railing, iron bar
base *f.* base, foundation
bastante enough, sufficient
bastar to be enough, suffice
bastón stick, cane
basura rubbish, garbage; refuse
bata bathrobe; dressing gown; dress, suit; **—de colegio** school uniform
batalla battle
batería battery; company
batida search
batir to beat, strike; to rake; to wag (*a tail*); **—palmas** to clap hands
bautizar to baptize

bayeta baize (*a kind of flannel*)
bayoneta bayonet; **calar la—** to fix the bayonet
beber to drink
bebida drink
Belchite *town in northeast Spain*
belleza beauty
bello beautiful
bendición benediction, blessing
bendito blessed
beneficiarse de to take advantage of
beneficio benefit
benéfico benevolent
benévolamente kindly
bengala fireworks
bermejo red
besar to kiss
beso kiss
bestia beast
biblioteca library
bichito little brat, devil (*used affectionately*)
bien well, very; **ahora—** well then; **si—** while, though; **—que** although; **más—** rather
bienamado well-loved
bienestar *m.* well-being
bigote *m.* moustache
billete *m.* ticket, bill
billetito love letter
bisabuelo great grandfather
bizquear to squint
blanco whiteness; target; *adj.* white, pale; **en—** blank
blancura whiteness
blando soft, pliant, tender
blanquear to whiten
blanquirrojo red and white
blanquísimo very white
bloqueo blockade
blusa blouse; shirt
boato showy
boca mouth; entrance; **a pedir de—** as desired; **de—en—** from mouth to mouth; **—arriba** face upward
bocado bite, mouthful
bocanada mouthful; puff (of smoke)
boceto sketch; slide

bocina horn; trumpet
bochorno hot, sultry weather
bofetada slap; **dar una—** to slap
boina beret
bola ball
bólido fireball, shooting star
bolita little ball
bolsa purse, bag; Stock Exchange
bolsillo pocket, purse
bomba bomb; **—de mano** hand grenade
bombardeo bombardment, bombing
bombilla lamp; light bulb
bondad kindness
bonito pretty, cute
boquear to gasp, gape
boquiabierto open-mouthed
bordar to embroider
borde *m.* edge, border
bordear to border, go along the edge of
borla tassel
borracho drunk(ard)
borrador rough copy, rough draft
borrar to eradicate, erase
borroso blurred, muddy
bosque *m.* wood, forest, grove
bostezo yawn
bota boot, shoe
bote *m.* jar, flask
botella bottle
botellín *m.* small bottle
botín booty, loot
botón button; **botones** bellboy, messenger
bóveda vault, dome; arched roof
boxeador boxer
bozo down on upper lip; **sin—** beardless
brasa live coal, ember
brazo arm; **a—partido** hand to hand
brea resin, pitch, tar
bregar to struggle, toil
breve short, brief
breviario breviary, prayer book
brigada brigade, squad; *m.* staff sergeant

brillante brilliant, shiny
brillar to shine, glow, sparkle
brillo gleam, lustre
brincar to leap, jump
brinco leap; hop
brindar to offer, invite; to entice
brisa breeze
brizna fragment; blade (*of grass*)
brochazo brush stroke
broma joke
brotar to sprout, burst forth; to grow
bruces: de— face downward
brújula compass
brumoso misty, cloudy
bruñido burnished, polished
brusco abrupt, rude, blunt
brusquedad brusqueness, abruptness
buche *m.* craw; bag; mouthful
bueno good
buhardilla attic; garret
buhonero peddler
bullicio noise, uproar
bullir to move about, bustle
bumerang *m.* boomerang
buque *m.* ship; **—de guerra** battleship
burbuja bubble
burla joke; deceit, mockery
burlesco burlesque
burlón joking, mocking
busca search, pursuit; **en su—** in search of him
buscar to look for, seek
búsqueda search
butaca armchair
buzón mailbox

C

cábala calculation
caballero gentleman; horseman; nobleman
cabaña hut, hovel
cabecera: libro de— bedside book
cabecilla *m.* gang leader
cabello hair

caber to fit, be fitting; to be possible; to be; **cabe duda** it is doubtful

cabeza head, mind; **—en blanco** empty headed

cabezazo butt (*with the head*)

cabina cab (*front part of a truck*)

cabizbajo crestfallen

cable *m.* cable; wires; chain

cabo end; corporal; leader; **al—** after all; **al—de** after; **al fin y al—** finally; **de—a rabo** from beginning to end

cabriola jump, skip; **hacer una—** to leap, jump

cacahuete *m.* peanut; **semilla de—** peanut

cacería hunt; search party

cacto cactus

cacharro earthen pot; junk

cachear to search

cachivache *m.* broken crockery; stuff

cacho bit; blob

cada each, every; **—cual** each one

cadalso scaffold

cadáver *m.* corpse, body

cadena chain

cadera hip, hip-joint; **escurrido de—s** having narrow hips

caer to fall; **—se** to fall down; **—de rodillas** to fall on one's knees; **dejar—** to drop

café *m.* coffee

caída fall, falling; **—de la tarde** dusk

caja box; case; coffin; **—de caudales** safe

cajetilla pack (*of cigarettes*)

cajita little box

cajón large box, case; drawer

calada spin; rapid flight

calambre *m.* cramp, spasm

calaña type

calar to fix; **—la bayoneta** to fix the bayonet; **—en picado** to dive sharply

calcañar *m.* heel (*of foot*), foot

calcular to calculate, estimate, compute

cálculo calculation, conjecture

caldero kettle, pot; **—del rancho** kettle of rations

calendario calendar

calentar to warm

cálido warm; burning

calificar to describe; to call; to classify

calma calm, silence; **en—** at peace, calm

calmante soothing

calmar to calm, relieve

calor *m.* heat, warmth; **hacer—** to be hot

caluroso warm

callado quiet, silent

callar to be quiet, hush

calle *f.* street

callejuela small street

calloso calloused

cama bed

cámara camera

camarada comrade

cambiante changing

cambiar (de) to change, exchange, shift

cambio change; exchange; **a—de** in exchange for, instead of; **en—** on the other hand

camilla couch

caminar to walk

camino road, path; **—de herradura** horseshoe path

camión truck, lorry

camioneta lorry, small truck; **—de Intendencia** Administration Corps' lorry

camisa shirt, jacket

camiseta undershirt

camisón nightshirt; **—de cintas** nightshirt with ribbons

campamento camp, encampment

campana bell

campanario belfry

campanilla little bell

campaña field; campaign; service; **gafas de—** binoculars

campear to come out; to grow green

campechano good-humored

campesino   peasant
campiña   country, field
campo   field; countryside; a — travieso across country; — de batalla battle-field
camposanto   cemetery
camuflar   to camouflage
canalla   scoundrel
canasta   basket
canción   song
candado   padlock
candelabro   candelabrum
candelaria   Candlemas (*religious feast held on Feb. 2*)
canica   marble; stone; — de vidrio glass marble
canícula   dog days
canónigo   canon
cansado   tired
cansancio   tiredness, weariness
cansar   to tire, get tired
cantahuesos *m.*   heather
cantante   singing
cantar   to sing, crow
cantidad   quantity
cantimplora   liquor-case, flask
canto   song, singing; edge, corner; al— very near
cantueso   lavender (*aromatic shrub of mint family*)
canturrear   to hum
canuto   stick
caña   cane, stalk; sugar cane; reed
cañizal *m.*   cane field; thicket of canes
cañón   barrel of a weapon
capacidad   capacity
caparazón   carcass of a fowl
capaz   capable
capellán *m.*   chaplain, clergyman
capilla   chapel
capitán *m.*   leader, captain
capitanear   to command, lead
capota   hood (*of car*)
capote *m.*   cloak
capturar   to capture, take
capullo   rosebud, cocoon
caqui   khaki

cara   face; cambiar de— to change one's expression; en plena— full in the face
carabina   carbine, rifle
cárabo   large horned owl
carácter *m.*   character, characteristic
caramba   confound it!
carámbano   icicle, shoot
caravana   caravan
carbonilla   coal dust, cinder
carcajada   outburst of laughter; reírse a —s to burst out laughing
cárcel *f.*   jail
carecer (de)   to lack, be in need of
carencia   lack
carente   lacking
careta   mask
carga   load, burden; responsibility
cargador   ramrod
cargamento   cargo, load
cargar   to load; to push; to entrust; to carry; to bother; — contra to attack
cargo   position, job; hacerse — de to get hold of, to realize, to take into consideration, to take over; a su— under their (his, etc.) charge
caribe *m.*   Caribbean
caricia   caress; endearing expression
carillón   chimes
cariño   affection; love
cariñoso   affectionate
caritativo   charitable; hospitable
carnaval   carnival
carne *f.*   meat, flesh
caro   dear, expensive
carraspear   to cough; to clear one's throat
carrera   career; way; course
carreta   long, narrow cart
carrete *m.*   spool
carretera   main road, highway
carretilla   wheelbarrow
carricoche *m.*   covered cart
carro   cart, car, carriage
carruaje *m.*   vehicle, car, carriage
carta   letter
cartapacio   notebook
cartel *m.*   poster

cartelito little sign, label
cartera wallet
cartero postman
cartón cardboard
cartuchera cartridge box, belt
cartucho cartridge
cartulina fine cardboard
casa home; en— at home
casado married person
casar to marry; —se to get married
cascajo gravel
cáscara shell, peel, husk
casco helmet, headpiece; hoof
cascote m. piece of rubbish
casi almost
casino social or political club
caso case; event; opportunity; hacer
—de (a) to pay attention to; en último— in the last resort; hacer—
omiso to omit
casquete m. helmet
castaña chestnut
castañar m. chestnut grove
castaño chestnut tree; hazel
Castellón city on east coast of Spain
castigar to punish
castigo correction; punishment
castillo castle, fort
casualidad chance; por— by
chance
casualmente accidentally, inciden-
tally
catalán Catalonian
Cataluña Catalonia, region in the
north eastern part of Spain
catástrofe f. catastrophe
categoría category, condition, class
cauce m. river bed
caucho rubber
caudal m. wealth
causa cause; a—de because of
causar to cause
cautela caution, care
caverna cavern, cave
caza hunt; salir (ir) de— to go out
hunting
cazador hunter
cazadora hunting jacket

cazar to chase, hunt; to track down
cazo kettle, pot; —de rancho large
pot
cazoleta bowl (of a pipe)
cebrado having stripes like a zebra
ceder to yield, give way; to diminish
cegar to blind
ceja brow, eyebrow
celada jealousy; trap
celda cell
celebrar to celebrate; —se to take
place
celeridad speed
celofán m. cellophane
celos jealousy
celoso jealous
cementerio cemetery
cemento cement
cena dinner, meal
cenar to eat supper; to dine
cenit m. zenith
ceniza ashes, cinders
censura censorship; censure; scru-
tiny
centauro centaur
centelleante sparkling
centenar m. one hundred; a—es by
the hundred; a medio— about fifty
centímetro centimeter (about 0.4
inch)
centinela sentinel, guard
centro center, middle
Centroamérica Central America
ceñir to circle, surround; to fasten
cepillo brush
cera wax
cerca near; —de about, nearly;
—de closely, at hand
cercanía nearness; approach; —s
vicinity
cercano near, close, adjoining
cercar to encircle, surround
cerebro brain
ceremonia rite, ceremony
cero zero
cerrado closed; quiet, reserved;
sharp; brief
cerrar to close; to bar

cerro hill
cerrojo lock, bolt; **poner—a** to lock
certificación certification
cerveza beer
cesar to stop
cese *m.* cease
cetro scepter
cicatriz *f.* scar
cicatrizar to heal
ciego blind, blinded
cielo sky, Heaven
ciencia science; **a—cierta** for sure
cierto certain, true, sure
cifra figure, number
cigarrillo cigarette
cigarro cigarette, cigar
cilindro cylinder
cima summit, top, crest
cimiento foundation
cincuenta fifty
cincuentena about fifty
cine *m.* movie, film
cínico cynic, cynical
cinta ribbon; band; tape; **— de colores** colored ribbon
cinto belt
cintura waist; belt
ciprés *m.* cypress tree
circense circus
circo circus
circuir to surround, encircle
circular to circulate; *adj.* circular
círculo circle
circundar to surround
circunflejo circumflex
ciruela plum
cita quotation; appointment; summons
ciudad city
clamor clamor, shout
claridad clarity, brightness
claro clear, bright; *n.* open space, clearing; **—que sí** of course; **—está** of course
clase *f.* class, kind
clavar to nail, fasten, to fix (*the glance*)
clima *m.* climate; atmosphere
cloro chlorine

coactivo coercive, compulsive
coartada alibi
cobarde *m.* coward
cobertizo shed
cobrar to collect; to recover; to take; to bring down; **—vida** to come alive
cocer to cook
cocina kitchen
coche *m.* car; **—correo** mail truck; **—de línea** bus
cochera carriage house; stable
cochino pig, dirty person
codazo poke with an elbow; **a—s** by elbowing
codicia greed
código code of laws; signal code
codo elbow
coger to take, catch, grasp, seize; to pick up; to gather
cogote *m.* back of neck
coherente coherent
coincidir to concur; to come across
cojear to limp
cojín *m.* cushion
cola tail
colarse to filter through; to sneak in
colcha bedcover; quilt
colchón mattress
colear to wag the tail
colegial student (*at a secondary school*); **colegiala** school girl
colegio school
colérico angry
colgador coat rack
colgadura tapestry, drapery
colgar to hang, suspend; **—de** to hang from
colilla cigar or cigarette butt
colina hill
colmado endowed
colmar to fill up, in; to make up
colmo top; limit; **para—** to top it off
colocar to place; to arrange
colonia colony; **agua de—** eau de cologne; **Colonia** Cologne (*city in Germany*)

color *m.* color; **de—(es)** colored
colorear to color
columna column, support; **cama de —s** poster bed
columpio seesaw
collado height, hill
comandante *m.* commander
comarca province, territory
combate *m.* battle, combat, fighting
combatiente *m.* fighter
combatir to combat, fight
combatividad willingness to fight
comedor dining room
comentar to comment
comentario commentary, explanation
comenzar to begin
comer to eat
comerciante *m.* businessman
cometer to commit
comida meal; food
comienzo beginning; **a(de)—s de** at the beginning of
comino: importar un— to be worth a darn
comisión committee
comitiva retinue, following
como like, as; **así—** like; **¡—no!** of course; **—quiera que** inasmuch as
¿cómo? how?; why?; what?
cómodo comfortable, convenient
compañero companion, friend
compañía companionship; company
compás *m.* time, measure
compensar to compensate for
complacer to please
complaciente ingratiating
completar to complete, finish off
completo complete, entire; **por—** completely
complicar to complicate
cómplice conspirational; *n.* accomplice
complicidad intrigue; cooperation
complot *m.* plot, conspiracy
comprar to buy
comprender to understand, comprehend

comprensión conception; comprehension
comprobar to check, verify
comprometer to compromise, obligate; to commit
compromiso date, meeting, appointment
cómputo calculation
común common
comunicación communication
comunicado communiqué
comunicar to communicate, tell, inform
comunidad community
con with
conato attempt
conceder to concede
conciencia conscience; **a—** deliberately, painstakingly
concienzudo conscientious
conciliador conciliatory
conciliante winning
conciliar to reconcile; **—sueño** to fall asleep
concluir to conclude
concurso contest
condecoración decoration, honor
condecorar to decorate
condenar to damn, condemn
condenatorio condemning; *n.* death
condesa countess
conducir to conduct, lead; to drive (*a car*)
conductor leader
conejo rabbit
confeccionar to make; to sew (*clothes*)
conferir to give, bestow
confesar to confess
confesión confession
confiado confident, secure; trusting
confianza confidence, trust
confiar to rely (on), trust (in); to entrust; to hand over
confidencial confidential
confidente confidant
configuración form
confinar to confine
confirmar to confirm

confluencia crossing, junction; —**de caminos** crossroads
conforme like, as; as soon as
confortable comfortable
confundir to confuse
confuso confused
congestionado out of breath; upset
conjunto ensemble (*music*)
conjuro spell, incantation
conmoción commotion
conmover to move
cono cone
conocer to know, be acquainted with; to recognize
conocimiento knowledge
conque now then; well then
conquistar to conquer
consecuencia consequence, conclusion; **a—de** as a result of
conseguir to get, obtain; to succeed in; to manage
consejo advice
consentimiento consent
consentir to consent, agree
conservar to conserve, keep, preserve
considerar to consider
consigna countersign; order; signal; password
consigo with himself, herself, yourself (—**ves**), themselves
consiguiente consequent
consistir to consist; —**en** to consist of
consola side table
consolar to console
conspiración conspiracy, plot
constar de to consist of
constelación constellation
constituir to constitute, form
construcción construction
consuelo consolation
consultar to consult, look at
consultorio clinic; information bureau
contacto contact, touch, feel
contagiar to infect (with); to corrupt

contar to tell, relate; to count; —**con** to reckon with
contemplación contemplation, minute examination
contemplar to contemplate, examine
contener to contain; —**se** to stop
contenido contents
contentar to satisfy
contento happy, satisfied
continuación continuation
continuar to continue; to remain, stay
continuidad continuity
continuo continual
contorno outline
contorsionar to twist
contra against
contrabando contraband
contradecir to contradict
contraluz view against the light
contraofensiva counteroffensive
contraponer to oppose; to contrast; —**a** to be opposite to
contrariedad disappointment, inconvenience
contrario opposite; **al—con** unlike; **por lo—** on the contrary
contraste *m.* contrast, opposition; **por—** in contrast
contratiempo disappointment; set back
controlar to control, manage
contundente blunt, forceful
convalecer to convalesce
convencer to convince
conveniente suitable, fitting
converger to converge
conversación conversation, talk
conversar to talk, converse
convertibilidad controvertibility
convertir to convert, change; —**se en** to become
convocatoria meeting; summons; decision
convulso convulsed
coordinar to coordinate
copa tree top
copo flake; cotton

corazón heart
cordero lamb
corear to chorus
cornucopia cornucopia, sconce
coro chorus
corona crown; wreath
coronel *m.* colonel
coronilla crown (*of the head*)
corpachón big body or carcass
correa leather strap, belt
correctivo corrective
corredor corridor
corregir to correct
correo mail, post office; **por—** in the mail; **sello de—s** postage stamp; **coche—** mail truck
correr to run; to draw (*a curtain*); to circulate; **—riesgo** to run a risk
correspondencia mail; correspondence
correspondiente proper, suitable
corretear to romp
corrido drawn
corriente current, *n.* current, course; **poner al—(de)** to inform (about)
corro circle, ring
corrompido putrid, rotten
corrupción corruption; pollution
cortar to cut; to interrupt; to break off; **mal cortado** poorly trimmed
corte *m.* break, opening
cortejo entourage; path
cortesía courtesy
corteza bark; outward appearance
cortina curtain; screen
cortinaje *m.* pair of curtains
cortinilla net or lace curtain
corto short, small, brief; **—de vista** short sighted
cosa thing; **gran—** a great deal
coser to sew; **—a balazos** to riddle with bullets
cosquilleo tingle
costa coast; cost; **a toda—** at any cost; **de—** coastal
costilla rib
costra scab

costumbre custom; **de—** as usual (ly)
cotidiano daily
coz *f.* kick
craneano cranial
cráneo skull, head
crecer to grow; to increase
creces *f. pl.*: **con—** in abundance, increasingly
crecido grown up
creciente growing, increasing
crecimiento increase
crédito belief, trust; **dar—** to believe, trust
creer to believe, think
crema cream; **—de calzado** shoe cream
crepitar to crackle
crepúsculo twilight, dusk
cresta crest, tuft
cretona cotton
criado servant
criar to instruct, educate, raise
criatura creature, small child
cribar to pierce; to riddle
crimen *m.* crime
criollo creole
crisantemo chrysanthemum
crispación twitching
crispar to twitch, move nervously
cristal *m.* glass; window pane; looking glass
Cristo Christ
croar to croak (*as a frog*)
cromado chromed
cruce *m.* crossroads; **—de caminos** crossroads
crucero cruise
crudo crude; cruel; rude
crueldad cruelty
crujido creak, crack
crujiente rustling
crujir to creak; to rustle
cruz cross; **Cruz Roja** Red Cross
cruzar to cross; **—se** to meet
cuaderno notebook; **—de deberes** exercise book
cuadrado squared, square

cuadrarse to stand at attention
cuadro picture, scene
cual which, who, as; **el—,la—** which, who
¿cuál? which one? what?
cualidad quality; trait
cualquier(a) *adj.* any; *pron.* any one, some one; **otro—** anybody else
cuán how, how much
cuando when; if; **de vez en—** from time to time
¿cuándo? when?
cuanto all the, all that; whatever; **en—** as soon as, while; **en—a** concerning; **—más . . . tanto mayor** the more . . . the greater
¿cuánto? how much?; *pl.* how many?
cuarto room; **—de baño** bathroom
cubierto (*p.p. of* **cubrir**) covered; **a— de** concealed from; *n.* cutlery
cubo bucket; barrel
cubrir to cover, protect
cucaracha cockroach
cuclillas: en— in a squatting position
cuclillo cuckoo
cuco cuckoo; **reloj de—** cuckoo clock
cuchara large spoon, ladle
cucharadita spoonful
cucharilla little spoon, teaspoon
cuchillo knife
cuello neck, neckline, collar
cuenca wooden bowl; valley; socket (*of the eye*)
cuenco earthen bowl; hollow
cuenta account; bead; **dar—de** to tell; **darse—** to be aware, know, realize; **por mi—** on my own
cuento story, tale; **de—** fairytale
cuerda cord, rope, spring; string (*of musical instrument*); **dar—** to wind up
cuero leather; hide, skin
cuerpo body; corps; **—de Intendencia** Administration Corps; **—a—** hand to hand
cuervo crow

cuesta hill; **—abajo** downhill
cuestión question; matter; problem
cuestionario questionnaire
cuidado concern, care; **al—de** in the care of; **perder—** not to worry; **sin—** without a care
cuidadoso careful
cuidar to care for, look after, mind; **—de** to take care of
culata butt (*of a firearm*)
culatazo kick; blow with butt of rifle
culebrear to twist; to slither
culpa blame, guilt; **echar la—** to blame; **tener la—** to be at fault
culpable guilty
cultivo cultivation; farming
cumplido compliment
cumplir to fulfill; to execute; to obey; to attain
cuneta ditch, gutter
cúpula dome
cura *m.* priest
curandero quack doctor
curar to cure, heal
curiosidad curiosity
curioso curious; *n.* curious person
curso course
curtir to tan, to sunburn
curva curve, bend; **—cerrada** sharp curve
curvado curved
custodia custody, care
custodiar to guard, take care of
cuyo of which, whose

CH

chal *m.* shawl
chamizo half-burned wood
chapotear to slosh; to splash
chaqueta jacket
charanga brass band
charco pool, puddle
charla chat, talk; **de—** talking
charlatán *m.* charlatan
charquita small pool
chascar to make a clicking sound

chato wine cup; glass tumbler; darling

chaval *m.* child, kid

checoslovaco Czecho-Slovakian

chico kid, young man

chicuelo boy

chillar to shriek, scream

chillido shriek, shrill sound, **dar un—** to scream

chillón shrill

chimenea chimney, smokestack

chino Chinese

chiquillería great number of small children

chiquillo kid

chirlo scar on face

chirrido shrill disagreeable sound

chispa spark

¡chist! sh!, shush!

chiste *m.* joke

chocolate hot chocolate (*drink*)

chocho doddering person

chófer *m.* chauffeur, driver

chorro jet; spurt; stream

choza hut, cabin

chumbera prickly pear

churrete *m.* dirty glob

chusco roll; doughnut

D

dado: —que provided, so long as

dalia dahlia

dama lady

damasco damask

daño to damage, harm; **hacer—** to hurt, harm

danza dance

danzar to dance

danzarín *m.* dancer

dar to give; to yield; to strike (*the hour*); to consider, admit; to hit; **—a entender** to make it understood; **—buena cuenta de** to take care of; **—cuenta de** to tell; **—las gracias** to thank; **—le a uno la real gana** to feel like; **—lo mismo** to be the same; **—gritos** to shout; **—un paseo** to take a walk; **—se la**

mano to shake hands; **—se prisa** to hurry; **—se de alta** to be discharged

dardo dart

de of, from, by, to, in

debajo de beneath, under

debatir to debate, discuss; **—se** to struggle

deber ought, must, to have to, be obliged to; to owe; **—de** must; *n. m.* duty, debt; homework

débil feeble, weak

debilidad weakness

decididamente decidedly

decidir to resolve, determine, decide; **—se a** to decide to; **—se por** to decide on

decir to say, tell; **a—verdad** to tell the truth; **es—** that is

declive *m.* descent, slope

decorar to decorate

decoro respect, decency

decurso course

dedicar to dedicate, devote

dedicatoria dedication

dedo finger; toe; **—índice** index finger

deducir to deduce, infer

defecto defect, fault

defender to defend

defensa defense

definir to define

definitivo exact, precise, definitive

deformado deformed

deforme deformed

degradante degrading

dejar to let, allow; to leave; to abandon; **—caer** to drop; **—de** to stop, fail to

delación accusation, denunciation

delantal *m.* apron

delante before, ahead, in front; **—de** in front of

delantero front, foremost

delatar to denounce, accuse, inform against; **—a** to inform on

delegar to delegate, pick

deletrear to spell (out); to tick out

delgado thin, light

deliberar to deliberate, consider
delicado delicate, fine (material)
delictivo criminal
delineante *m.* surveyor
delirio passion; madness
delito crime
demacrado emaciated
demanda request, demand
demás other(s), remaining, rest; **por lo—** furthermore
demasiado too, too much; *pl.* too many
demencia insanity
demonio demon, devil
demostrar to demonstrate, show, prove, explain
denominador denominator
denotar to indicate, show
denso dense, thick
dentro within, in; **—de poco** shortly; **por—** within
depositar to deposit, put
depósito depot; dump; reservoir; tank; **—de cadáveres** morgue
depreciación depreciation
derecha right (side); **a la—** on the right side, right hand, right (direction)
derecho straight, direct; *n.* right; law
derramar to pour, spill out
derribar to demolish, knock down, fell
derrochar to waste
derrumbar (se) to crumble away, tumble down
desabotonar to unbutton
desafiante challenging
desahogarse to console oneself; to give rein to; to unburden
desahuciado discouraged; hopeless
desalentar to discourage, dismay
desalquilado unrented, vacant
desandar to turn back, retrace one's steps
desaparecer to disappear
desaparición disappearance
desaprobador disapproving
desarrollar develop, expand, unfold
desarrollo development

desatar to untie, loosen
desayunarse to have breakfast
desbaratar to destroy; to upset; to thwart
descabellado rash, wild
descabezar: —el sueño to doze off
descalzar to take off (*a shoe*)
descalzo barefoot, shoeless
descampado open space; **zonas de—** open zones
descansar to rest, relax
descansillo landing (*of stairs*)
descanso rest
descarga discharge, shot
descender to get off, get down
descifrar to decipher
descolgar to take down; to knock down
desconcertado disconcerted, confused
desconcierto disorder; confusion; disagreement
desconfiado distrustful
desconfianza distrust; fear; lack of confidence
desconfiar to distrust; to have little hope
desconocido unknown; unrecognizable
descorchado stripped (*of its bark*)
describir to describe
descubierto (*p.p. of* **descubrir**) discovered; uncovered
descubrir to discover; to uncover; to find; to see; to betray; **—se** to remove one's hat
descuidado careless
descuido carelessness
desde since, from; after; **—hace** for (*e.g.,* **está aquí desde hace dos meses** *he has been here for two months*); **—luego** of course; **—que** since
desdeñar to disdain; scorn
desdeñoso scornful; angry
desear to desire, want
desembocar to flow into; to end at
desencadenar to unchain, unleash; to release

desencajado panic stricken
desencanto disenchantment; disillusionment
desenchufar to switch off, disconnect
desenfrenado wild
desengañar to undeceive; disillusion
desengaño disillusion; awakening
desenrollar to unfold, unroll
desentenderse de to pay no attention to
desenvainado unsheathed, exposed to view
desenvoltura ease
desenvuelto careless; easy
deseo desire, wish
deseoso desirous, willing
deserción desertion
desertor deserter
desesperado desperate
desesperar to despair, make hopeless
desgana unwillingness, reluctance
desgarrar to tear, rip
desgracia misfortune
desgraciado unfortunate; shameful
desgranar to shake off; to scatter about
deshabitar to abandon
deshacer to undo, destroy, dissolve
deshojar to strip the leaves off (*a plant or tree*)
desierto deserted, empty; *n.* desert
designar to designate, appoint
desinfectar to disinfect
desistir to cease; to give up
deslenguado shameless, foul-mouthed
deslizar to pass; to slide, glide; to smooth on; to spread; —**se** to slip by, sneak away
deslumbrar to dazzle, daze
deslustrar to dull, tarnish
desmayarse to faint
desmelenado disheveled
desmoronar to wear away
desnudar to undress

desnudez nakedness
desnudo bare, naked; empty
desolación desolation
desorden *m.* disorder, confusion
desordenado disordered, wild
desorientado lost, disoriented
despabilado wide-awake
despacio slowly
despachar to dispatch; to attend to
despacho office, bureau
despanzurrado disemboweled
despectivo depreciatory, scornful
despedida farewell; departure
despedir to emit; to discharge; —**se** to take leave, say good-bye
despegar to open
despeinado dishevelled; trampled
despeinar to dishevel, mess up; to shake
despejado clear
despejar to clear, free
despensa pantry; provisions
despeñarse to go or fall off a cliff
desperdicios garbage, rubbish
desperdigar to scatter
desperezarse to stretch out
despertar to awaken, arouse; —**se** to wake up
despierto (*p.p. of* **despertar**) awake
despintar to take the paint off
desplegar to spread, unfold; to display; to deploy (*troops*)
despoblar to depopulate; to lay waste
despojar to despoil, rob; to strip; —**se** to remove
despojo spoils, plunder; *pl.* debris, remains
desportillado chipped
despreciar to despise
desprecio scorn, contempt
desprender to unload; —**se (de)** to throw off, get rid of
desprendido loosened; disinterested; generous
despreocupado indifferent, carefree
desproveer to deprive of essentials
desprovisto deprived, devoid
después after, afterwards; later

despuntado toothless

destacado outstanding, distinguished

destacar to stand out; to detail (*a body of troops*)

destapar to uncover, take the lid off

destartalado disorderly; shabby

destellar to sparkle, flash

destello twinkle, sparkle

desterrar to banish

destilar to filter, distil; to give out

destinar to destine (*for*)

destino destiny, fate, fortune, doom

destrenzar to unbraid

destripado disemboweled; crushed; smashed

destrozar to destroy, shatter

destruir to destroy, ruin

desvanecerse to faint; to vanish

desviarse to turn toward; to move aside

detallar to detail, relate minutely

detalle *m.* detail, particular

detener(se) to stop, halt; —**se en seco** to stop short

determinar to determine, decide

detonación detonation, noise

detrás (de) behind, back; at the back of

devolver to return, give back, pay back

devorar to devour, gobble up

devuelto (*p.p. of* **devolver**) returned

día *m.* day; —**de Reyes** Twelfth Night

diablo devil, demon

dialogar to converse, talk

diálogo dialogue, conversation

diamantino diamond; hard

diámetro diameter

diantre *m.* devil

diario daily; **a—** daily

dibujante sketcher

dibujar to draw, sketch; to form

dibujo drawing, design, sketch

diccionario dictionary

dictamen *m.* opinion, judgment

dictar to dictate; to prescribe; to suggest

dicha happiness, good luck

dicho (*p.p. of* **decir**) said

dichoso happy, fortunate, lucky

diente *m.* tooth; —**de león** dandelion

diestro able; clever

diferencia difference

diferenciar to differentiate

diferir to delay; to hover; —**se en** to stroke (*one's cheek*)

difícil difficult, hard

difícilmente hardly, scarcely; with difficulty

dificultad difficulty

difundir to diffuse

digno proud; fitting; worthy

dilapidar to expend; to squander

dilatar to spread, dilate, widen

diluir to dilute

diminuto tiny

dinamita dynamite

dinero money

dintel *m.* lintel (*part of a door frame*)

Dios God; —**mío** My God

diplomacia diplomacy

dirección direction, way; **en—a** toward

directo direct, straight

dirigir to direct; to guide; —**la palabra** to speak; —**se a** to go toward; to address

disciplina discipline

disco disk; record

discreto discrete

disculpar to excuse; —**se** to apologize

discurso speech, talk

discusión argument, dispute

discutir to discuss, argue about

diseminado scattered, spread

diseñar to design

diseño design; sketch; outline

disfraz *m.* disguise; mask; **baile de disfraces** masquerade ball

disfrazar to disguise; to conceal

disgustar to displease

disgusto displeasure, aversion

disimuladamente surreptitiously

disimular to pretend; to disguise
disimulo dissimulation, pretense
disipar to dispel, dissipate
disminuir to diminish, lower
disolver to dissolve, melt
disparar to shoot
disparate *m.* foolish remark, non-sense
disparo shot, firing
dispensar (de) to excuse (from)
dispersar to disperse, scatter
disperso scattered
disponer to dispose; to arrange; **—se a** to be about to, get ready to; **—de** to have available
dispositivo device; arrangement
dispuesto (*p.p. of* **disponer**) disposed; ready; fit
disputa dispute, quarrel, argument
distancia distance; **a—** at a distance
distanciado separated, further apart
distanciar to get a distance away
distar to be distant
distinguir to distinguish, discern, make out
distinto distinct, different
distraído absent-minded
distribuir to distribute, divide
disuelto (*p.p. of* **disolver**) dissolved
divertirse to amuse oneself, have a good time
dividir to divide
divisar to perceive, notice, make out
divorciado divorced
divulgar to disclose; to publish abroad
doblar to fold, bend
doble double; *n. m.* double, image
docena dozen; **media—** half-dozen
dócil docile, gentle; obedient
doctrina doctrine
documento document, paper
dolor *m.* pain, ache
dolorido painful, agonizing
dominación domination, rule, authority

dominar to dominate; to stand above; to master
dominó game of dominoes
donativo gift
doncella maid
donde where
¿dónde? where?
doña *title given to a lady*
dorado golden, gilded
dormidito fast asleep
dormir to sleep; **—se** to fall asleep; **—a pierna suelta** to sleep soundly
dormitar to doze, nap
dormitorio bedroom; dormitory
dorso back
dosel *m.* canopy; **cama de—** canopied bed
dotado endowed; talented
dotar to endow
dragón dragon, fabulous monster
dramático dramatic
ducha shower
duda doubt
duela stave (*of a barrel*)
duelo sorrow, grief, trouble
dueña landlady, hostess
dueño master, owner
dulce sweet, pleasant, agreeable
dulzón over-sweet
durante during, for
durar to last
dureza hardness; durability
duro hard, rough, strong

E

e and (*before* **i—** *and* **hi—**)
¡ea! hey!
Ebro *river in northeast Spain*
eco echo
echar to throw, hurl; to put; to expel; to pour; **—de menos** to miss; **—se a** to begin to; **—se encima** to fall upon; **—la culpa** to blame; **—raíces** to take root
edad age, years
edificación building, construction

edificio building, structure
educación education; upbringing
educar to educate
efecto effect; purpose; result; *pl.* assets, goods
efectuar to accomplish, carry out
efigie *f.* effigy, image
efímero short-lived
efusión effusion, intense feeling
egoísmo egotism
egoísta selfish; *n.* egotist
Eibar *city in northern Spain*
ejecución execution; carrying out; performance
ejecutar to execute, perform
ejemplar *m.* sample; copy of a book
ejemplo example; **por—** for example
ejercicio exercise; practice; drill
ejército army
elaborar to make, manufacture; to hatch (*plans*)
elección election; selection
elefante *m.* elephant
elegir to choose, pick
elemento element
elevado high; elevated
elevar to raise, lift
eliminación elimination
eliminar to eliminate, do away with
elogio praise
eludir to evade, elude, dodge
embadurnado smeared
embajador ambassador
embaldosar to pave
embalsamar to embalm; to perfume
embarazo embarrassment, pregnancy
embargo: sin— nevertheless
embellecer to embellish, beautify
embobar to enchant, fascinate
embolsillar to pocket
emboscada ambush; **tender una—** to set an ambush
embozar to cover (*the face*)
embriagar to intoxicate
embrollar to entangle, confuse; **—se** to get mixed up

embuste *m.* lie, deceit
embustero liar, cheat
emisario messenger
emisión broadcast
emisora broadcasting station
emitir to emit, give out, let go; to broadcast
emoción emotion
empalagoso tiresome; sickening
empañar to tarnish; to blur; to blot out
empapar to soak, drench
emparrado vine, arbor
empellón push, shove
empeñar to persist; to insist
empeño insistence; persistence
empeorar to worsen
empequeñecer to diminish, make smaller
empezar to begin
emplazamiento location, site
empleado employee
emplear to use, employ
emprender to undertake, to engage in; **—la con** to squabble with
empresa undertaking
empujar to push, shove
empuñar to clutch, grasp, grip
en in; at, on, to; **—seguida** immediately
enamorado sweetheart; **cartas de—** love letters
enamorarse to fall in love
enano dwarf
enarcar to arch
encadenarse to be linked together
encaje *m.* lace
encajonar to squeeze in, wedge
encaminarse to be on the way; to take (*the road*); to go (*toward*)
encantado delighted
encantador delightful, charming
encanto charm; enchantment, spell
encaramarse to lift oneself up; to climb over; to get on top
encararse con to face, confront
encargado in charge; *n.* person in charge

encargar to entrust, put in charge of; **—se (de)** to take charge (*of*), see after

encarnizado furious; bitter

encender to light; to set on fire; to turn on (*a light*)

encendido lighted; burning

encerrar to shut in, confine, contain

encía gum of the mouth

encierro confinement

encima over, above; **(por)—de** above, over, on

encina evergreen oak

encinar *m.* oak grove

enclenque sickly; weak

encoger to contract, shrink; **—se de hombros** to shrug one's shoulders

encontrar to meet, encounter, find; **—se** to feel, to be; **—se con** to meet, find

encorvarse to hunch over

encrucijada crossroads, intersection; **—de caminos** crossroads

encuadrar to frame; to overshadow

encuentro meeting; **ir (correr, salir) al—de** to go, run to see, meet

encharcado flooded; full of puddles

endeble weak, frail

endemoniado fiendish, devilish

enderezar to straighten; to set right

endiablado devilish

endilgar to direct; to let go; to start

endurecerse to harden

enemigo enemy

enérgico energetic

enésimo nth, umpteenth

enfermar to fall ill

enfermería infirmary, hospital

enfermero nurse

enfermizo sickly

enfermo sick, ill

enfilar to file through; to straggle along; to go down, go up

enflaquecer to grow thin

enfrascarse to become absorbed

enfrentarse: —con to face

enfrente (de) opposite, in front; **de—** across (*the street*)

enfriarse to cool down, cool off

enfundar to put into a case (*as a pillow*); to sheathe; to stuff

enfurecer to infuriate, enrage

engalanar to adorn, bedeck

engañar to fool, deceive

engaño deceit; falsehood

engendrar to produce, beget, breed

englobar to enclose, include

engolado swallowed up

engrosar to enlarge, increase

enguirnaldar to garland, bedeck

engullir to swallow up, gobble

enharinar to cover with flour

enjambre *m.* swarm

enjaular to jail; to encage

enjuagar to rinse

enjugar to wipe, dry

enlace *m.* connection; liaison; messenger

enlazar to lace; to link

enloquecido crazy

enmarañar to tangle, get tangled

ennegrecido blackened; darkened

enorme enormous, huge

enramada grove; shelter made of branches

enrarecer to become less dense; to become scarce

enredadera vine

enrejado barred

enriquecer to become rich

ensalmo spell

ensayo rehearsal; test; attempt

ensenada small bay, inlet

enseña standard, flag

enseñar to show; to teach; to point out

enseres *m. pl.* implements; effects; articles

ensombrecido darkened

ensordecer to deafen

ensueño dream; daydream

entablar to start, initiate, begin

entender to understand; **dar a—** to

make it understood; —**se con** to get along with

enterar to report, inform; —**se de** to learn about

entero full, entire; **por**— entirely

enterrar to bury

entierro burial

entonar to sing in tune

entonces then, so

entornar to half close (*the eyes*)

entrada entry, entrance

entrañas heart; innermost part; entrails

entrar to enter

entre between, among

entreabierto half-way open

entrecortado intermittent, faltering

entrecruzado crossed

entrega delivery, surrender

entregar to deliver, to hand over; —**se a** to devote oneself to

entrelazado interlaced

entretanto meanwhile

entretejer to intertwine; to weave

entretener to amuse, entertain; to while away (*the time*)

entrever to glimpse; to guess, suspect

entreverado (de) camouflaged (*with*)

entusiasmo enthusiasm

entusiasta enthusiastic

enunciar to utter; to state

envejecer to grow old

enviar to send

envidiar to envy

envoltura wrapping, cover, covering

envolver to clothe, wrap

envuelto (*p.p. of* **envolver**) tied up, wrapped

enzarzarse to get involved in a dispute

época time, period; **por aquella**— at that time

equilibrio equilibrium, balance

equilibrista balancer, tight-rope walker

equipaje *m.* luggage, baggage

equipo outfit; equipment

equis *f.* x (*the letter*)

equivaler to be equal, be equivalent

equivocarse to make a mistake

erguido erect, straight

erguir to erect, stand up straight

erizarse to bristle, stand on end

erizo hedgehog; thistle

erupción blemish

esbozar to outline; to sketch; to make (*a gesture*)

escabullirse to slip away, sneak away

escalafón hierarchy; army list

escalar to scale, climb

escalera staircase, stairs

escalinata stone stairway

escalonado graded

escama scale (*of fish*)

escamoso scaly

escapar to run away; to escape

escape *m.* escape; leak; rush

escaquear to make quick moves (*as in chess*)

escarabajo scarab, black beetle

escarcela hunting bag

escarmentar to take warning

escasez need, scarcity

escaso scant; short; low

escena scene, incident

escenario stage; setting; scene

esclarecer to brighten; to explain

esclavo slave

escoba broom

escocer to irritate

escoger to select, choose

escolar (*pertaining to*) school

escoltar to escort; to guard

escollera rocks jutting out of sea

escombro debris, rubbish

esconder to hide, conceal

escondrijo hiding place

escopeta shotgun

escote *m.* low neckline (*of a dress*)

escribiente secretary, clerk

escribir to write

escrito (*p.p. of* **escribir**) written

escritorio desk

escritura contract, bond; handwriting
escrúpulo scruple
escuadra squad, squadron, group
escuálido emaciated
escuchar to listen
escudilla bowl
escudo shield
escuela school, schoolhouse
escueto free, bare, plain
esculpir to sculpt; to carve
escupir to spit
escurrido narrow-hipped
escurrir to slip out of; —**se (a)** to escape (*from*)
esencia essence
esfera sphere; dial (*of watch*)
esforzarse (en, por) to make an effort (*to*), try hard (*to*)
esfuerzo effort, endeavor
esfumar(se) to disappear, vanish
esgrima fencing (*art*)
esmaltar to enamel
esmalte *m.* enamel
esmerarse to take great care
espaciarse to become fewer
espada sword
espalda back, shoulders; **a la**— on one's shoulders; **de**—**s a uno** with one's back turned to someone; **vuelto de**—**s** with one's back turned
espantapájaros *m.* scarecrow
espanto fright, fear
espantoso fearful, dreadful
esparcido spread, scattered
especial special
especie *f.* kind, class, sort
espectáculo spectacle; **sala de**—**s** auditorium
espectro spectre, ghost
especulación speculation
especulador speculator
espejar to mirror, reflect
espejillo small mirror
espejismo mirage, illusion
espejo mirror; —**de aumento** magnifying mirror

espejuelo small looking glass
espera hope; waiting; **en**—**de** waiting for; **sala de**— waiting room
esperanza hope, expectation
esperar to hope; to wait for; to expect
espesar to grow thick
espeso thick, heavy
espesura density, thickness; thicket
espetar to transfix; to spring something on someone
espía *m.* spy
espiar to spy on
espiga spike (*an ear of grain*)
espigado tall, grown
espinilla black head, acne
espíritu *m.* spirit; soul, courage
espléndido splendid
esplendor splendor, glory
espolear to spur on
esponja sponge
esposo husband
espumadera sieve
espumeante foamy, foaming
espumoso foamy
esquelético very thin
esqueleto skeleton
esquemático schematic
esquina corner
establecer to establish, ascertain
establecimiento establishment
estacada predicament
estación season; station
estacionar to park (*a car*)
estadillo report
estadística statistics
estado state, condition; —**mayor** military staff
estafar to trick, swindle, defraud
estallar to burst
estampa mark, stamp; **libro de**—**s** album
estampar to print, stamp; to impress
estancar to check, stop
estancia room; stay
estanque *m.* pond, pool, reservoir
estante *m.* shelf

estaño tin
estar to be; **—a** to be about to; **—bien** to be all right
estatua statue; **de—** statuesque
estatura stature, height (*of a person*)
estatuto statute, law
estela track
estibador longshoreman
estilo style; **algo por el—** something like that
estimar to esteem; to think
estirar to stretch, stretch out across; to tug at; **—la pata** to kick the bucket
estival *adj.* summer
estómago stomach
estorbar to hinder, annoy, obstruct
estorbo hindrance, obstruction
estornudar to sneeze
estrabismo cross-eye
estrago damage; havoc
estrangular to choke, strangle
estrechar to stretch out; to grasp; to hug; **—se las manos** to shake each other's hands
estrecho narrow; tight; *n.* narrow channel, passage
estrella star
estrellar to shatter, dash to pieces
estrellita little star
estremecer to shake, tremble, shudder
estremecimiento trembling; shock
estrepitoso noisy
estribo running-board (*of car*)
estropajo brush or rag for scrubbing
estropear to spoil
estructura structure
estrujar to crush; to rumple, crumple
estuche *m.* case, box
estudiado deliberate
estudiante student
estudiar to study
estudio study
estupefacto stupefied, dumbfounded
eterno eternal, endless

etiqueta tag, ticket
etiquetar to tag, label
eucalipto eucalyptus (*kind of tree*)
europeo European
evacuación evacuation
evacuar to evacuate
evadir to escape, elude
evaporar to evaporate, scatter
evasión evasion, escape
evasiva evasion
evidencia evidence
evidenciar to make evident, show
evitar to avoid, shun
evocar to evoke, bring back
evolución evolution; change (*in plans*)
evolucionar to evolve; to perform (*maneuvers*)
exaltar to exalt; to excite
examen *m.* examination
exangüe weak; lifeless
excavar to excavate, dig
excepción exception; **a—de** except for
excesivo excessive
excitado excited, aroused
exclamar to exclaim, cry out
excluir to exclude, shut out
exclusión exclusion; rejection
excremento excrement
excursión excursion, outing
excusa excuse
excusado reserved, set apart
excusar to excuse; **—se** to apologize
excuso: —decir needless to say
exhalar to exhale; give off
exhibir to exhibit, show (*off*)
exigir to demand, require
eximir to exempt
existencia existence
existir to exist; to be
éxito sucess
expedición expedition
experiencia experience; experiment
experimentar to experience, undergo; to feel
experto expert, skillful

explicación explanation
explicar to explain
explosivo explosive; *n. pl.* firecrackers
explotar to exploit, use
exponer to expose; to explain
exposición explanation
expresamente on purpose
expresión expression, look
expulsar to expel, push out
exquisito elegant
extender to extend, stretch out
extensión extension, length
extenso extensive
exterior outside, exterior
exterminar to exterminate
extinguir to extinguish
extraer to extract; to figure out
extranjero foreign(er); **al—** abroad
extrañar to surprise; **—se** to wonder
extrañeza strangeness, peculiarity
extraño strange, foreign, *n.* stranger
extraordinario extraordinary
extravagancia extravagance
extraviarse to be led astray
extravío misconduct
extremadamente extremely
Extremadura *region in western Spain*
extremo extreme; *n.* end

F

fábrica factory
fabricación manufacture
fabricar to make, manufacture
faccioso rebellious; *n.* rebel
fácil quick, easy
facilidad ease
facilitar to facilitate; to provide
fachada façade
fajo wad, bundle
falda shirt, petticoat
faldón shirttail, coattail
falso false; **en—** false
falta lack; error; **hacer—** to be necessary
faltar to lack; to be missing

fallar to fail, miss; to be lacking; **—se** to put into effect
fallecer to die
familia family
familiar related
familiarmente familiarly, easily
fango mire, mud
fantasía fantasy, fancy
fantasma *m.* ghost; shadow
fantoche *m.* puppet; **—de trapo** rag doll
fardo burden, bundle
faro light house; beacon; headlight
farolillo lantern
fascinar to fascinate, bewitch
fascista Fascist
fase *f.* phase
fastidiar to annoy
fastidioso annoying
fatalmente unfortunately, fatally
fatiga fatigue, weariness
fatigar to tire, fatigue
fauces *f. pl.* fauces (*cavity at the back of the mouth leading to pharynx*)
favor *m.* favor; **por—** please
favorecer to favor, help
faz *f.* face; aspect
fe *f.* faith, trust
febril feverish
fecha date
fechar to date
felicitación congratulation
felino feline; **de—** cat-like
feliz happy
fenómeno phenomenon
ferocidad ferocity
feroz ferocious
fértil fertile; productive
festejar to celebrate
festejo feast, entertainment, festivity
feto fetus
ficha counter
fichero file, folder
fieltro felt; **sombrero de—** felt hat
fiero fierce; ferocious, wild
figura figure, face
fijapelo hair tonic

fijar to fix, fasten; to decide; **—se en** to notice
fijo fixed, concentrated
fila row, line; file; **en—** in a row
filtrar to filter; to penetrate
fin *m.* end; aim; **al—** at last; **al—y al cabo** after all, finally; **a—de** in order to; **en—** in short; **por—** finally
finanzas finances
finca house, land, estate; plantation
fingir to imagine; to pretend
fino fine, pure, delicate
firma signature
firmamento sky
firmar to sign
firme firm; solid; hard
firmeza firmness
físico physical; *n.* appearance
flaco thin
fleco fringe
flecha arrow
flojo loose; weak
flor *f.* flower, blossom
floreciente flourishing
florecita little flower
florero flowerpot, flower vase
florido full of flowers
flotante light-headed, dizzy; floating
flotar to float
foco source, center; light bulb
fogata blaze, bonfire
fogón fire; cooking stove
follaje *m.* foliage
fonda inn
fondo depth, bottom; background; back; **a—** thoroughly; **en el—** basically
fonógrafo phonograph
forcejear to struggle, strive
forjar to forge; to think up
forma form; manner, way; **de—que** so that; **en—de** in the manner of
formar to form; to educate, train
forrar to line, cover
forro backing, lining, inside
fortalecer to strengthen
fortaleza strength

fortín *m.* small fort
fortuna fortune; luck
forzar to force, force out
forzosamente necessarily
fosa grave
foso moat, ditch
foto *f.* photo
fotografía photograph
fotográfico photographic
fracasar to fail
fracaso failure
frágil fragile; weak
fragilidad weakness
fragmentar to break, divide
fragmentario fragmentary
fragmento fragment
fraguar to forge; to plot; to hatch
francés French
Francia France
franco frank, candid
franquearse (a, con) to disclose one's thoughts to
frasco flask, bottle
frase *f.* sentence; phrase
frasquito small flask
frecuencia frequency
frecuentar to frequent
frecuente frequent
fregadero sink
frenar to stop, brake (*a car*)
frenético mad, frantic
freno brake; restraint
frente *f.* brow, forehead; *m.* front (*in war*); **al—** in charge, at the head; **—a** opposite, facing
fresco fresh, cool; fresh air; **tomar el—** to get fresh air
frío cold
frontera frontier, border
frontón gable (*over door or window*)
frotar to rub
fruto fruit; result
fuego fire, flame; **hacer—** to shoot at; **pegar—** to set fire
fuente *f.* fountain, spring of water; source
fuer: a—de as a

fuera outside, out; **de—** on the outside
fuerte strong
fuerza force; strength; *pl.* troops; **—pública** police force; **a—de** by dint of
fugaz brief, fleeting
fugitivo brief; *n.* fugitive, refugee
fulano: —de Tal John Doe
fumar to smoke
fumigación smoke
funcionar to function, work
funda cover; pillowcase
fundirse to fuse, melt together
furia anger, rage
furriel *m.* quartermaster
fusil *m.* gun, rifle; **—ametrallador** machine gun
fusilar to shoot
fustigar to whip; to burst out at
futuro future

G

gacela gazelle
gafas glasses; goggles; **—de campaña** field goggles
galante polite, courteous
galaxia galaxy
galería gallery; terrace; back porch
Galicia *region in northeast Spain*
galopar to gallop
gallardete *m.* pennant, streamer
gallego Galician
galleta cookie, biscuit
gallina hen; chickenhearted person
gallo rooster
gana desire; **darle la (real)—a uno** to (*darn well*) please someone, feel like; **tener—s de** to feel like
ganancia profit
ganar to win, gain; to earn; **—se la vida** to earn one's living
gandula easy chair
garaje *m.* garage
garantía warranty, guaranty, security
garbanzo chick pea

garfio hook; claw
garganta throat
garra claw
gasa gauze; very fine cloth
gaseosa carbonated drink, soda
gasolina gasoline
gastar to spend; to use
gasto waste; spending, outlay
gatillo trigger (*of a gun*)
gato cat
gaviota gull
gemelos binoculars; **—de teatro** opera glasses
gemido groan, moan
gemir to moan
generoso generous
genio genius
gente *f.* people
gentil kind, nice, polite; gallant
geografía geography
geométrico geometric
geranio geranium
Gerona *city north of Barcelona*
gerundense of Gerona
gesticular to gesticulate; to make grimaces
gestión action, measure, step; **hacer gestiones** to take steps
gesto gesture, look, appearance
gigante huge; great; *n. m.* giant
gigantesco gigantic
gigantón giant
gimnástico gymnastic
girar to turn; to revolve
girasol *m.* sunflower
giratorio revolving; swivel
giro turn, gyration, draft
globo balloon
glorieta summer house; arbor
glotonamente gluttonously
gobernador governor
gobierno government
golondrina swallow
golosina candy
golpe *m.* blow, stroke, knack; **—de mano** surprise attack; **de—** at once, suddenly
golpear to strike, hit, beat

goma rubber; glue; eraser; rubber band; **de—** made of rubber
gordezuelo chubby, pudgy
gordura fatness, corpulence
gorra cap; **—de plato** garrison hat
gorrión sparrow
gorro cap; bonnet
gota drop
gotera leak, drip
gozne *m.* hinge
grabado picture
grabar to engrave; to record
gracia grace, gracefulness; **hacerle— a uno** to amuse; **tener—** to be amusing
gracias thanks; **dar las—** to thank
grácil delicate
gracioso pleasing, funny
grado degree; percent
graduable adjustable
grajo jackdaw (*bird similar to crow*)
gramática grammar
gramo gram
granada grenade, shell
grande (gran) large, big; great
granítico hard, granite
grano grain; pimple
grasa grease
grava gravel
grave weighty; serious
gravedad seriousness; dangerousness; **con—** seriously
graznar to croak, caw
graznido croaking; screech
grifo tap, spigot
gris grey
gritar to shout, yell, scream
griterío shrieking, yelling
grito shout, scream; **a voz en—** screaming; **dar—s** to shout
grotesco grotesque
grueso thick, fat; *n.* thickness
grumete *m.* cabin-boy
gruñido grunt, growl
gruñir to grumble
grupo group, gang
gruta cavern, grotto
gualdo yellow, gold

guante *m.* glove
guapo handsome, nice; courageous, bold, daring; gay
guardabarros *m.* mudguard, fender
guardar to keep, protect; to guard
guardia guard; **en—** on guard; **montar—** to stand guard
guardián *m.* guardian
guarida den, lair
guarnición garrison
Guecho *town in northern Spain*
guerra war; **hacer—s** to play war
guerrera battledress; military jacket
guía *m.* guide; *f.* point (*of a moustache*)
guiar to guide, lead; to drive
guijarro cobblestone
guinda sour cherry
guiños wink; **hacer—** to wink
guisa way, manner; **a—de** like; **de esta—** in this way
guisado stew
guiso roast
guitarra guitar
guripa *m.* soldier (*slang*)
gusano worm
gustar to please, like
gusto pleasure; whim; taste
gutural guttural

H

haber to have; *n. m.* credit, side; **—de** to have to, must; **en su—** to his credit; **hay que** one must
habilitar to equip; to set up
habitación room; living quarters
habitante *m.* inhabitant
habitar to inhabit
habitual usual
hablar to speak, talk
hacer to make; to do; to cause; to be + *expressions of weather*; **hace** + *expressions of time* ago; **—se** to become; **—de** to work, act as; **—gracia** to amuse; **—la pascua** to make fun of; **—coro** to chime in; **—pregun-tas** to ask questions; **—caso a (de)**

to pay attention to; **—se cargo de** to take charge of

hacia toward(s); **—adelante** forward

hachazo blow with an axe; **a—s** with an axe

hada fairy

halagar to flatter, to please

hallar to find; **—se** to be

hamaca hammock

hambre *f.* hunger, appetite

hambriento hungry

harapiento tattered, ragged

harina flour; **—de maíz** corn meal

harto full; fed-up

hasta until; up to; as far as; even; **—que** until

hatillo small bundle, knapsack

haz *m.* face; beam (*of light*)

haza clearing; tillable land

hazaña exploit, achievement

hechizo enchantment

hecho (*p.p. of* **hacer**) done, made; composed; *n.* deed; event; fact

helado cold; icy

helar to freeze

helecho fern

hendidura fissure, crack

heredero heir

herida wound, injury

herir to hurt, injure, wound

hermana sister

hermano brother

hemorragia hemorrhage

héroe *m.* hero

heroico heroic

heroísmo heroism

herradura horseshoe; **camino de—** bridle path

herrumbroso rusty

hervir to boil

heteróclito miscellaneous, strange

heterofón a kind of gramophone

hierba grass, herb

hierbajo weed; herb

hierro iron

higo: —chumbo prickly pear

hijo son

hilar to spin

hilera file, row, line

hilo thread; linen

himno national anthem

hincar to thrust in, drive in; **—la rodilla** to kneel down

hinchar to swell; to inflate

hipar to hiccup; to whimper

hipo hiccup, whimper

hipotecar to mortgage

histérico hysterical

historia story, tale; account

histrión actor; clown

hito: de—en— fixedly

hogar *m.* home; hearth

hoguera bonfire

hoja leaf, blade (*of grass*); sheet (*of paper*)

hojalata tin; **tapones de—** tin bottletops

hojarasca dead leaves

hojear to leaf through

hombre *m.* man; **—de bien** honest, good man

hombrera epaulette

hombro shoulder; **al—** on one's shoulder

hondo deep, profound; *n.* depth; bottom

hondonada ravine; lowland

honrado honorable, honest

hontanar *m.* brook; place abounding in springs

hora hour, time; **a esas—s** at this time; **a primera—** at dawn

horario schedule

horizonte *m.* horizon

hormiga ant

hornacina niche

horno furnace, oven

horrorizar to horrify

hospitalidad hospitality

hostigar to lash; to trouble, harass

hostil hostile

hoy today

hucha money box; nest egg

hueco hollow; vacant; *n.* hollow; opening; interval

huelga strike
huella trace, track, mark
huérfano orphan
hueso stone, bone
huevecillo small egg
huevo egg
huida flight, escape
huir to flee, run away
hule *m.* oil cloth
humano human
humeante smoking, steaming
humear to smoke
humedecer to moisten, wet
húmedo humid, damp
humilde humble, meek
humillar to humiliate; to degrade, crush
humo smoke, fume, vapor
humor *m.* mood, humor
hundir to sink; to dip; to plunge; to destroy; —se to plunge
huracán *m.* hurricane
huracanado of hurricane proportions
huraño unsociable, unmanageable
hurgar to pick at; to poke
hurtadillas: a— stealthily
hurtar to flee; to evade
husmear to smell out; to pry into

I

ibicenco *inhabitant of Ibiza*
Ibiza *one of the Balearic islands*
idealismo idealism
identificación identification
identificar to identify
idioma *m.* language, tongue
iglesia church
ignorancia ignorance
ignorar not to know, to be unaware
igual equal, like, same; —que like, as; de—a— like an equal
iluminar to light up; to clarify
ilusión illusion
ilustrar to illustrate, explain
imagen *f.* image, stature, figure
imaginar to imagine; to figure out
imbécil imbecile, stupid

imborrable indelible
imitar to imitate
impaciencia impatience
impacientar to make impatient
impaciente impatient
impacto impact, hard blow
impedir to hinder, impede, prevent
imperar to rule; to command; to dominate; to prevail
imperdonable unpardonable
impermeable waterproof
implacable implacable, relentless
implicar to imply; to involve
implorante entreating
imponer to impose; —se a to dominate, get the best of
importancia importance
importar to concern, to matter; to be important
importe *m.* amount
imposibilidad impossibility
imposibilitado helpless, incapacitated
impotencia impotence, inability
impotente powerless
imprecación curse
impreciso vague
impregnar to impregnate
impresión impression
impresionar to impress
imprevisto unforeseen, unexpected
imprimir to press
improbo arduous
impropio unsuited; unusual
improvisar to improvise
improviso: de— suddenly
imprudencia imprudence, indiscretion
impulsar to impel, move
impulsivo impulsive
impulso impulse
inacabable interminable, endless
inadvertido unseen, unnoticed
inanimado inanimate, lifeless
incansable untiring
incapaz incapable
incendiar to set on fire
incendio fire

incesante unending, ceaseless
incidencia incidence, accident
incidente *m.* incident
incierto uncertain, hazy
incisión cut, gash, notch
incisivo keen, sharp
incitación encouragement; impulse
incitar to incite
inclinación inclination; nod; slant
inclinar to incline; to bend; to bow; —**se** to bend down, over
incluir to include
incluso including, even
incomprensible incomprehensible
inconcebible inconceivable
inconfesable that which cannot be confessed
inconfundible unmistakable
inconsiderado inconsiderate
incorporarse to sit up, get up; —**a** to become part of
increíble unbelievable
inculcar to instill, impress
incursión inroad, raid; excursion
indagar to inquire about, investigate
indeciso undecided, indecisive
indefinible indefinable, vague
indefinido indefinite
independencia independence
independiente independent
indiano nabob, Spanish American
indicación hint; indication, sign
indicar to indicate, point out
indicativo indicative, guiding
índice *m.* index; **dedo—** index finger
indiferencia indifference
indigestarse to have indigestion
indio Indian
indiscreción indiscretion
indispensable indispensable
indispuesto sick, cross
individuo individual
índole *f.* disposition; temper
indolente lazy, indifferent
inducir to persuade; to lead
indudable certain, doubtless
inepcia ineptitude

inercia inertia
inerme unarmed
inerte inert; dull; slow
inesperado unexpected, unforeseen
inexcusablemente necessarily
inexpresivo expressionless
infancia childhood
infantil infantile
inferior lower; —**a** less than
infestar to infect; to infest
inflamar to inflame
influible easily influenced
información information
informar to inform, tell
informativo informative
informe shapeless; *n. m.* report; *m. pl.* news, information
infructuoso useless, fruitless
infundir to instill, inspire with
infusión inspiration; a drink
ingeniar to conceive, devise; to invent
ingenio skill, cleverness; talented person; sugar plantation; sugar mill
ingenioso ingenious, clever
ingenuo innocent, naive
inglés *m.* English; *n. m.* Englishman
ingresar to enter; to join
inhóspito inhospitable
inhumano inhuman
inicial *f.* initial
iniciar to begin
iniciativa initiative
ininterrumpido uninterrupted
injusto unjust
inmediaciones environs
inmediato immediate, close; **de—** immediately
inmenso immense
inmóvil immovable, motionless
inmovilidad stillness
inmovilizar to paralyze; —**se** to remain motionless
inmundo filthy
inmutarse to wince; to lose one's calm
innumerable countless
inofensivo harmless

inolvidable unforgettable
inquietarse to be disturbed, get worried
inquieto restless; worried
inquietud uneasiness, restlessness
inscribir to inscribe, register; —**se** to enlist
inscripción inscription, marking
inscrito (*p.p. of* **inscribir**) enrolled
insecto insect
insignia insignia, medal, decoration
insignificante insignificant
insípido tasteless
insistir to insist
insólito unusual, unaccustomed
insoportable unbearable
inspeccionar to inspect; to scrutinize
inspirar to inspire; to instill
instalar to install; to settle
instantánea snapshot
instantáneo sudden
instante *m.* moment; **al**— at once
instintivo instinctive
institución institution
instituto institute, school
instrucción instruction
instruir to instruct
insultar to insult
intacto intact, untouched
intemperie *f.* inclement weather; **a la**— unsheltered, in the open air
intempestivo inopportune
inteligencia intelligence, understanding
inteligente intelligent
intención intention, design
intencionado inclined, disposed
intendencia garrison; Army headquarters; **cuerpo de**— Administration Corps; **edificio de**— administration building
intenso intense, strong
intentar to try, attempt; to mean
intento intent, purpose; attempt
intercambiar to interchange
intercambio interchange
interés *m.* interest
interesante interesting

interesar to interest
interior interior, inner; **en su**— inwardly
internarse to go into; to take refuge
interno internal
interponerse to go between
intérprete interpreter
interrogación interrogation
interrogante questioning
interrogar to question, interrogate
interrogatorio interrogation
interrumpir to interrupt, break off
intervalo interval
interviuar to interview
intimidar to frighten; to embarrass
íntimo intimate, innermost
intrigar to intrigue
introducir to introduce, conduct, usher in; —**se** to enter
intruso intruder
intuir to intuit; to guess
inundar to inundate, flood
inútil useless
inutilizar to disable, to render useless
invadir to invade
inválido invalid, crippled
inventar to invent
inventiva inventiveness
invento invention
invernadero hothouse
inverosímilmente unbelievably, incredibly
inverso inverted; opposite; **a la inversa** the other way around
invierno winter
invitar to invite
invocar to invoke
inyección injection
inyectar to inject
ir to go; —**a** to be going to; **vamos** come on; —**se** to leave, go away
ira anger, rage
ironía irony
irreal unreal
irrealidad unreality
irrebatible irrefutable, undeniable
irreconocible unrecognizable

irritación irritation, agitation
irritar to irritate, bother; **—se con** to become exasperated with
irrumpir to burst into
irrupción irruption; invasion; appearance
isla island
Italia Italy
izquierdo left; **a la izquierda** on the left

J

jabón soap, cake of soap
jabonera soap dish
jadeante panting, out of breath
jadeo panting, palpitation
jalea jelly
jaleo cheering; **armarse—** to set up a hullabaloo
jalonar to mark out (*with stakes*)
jamás never; ever
jamba jamb (*of door*)
japonés Japanese
jaqueca headache
jara rockrose (*a shrub*)
jarabe: —de menta mint syrup, cold drink
jardín *m.* garden
jardinero gardener
jarra jar, pitcher
jaula cage, enclosure
jazmín *m.* jasmine
jefatura position of chief
jefe *m.* chief, leader
jerarquía hierarchy
jersey *m.* jersey (*sweater*)
jipijapa *m.* straw hat
jornada workday
joven young; *n.* youth
joya jewel, treasure, gift
joyería jewelry; jeweler's shop
júbilo joy, glee
jubiloso festive
judío Jew; usurer
juego game; play; sport; **—s malabares** sleight-of-hand tricks
jugar to play

juguete *m.* toy; **violín de—** toy violin
juguetón playful
juicio judgment; trial
juicioso wise; prudent
junta junta, meeting
junto together; near; **—a** together with, near
juramento oath
jurar to swear
justicia justice
justificar to justify
justo just; correct; true
juvenil juvenile
juventud youth
juzgar to judge

K

kilómetro kilometer (*0.621 mile*)

L

laberinto labyrinth
labio lip; **chuparse los—s** to smack the lips
laboral (*pertaining to*) labor
laboriosidad assiduity
labriego peasant
laca lacquer; nail polish
lacio faded, withered
lácteo milky
ladear to bend; to tilt
ladera slope, hill
lado side; **al—(de)** near, beside; **de al—** standing nearby; **a su—** beside him; **del—** adjoining; **por su—** in turn
ladrar to bark
ladrido bark, barking
ladrillo brick, tile
ladrón thief
ladronzuelo petty thief, pickpocket
lagartija green lizard
lágrima tear
laguna lagoon
lamentable lamentable, pitiable

lamentar to be sorry, regret; to wail
lamer to lick, lap
lámina sheet; film; layer; picture
lámpara lamp
lancha launch, boat
lanzador thrower; —de cuchillo knife thrower
lanzar to throw; to emit; —se to rush, sprint
lápiz *m.* pencil; crayon
laqueado lacquered
largamente at length
largarse to go away; to "beat it"
largo long; *n.* length; a lo—de along; throughout
lasitud weariness
lástima pity
lata tin can
lateral sideways
latido beating, throbbing
latir to throb, beat
latitud latitude; part
laurel laurel; laurels
lavabo washroom, washstand
lavar to wash
lazo bow
leal loyal, loyalist
lección lesson
lectura reading
leche milk
lecho bed
lechoso milky
leer to read
legionario legionnaire
lejano distant; remote
lejía lye
lejos far; a lo— at a distance; desde— at a great distance
lengua tongue; language
lenguaje *m.* language
lente *m.* & *f.* lens
lenteja lentil
lentejuela spangle
lentitud slowness
lento slow; delayed
leña firewood
leopardo leopard
letanía litany

letra handwriting; letter
levantar to raise; —se to get up; —la sesión to adjourn the meeting
leve slight
levita frock-coat
ley *f.* law; *pl.* law (*academic subject*)
leyenda legend; saying
liar to tie; to roll (*a cigarette*)
libélula dragon-fly
liberar to free
libertad freedom
libra pound
librar to free, spare; —se to escape; —una batalla to engage in battle
libre free
librería bookstore
libro book; —de estampas album
licor *m.* liquor
liebre *f.* rabbit
lienzo linen; curtain; canvas
ligar to tie, fasten, bind
ligereza agility, lightness
ligero slight, light; nimble
lila lilac
limitar to limit, restrict
límite *m.* limit, border
limón lemon
limonado lemon-colored
limpiar to clean
límpido limpid, clear
limpio clean
lindante bordering
línea line, outline; route
lingote *m.* ingot
linterna lantern; —de campaña Army lantern
liquidación liquidation, killing
liquidar to dissolve; to kill, "rub out"
líquido liquid dinero— cash
liso smooth, even, plain
lista list
listado striped
listo ready; intelligent
liviano light; imprudent
lívido livid
lobezno wolfish
lóbulo lobe
localizar to locate

loco crazy; *n.* madman
locura madness; insanity
locutor speaker; announcer
lógica logic
lograr to attain; to manage; to succeed in
Logroño *city in northern Spain*
lombriz *f.* worm
lomo back
longitud longitude; length
longitudinalmente lengthwise
lontananza far horizon; background
losa flagstone; slab
lucecilla little light
luciérnaga glowworm, firefly
lucir to shine, sparkle; to show
lucha struggle, strife, battle
luchar to struggle, fight
luego then; afterwards; later; **desde —** of course
lugar *m.* place, spot; **en — de** instead of
lugarteniente *m.* lieutenant; deputy
Lugo *city in northwest Spain*
Luisiana Louisiana
lujo luxury
luminoso light, luminous; excellent
luna moon
lustro lustrum (*five years*)
luz *f.* light

LL

llama flame, fire
llamada knock
llamamiento call
llamar to call; **—se** to be called
llameante flaming, blazing
llano plain
llanta tire
llanto lament; crying
llanura plains
llave *f.* key; **—de contacto** ignition key; **cerrar con —** to lock
llavero key ring
llegada arrival

llegar to arrive; to reach; to succeed in; **—a ser** to become; **—a las manos** to come to blows
llenar to fill
lleno full, filled
llevar to carry; to bear; to wear; to lead; **—se** to take away; **—adelante** to run; **—encima** to have on
llorar to cry, weep
lloriquear to whine
lloroso tearful, weeping
llover to rain
lloviznar to drizzle
lluvia rain
lluvioso rainy

M

maceta flowerpot
macizo clump, cluster
macuto knapsack
madeja skein
madera wood, piece of wood
madre *f.* mother
madrina godmother; patroness
madroñal growth of strawberry trees
madroño strawberry tree
madrugada dawn
madurar to mature
maduro mature; ripe
maestro teacher, master; **—de obras** foreman
magia magic; charm
mágico magical
magnífico magnificent
magnitud size; scope
Magos the Wise Men
maíz *m.* corn
majo sporty; all dressed up
mal badly; *n. m.* evil; harm; trouble; **—de la cabeza** crazy
malcriar to bring up badly
maldad wickedness; crime
maldecir to curse
maldito cursed, darned
maléfico sinister
malestar *m.* uneasiness; indisposition

maleta suitcase; **hacer la—** to pack a suitcase
maletín *m.* small suitcase
malhumorado ill-humored
malicia suspicion
maligno harmful; cruel
malo bad, evil
malsonante offensive
maltratar to abuse, treat poorly
maltrecho mistreated; harmed
malla mesh of a net; **—de alambre** wire mesh
mamaíta mommy
manantial *m.* spring
manar to issue; to flow out from
mancha spot, stain
manchar to stain, dirty
mandar to command, order; to send
mando command; control; dial
manejo use, handling; scheming; gesture
manera way, manner; **de esta—** in this way
manga sleeve; **—s de camisa** shirt sleeves
mango handle
manía mania; whim
manifestar to manifest, show; **—se** to show one's ability
manifiesto obvious
manija handle
maniobra maneuver; work
manjar *m.* food
mano *f.* hand; **a—** on hand; **bajo—** on the quiet; **dar la—** to shake hands; **echar—a** to seize, "get"; **llegar a las—s** to come to blows
manojo bundle, bunch
manotazo slap, blow with the hand
manso gentle, mild
manta blanket; shawl
mantel *m.* table cloth
mantener to maintain, keep; **—se** to remain
mantillo humus; manure
manto coat, mantle
manzano apple tree

maña *f.* skill; cunning
mañana morning; tomorrow; **media—** mid-morning; **muy de—** very early; **por las—s** in the mornings
mapa *m.* map
mapamundi *m.* map of the world
mar *m. & f.* sea
maraña tangle, thicket
maravilla marvel, wonder
maravilloso marvellous, wonderful
marca mark; make, brand
marcar to indicate, show; to announce; **—el paso** to mark time
marco mark (*German money*)
marcha march; progress; course; withdrawal; **a buena—** at a good speed; **abrir la—** to set out; **en—** in motion; **poner en—** to start; **ponerse en—** to begin walking
marchar to march, go, walk; to run smoothly; **—se** to leave
marchitarse to wither away
marchito decayed, withered, faint
marea tide
mareado seasick; sick
marearse to become nauseated, sick
marejada undercurrent (*of unrest*)
marfil *m.* ivory
margarita pearl; daisy
margen *m. & f.* border, edge
marica sissy, "fairy"
maricadas sissy ways
marido husband
marina navy
marino sailor
marioneta puppet
mariposa butterfly
mariquita sissy, "fairy"
mármol *m.* marble
marquesina marquee; curtain
martillo hammer
marzo March
más more, most; **—bien** rather; **—allá de** beyond; **—de** more than; **de—** superfluous; **no—que** only

masa mass, growth
mascar to chew; to plot
máscara mask; pretense; —**antigás** gas mask
mascarilla half-mask
mascarón large, ugly mask
masculino masculine
mascullar to mutter
mata bush, plant
matar to kill
matasellos *m.* postmark
mate dull, not clear
matemático mathematician, mathematical
materia subject
material *m.* material; stuff
matizado variegated
matorral *m.* thicket
matraca wooden rattle
matriz *f.* womb
matute *m.* smuggling; **pasar de**— to smuggle
mayor greater, greatest; larger, largest; older
mayordomo manager
mayoría majority (*full age*); —**de edad** full age
mazazo blow with a club
mecánico mechanic, mechanical
mecanismo mechanism
mecedora rocking chair
mecer to stir; to rock
mechero lamp burner; —**de campaña** cigarette lighter
mechón bunch; shock of hair
medalla medal, medallion
media stocking
mediados: a—**de** in the middle of
mediano medium; middle; average
medianoche *f.* midnight
mediante by means of, through
mediar to take place, occur
médico medical; doctor
medida measure,.measurement; proportion; **a**—**que** as; **a la**— custom-made
medio half, middle, mid; *n.* means;

environment; **en**—**de** in the middle of; **a**— half
mediocridad mediocrity
mediodía *m.* noon, midday
medir to measure
mejilla cheek
mejor better, best; **lo**— the best (*thing*)
melena long hair
melodía melody
memoria memory; mind; **de**— by heart
mendigo beggar, tramp
mendrugo crumb
menester *m.* need; **ser**— to be necessary
menor younger, youngest; less, least; smaller, smallest
menos less, least, except; **al**— at least; **a**—**que** unless; **echar de**— to miss; **por**—**de** but, less than
mensaje *m.* message
mensajero messenger
mente *f.* mind, will
mentir to lie
mentira lie
mentón chin
menudo slight, small; **a**— often
mequetrefe *m.* conceited person
mercado market
mercería haberdashery
mercurio mercury
merecer to be worth; to deserve
merienda luncheon; light repast
mérito merit, worth
mes *m.* month
mesa table
mesar to tear one's hair; to pluck off
mesita small table; stand
mesurar to moderate
metálico metallic
metamorfosearse to change
metamorfosis *f.* transformation, change
meter to put in, insert; to introduce

metralla grapeshot
metro subway; meter (*39.37 inches*); tape measure
mezclar to mix, mingle; —**se** to take part
mezquino mean, poor; puny
mica mica; gray
mico monkey
micrófono microphone
miedo fear; **tener—** to be afraid
miembro member, limb (*of the body*)
mientras while, when, as long as
mil *m.* one thousand
milagro miracle, wonder
milagroso miraculous
milésimo thousandth
miliciano military; militiaman
militar military
mimar to spoil
mimbre *m. & f.* wicker
mímica mimicry
mimosa mimosa (*Central American plant*)
minar to mine
miniatura miniature, figurine
minimizar to minimize
mínimo least; smallest
minino cat
ministerio ministry
minucioso minute; meticulous
minuto minute
miope near-sighted
mirada look, glance; **alzar la—** to look up
mirar to look, look at; to face; to consider; —**en torno** to look around; —**con el rabillo del ojo** to look out of the corner of one's eye; —**de hito en hito** to stare at
mirilla peephole in door
miseria misery
misericordia mercy, compassion
misión mission
mismo same; like;—self; very; **lo—** likewise; **lo—da** it's all the same; **lo—que** the same as

misterio mystery
misterioso mysterious
mitad *f.* half; middle; **a—de** in the middle of
mitra bishop's miter
mobiliario furniture
mocoso sniveller; scum
mochila knapsack
mochuelo little owl
modales *m. pl.* manners
modelo model, type
moderno modern
modesto modest
modificar to change
modo manner, way; method; **del mismo—** in the same way; **de—que** so that; **de ningún—** under any (*no*) circumstance; **de este—** in this way
modorra drowsiness; stupor
mojado wet, wetness
mojar to get wet, dampen
mojón landmark, signpost
molde *m.* mold, form, pattern
mole *f.* mass, bulk
molestar to bother, worry
molestia trouble, inconvenience
molesto bothersome; bothered
molino mill
molusco mollusk
momentáneo momentary
momento moment, instant
monárquico monarchical, monarchist
moneda coin; currency
mono monkey
monólogo monologue
monótono monotonous
monserga gibberish, nonsense
monstruo monster
montaña mountain
montar to mount; —**a caballo** to get on, ride a horse; —**guardia** to keep watch
montón pile, heap; mass
morador inhabitant
morder to bite

mordiscar, mordisquear to nibble at, gnaw at
mordisco bite, biting
moreno brunette, dark
morir to die
moro Moor
mortal mortal; *n. m.* man
mortero mortar
mortuorio funeral
mosaico mosaic
mosca fly
moscón large fly
mosquete *m.* rifle
mosquitera, mosquitero mosquito net
mostrar to show; —**se** to show oneself to be
motear to speckle
motivo motive, reason
motocicleta motorcycle
motor motor, engine
mover to wag, move; to excite
móvil moving, movable; *n. m.* motive
movimiento movement; traffic
mozo boy; waiter
muchacha girl
muchacho boy
mucho much, a great deal; *pl.* many; **por-que** however much
mudo silent, mute
mueca face, grimace; **hacer**—**s** to make faces
muela millstone
muelle tender, gentle; *n. m.* spring
muerte death; **dar**— to kill
muerto dead; dead person
muestra example; sign; sample; **dar**—**s de** to show signs of
muestrario collection (*of samples*)
mugre *f.* dirt, filth
mugriento filthy
mujer *f.* woman
mula mule
multitud crowd; large number
mundo world; **todo el**— everybody
munición ammunition
municipio town council

muñeca wrist; doll
muñeco doll, puppet
muralla wall
murciélago bat
murmullo murmur, whisper
murmurar to murmur, mumble
muro wall
músculo muscle
musculoso muscular
musgo moss
música music
mutismo muteness, silence
mutuo mutual
muy very; too

N

nacer to be born
nacimiento birth
nacional national, nationalist
nada nothing, nothingness
nadie nobody, no one
naftalina moth balls
naipe *m.* playing card; *n. pl.* cards (*game*)
naranja orange
naranjado orange
nariz *f.* nose; ¡**narices!** nuts!
naturaleza nature; order
náufrago shipwrecked person
náusea nausea
nauseabundo nauseous, loathsome
navaja jackknife, pocketknife; razor
Navidad Christmas
necesario necessary
necesidad necessity, need
necesitado needy
necesitar to be in need of; to need to
necio stupid, foolish
negar to decline, say no
negativa refusal
negativo negative
negocio business; affair
negro black
negruzco blackish
nervio nerve
nervioso nervous
neumático tire

ni neither, nor; not even; —. . .— neither . . . nor; —**siquiera** not even
nido nest
nieto grandson
nieve *f.* snow
ningún, ninguno none, not any; no, no one
niño child; —**de pecho** infant; **desde**— from childhood
nitidez clearness, clarity
noción notion, idea
nocturno nocturnal
noche *f.* night; **por la(s)—(s)** at night; **todas las—s** every night; **hacerse de**— to become dark
nombre *m.* name; **a—de** under the name of
nopal *m.* prickly pear
normalidad normalcy
norte *m.* north
noruego Norwegian
nostalgia homesickness
nota note, mark, sign
notar to note, notice
noticia notice, information; news
notificar to notify
novicio novice
novio(a) sweetheart
nubarrón large cloud
nube *f.* cloud; shadow
nubecilla small cloud
nublarse to become cloudy
nuca nape of the neck
nudo knot, tangle
nudoso knotty, gnarled
nueva piece of news
nuevo new; different; **de**— again
número number; issue
nunca never, ever

O

o or; **o . . . o** either . . . or
obcecar to blind; to confuse
obedecer to obey
obediencia obedience
objetivo objective

objeto object; purpose
obligación obligation
obligar to obligate; to force
obra work; labor; deed
obrar to work; to behave
obrero working; *n.* workman
obsequiar to flatter; to give
obsequio gift; attention
obsequiosidad kindness
observación observation
observar to observe
obsesionante obsessive; haunting
obsesionar to obsess; to possess
obsesivo obsessive
obstáculo obstacle
obstante: no— nevertheless
obstinado stubborn
obstinar to be obstinate; —**se en** to persist in
obstruir to obstruct
obtener to obtain
obús *m.* howitzer; shell
ocasión opportunity; occasion
ocaso sunset; west
océano ocean
ocio leisure, idleness
ocre *m.* ocher
ocultamiento hiding
ocultar to hide; —**a** to hide from
oculto hidden
ocupante *m.* occupant
ocupar to occupy, fill
ocurrencia occurrence
ocurrir to happen
ochocientos eight hundred
odiar to hate
odio hatred
ofender to offend
oferta offer; gift
oficial *m.* official, officer
oficio office; occupation; —**s** church services
ofrecer to offer, present
ofrenda offering, gift
ofrendar to offer
ofuscamiento blindness; confusion
oído ear; hearing
oir to hear

ojalá God grant! would to God!

ojeada glimpse, quick glance

ojillo eyelet

ojo eye; **poner los—s en blanco** to show the whites of one's eyes

oleada surge (*of a crowd*); wave

oleaje *m.* surge; rush of waves

oler to smell; **—a** to smell of

olfatear to scent; to sense

olor *m.* smell, odor

olvidar to forget; **—se de** to forget

onda wave (*in hair*); wave lengths

ondeado wavy

ondear to wave

ondulante wavering, shimmering

ondular to wave; to ripple

onomástico saint's day

operación operation, action

oponer to oppose; to offer resistance; **—se a** to oppose; to resist

oportuno opportune

opresión oppression; pressure

opresor oppressor

oprimir to squeeze; to oppress

opuesto (*p.p. of* **oponer**) opposite, contrary

Oquendo *town in northern Spain*

ora: **— . . . —** now . . . then, now . . . now

oración prayer

orden *m.* order; group; kind, nature; *f.* order, command; **a la—** at your orders

ordenado orderly; arranged

ordenanzas army regulations

ordenar to order; to put in order; to organize

ordinario ordinary, common; **de—** usually, commonly

oreja ear; **de—a—** from ear to ear

organdí *m.* organdy

organizar to organize

orgullo pride

orgulloso proud

orientación exposure; direction; position

orientar to orient, guide

origen *m.* origin, source

orilla bank; edge; shoulder (*of a road*)

orillar to border

orinar to urinate

oriundo native; **ser—de** to come from

ornado ornate

ornar to adorn, embellish

oro gold

oropel *m.* tinsel

orquesta orchestra

orquídea orchid

osar to dare

oscilante oscillating

oscilar to oscillate, vibrate

oscurecer to obscure, hide; to get dark

oscuridad darkness

oscuro dark; **a oscuras** in the dark

otoño autumn

otorgar to grant, consent

otro other, another; next; **—cualquiera** anybody else; **—s tantos** additional, as many

ovalado oval-shaped

P

pabellón: —auditivo eardrum

paciencia patience

paciente patient

pacífico peaceful

padre *m.* father; *pl.* parents

pagar to pay; pay for; **—el pato** to suffer undeserved punishment

página page

pago payment

país *m.* country

paisaje *m.* landscape; countryside

pájaro bird

pajuela straw

pala leaf of the prickly pear; limb (*of tree*)

palabra word; upon my word, I swear

Palamós *town north of Barcelona*

pálido pale

palillo small stick, toothpick

palma palm (*of hand*); palm tree; **con−s** with applause
palmada slap; **a−s** with slaps
palmatoria small candlestick
palmera palm tree
palmo span (*8 inches*); **−a−** inch by inch
palo stick
paloma pigeon, dove
palomar *m.* pigeon house
palpable clear, obvious; ripe
palpar to touch, feel
palpitación palpitation
palpitar to palpitate
pan *m.* bread
pandereta tambourine
pandilla gang, band
pánico panic, fright
panorámica panorama, view
pantalón trousers
pantalla shade (*of lamp*); screen (*of movies*)
panteón cemetery
pañales *m.* swaddling clothes
pañuelo handkerchief
papel *m.* paper; role
paquete *m.* package; bundle
par like, equal; *n. m.* pair, couple; **de−en−** wide open
para for, in order to; considering; **−que** so that
parabrisas *m.* windshield
paraíso paradise
paraje *m.* place, spot
paralelo parallel
parálisis *f.* paralysis
paralizar to paralyze
parar(se) to stop
pararrayos *m.* lightning rod
parásito parasite
parcelación partitioning; patchwork
pardo brown; gray; dark
parecer to appear, seem; *n. m.* opinion; **−se a** to resemble; **al−** apparently
pared wall
paredón thick wall
pareja pair, couple

parentesco relationship
paréntesis *m.* parenthesis, space
pariente *m.* relative, relation
parlotear to jabber
parloteo jabber
parodiar to parody, mimic
parpadear to wink, to blink
parpadeo winking; blinking
párpado eyelid
párroco parish priest
parsimonia moderation; **con−** grudgingly
parsimonioso stingy
parte *f.* part; place; direction; side; *m.* communiqué; **de−a−** from one end to the other; **de mi−** for me; **de−de** on behalf of; **por otra−** on the other hand; **por su−** on his part
parterre *m.* garden, lawn
participar to participate, take part
partícipe *m.* partner; participant
partida game; departure; gang
partir to start; to leave; to go; to split; **a−de** since, from, beginning with
pasada: mala− mean trick
pasado past
pasajero fleeting; *m.* passenger
pasar to pass; to spend; to endure; to happen; **−a** to go on to; **−por** to pass for; **−de largo** to pass by
pasatiempo pastime, amusement
pasear(se) to stroll, walk; **−se la mirada** to look over
paseo walk; drive; ride; **dar un−** to take a walk; **salir de−** to go out for a walk
pasillo corridor, passage
pasión passion
paso step, pace, walk; passage; **−a−** step by step; **a su−** at one's passage; **a pocos−s**; a few steps away; **abrirse−** to force one's way; **marcar el −** to mark time
pasta paste; ointment; cardboard
pastel pastel (*color*); *m.* pie
pastilla tablet; cake
pastoso artificially sweet

pata paw, foot; leg (*of furniture*); —**de gallo** crow's foot; **estirar la—** to "kick the bucket"; —**s arriba** upside down

patada kick; **dar—s** to kick

patalear to stamp the ground; to kick violently

patentar to patent

patente obvious

paternal fatherly

patio patio, courtyard

pato duck; **pagar el—** to "be the goat"

patria fatherland

patrón pattern

patrulla patrol

pausa pause

pausado slow; calm, quiet

pautar to give directions for

pavo turkey

payasada clownish stunt

payaso clown

payo "hick"

paz *f.* peace

pecado sin

pecho breast, chest; **niño de—** infant

pedazo piece

pedir to ask for, request; to order; to beg; **a—de boca** as desired

pedrada blow with a stone; **a—s** with stones

pedrusco rough stone, boulder

pegadizo catching, catchy (*tune*)

pegajoso sticky

pegar to stick on, fasten; to glue; to hit; —**se** to cling; —**fuego** to set fire; —**un tiro** to shoot

pego trick; **dar el—** to cheat

peinar to comb

peine *m.* comb

pelado bare; bald

peladura plucking; peeling; stripping

pelaje *m.* hair (*of animals*)

pelar to pluck, pull out (*hair, feathers*); to peel, skin

pelea fight, quarrel

pelear to fight, quarrel

película film

peligro danger

pelo hair; **tomar el—** to pull one's leg

pelotón platoon of soldiers

peluca wig

peludo hairy

pelusa down; fur

pellizcar to pinch

pena pain; sorrow; **a duras—s** barely; **valer la—** to be worthwhile

penacho tuft; plume

pender to hang

pendiente *f.* slope, side (*of a hill*)

penetrar to penetrate

penoso arduous, painful

pensamiento thought

pensar to think; to consider; — + **inf.** to plan, intend to; —**en** to think of

penumbra partially shadowed area

penuria poverty, need

pequeño small, little; *m.* small boy

peralte *m.* bank of road curves

percal *m.* percale

percance *m.* misfortune

percatarse de to realize

perceptible noticeable

percibir to perceive; to hear

percutir to beat; to strike

perchero clothes rack

perder to lose; to miss; —**se** to get lost; —**de vista** to lose sight of

pérdida loss, waste

perecer to perish, die

peregrino strange; beautiful

pereza laziness

perezoso lazy

perfecto perfect, complete

perfil *m.* profile, outline

perfilarse to be silhouetted

perfumar to perfume

perfume *m.* perfume

pergeñar to perform skillfully; to inscribe

pericia skill

perímetro   perimeter
permiso   permission; leave (*military*)
periódico   newspaper
periodista   journalist
perjudicial   harmful
perla   pearl
permanecer   to stay, remain; to be
permitir   to permit
pero   but
perola   kettle
perplejo   perplexed
perro   dog; **—guardián**   watch dog; **—policía**   police dog
perseguido *n.*   pursued person
perseguir   to pursue
persiana   shutter; venetian blind
persona   person
personaje *m.*   character; somebody (*of importance*); **todo un—**   quite a character
perspectiva   perspective
pertenecer   to belong
pesadilla   nightmare
pesado   heavy
pesar   to cause sorrow or regret; **a—de**   in spite of; **a—suyo**   in spite of himself
pese: **—a**   despite
peseta   *Spanish monetary unit*
peso   weight; **de—**   weighty
pestaña   eyelash
pestañear   to blink
petaca   cigarette case; tobacco pouch
pétalo   petal
petrificar   to petrify
petróleo   petroleum
petulancia   insolence
pez *m.*   fish
pianola   pianola (*type of piano*)
piar   to chirp
picadura   black tobacco, tobacco (*for a pipe*)
pico   beak; mouth, "trap" (*coll.*)
pie *m.*   foot; **a—**   on foot; **al—de la letra**   by heart; **al—**   on the bottom; **de—**   standing; **ponerle a uno de—**   to help someone to his feet; **poner (se) de (en)—**   to stand up

piedad   piety; pity
piedra   stone, rock
piel *f.*   skin; hide; fur; cuticle; **—es rojas**   redskins
pierna   leg; **a media—**   to the knee; **dormir a—suelta**   to sleep soundly
pieza   room; piece; prey
pijama   pajamas
pila   basin; trough; holy water font; stream; pile
pilotar   to pilot
piloto   pilot
pillaje *m.*   plunder
pillar   to plunder; to seize
pincel *m.*   brush; **—de los uñas**   fingernail brush
pincelada   brush stroke
pincelar   to paint
pinchazo   blowout
pineda   pine grove
pino   pine, pine tree
pinocha   pine needles
pintar   to paint; to imagine
pintarrajear   to daub
pintor *m.*   painter
pintoresco   picturesque
pintura   paint; painting
piña   pine cone
piojo   louse
pipa   pipe
piquera   bunghole (*of barrel*)
pirueta   pirouette
piruetear   to pirouette
pisada   footstep
pisar   to step on
piso   floor; apartment; **—alto**   top floor
pisotear   to tread, trample under foot
pista   track; trail
pistola   pistol
pita   century plant, pita
pitillo   cigarette
pizca   tiny bit, trace
placa   scar; scab
placer *m.*   pleasure
plan *m.*   plan, project, scheme
plancha   iron
planchar   to iron

planear to plan; to glide
plano flat; *n.* plan; map; **de—** flatly
planta plant; **—baja** ground floor
plantar to leave in the lurch
plata money, silver
plataforma platform
plátano plane tree
plateado silver-colored
plática talk, chat
plato plate, dish
playa beach
plaza public square; **cuatro—s** truck
plazo term; deadline
plegaria prayer
pleno full; **en plena cara** right in the face; **en—océano** in midocean
pliegue *m.* fold, pleat; ripple
plii *sound of static on the radio*
plomizo leaden
plomo lead
pluma feather; pen; **—estilográfica** fountain pen
poblar to populate; to plant; to fill; **—se de** to become covered with
pobre poor; *n. m.* poor man
pobreza poverty
poco little, small; **—a—** little by little; **a—de** shortly after
podar to prune
poder to be able; can; *n. m.* power; **no—(por) menos de** not to be able to help
podrir to rot
poesía poetry
polea pulley
polen *m.* pollen
policía *f.* police; *m.* policeman; **perro—** police dog
policíaco police
policromado multicolored
Polichinela Punch (*character in Punch and Judy show*)
polilla moth
política politics
político political; *n.* politician
polvo dust; powder
pólvora gunpowder

polvoriento dusty, powdery
poner to put, place; to turn on (*a radio*); to set; to attach; **—al corriente** to bring up to date; **—cerrojo a** to lock; **—el semblante** to make a face; **—en marcha** to start (an engine); **—se** to put on, to become; **—se a** to begin to; **—se de acuerdo** to come to an agreement; **—se de pie** to stand up
poquito very little
por for, because of; through, along; for the sake of; **— + adj. + que** however + *adj.*; **—eso** therefore; **—que** so that
porcelana porcelain
porción portion, lot
pormenor *m.* detail
poro pore
porque because; so that
porqué *m.* reason
¿por qué? why?
porquería filth, junk
portaaviones *m.* aircraft carrier
portador bearer
portal *m.* vestibule; porch
portazo bang or slam (of a door)
portero doorkeeper, janitor
portezuela door (of an automobile, etc.)
pórtico porch
portillo opening, passage
porvenir *m.* future
pos: en—de after; in pursuit of
posar (se) to rest, to perch
poseer to possess; to dominate
posesión possession
posibilidad possibility
posible possible; **en lo—** as much as possible
postal *f.* post card
poste *m.* post
posterior later, subsequent; *n. m.* posterior
postigo shutter; back door or gate
postizo false
postrar to exhaust
postrer(o) last

pozo whirlpool, well
práctica practice, exercise
practicar to perform; to make
práctico practical
prado field, meadow
preceder to precede
precinto sealing strap
precio price, cost
precipitar(se) to rush
precisamente just
preciso precise; necessary
precocidad precocity
preferencia preference; **con (de)—** preferably
preferible preferable
preferir to prefer
pregunta question
preguntar to ask
prelado prelate
prenda article of clothing
prendarse (de) to fall in love with
prender to seize; to catch; to fasten
prensa press
preñado filled
preocupación preoccupation
preocupar to preoccupy; **—se por (encima de)** to be concerned with, worried about
preparación preparation
preparar to prepare, make
preparativo preparation
presagiar to foretell, forbode
presagio omen
prescindir: —de to disregard; to do without
presencia presence
presenciar to witness, be present at
presentación introduction
presentar to present; **—se** to appear; to enlist as a volunteer
presente present
presentimiento presentiment
presentir to perceive, see; to forebode
presidente *m.* president
presión pressure
preso seized; *n.* prisoner

prestar to lend; to give; to pay (*attention*)
prestigio prestige
presto quick
pretender to seek, strive, try to do; to claim
pretil *m.* window sill
previo previous, prior
prez prayer
prieto blackish, very dark
primavera spring
primer(o) first; **a—s de** at the beginning of
princesa princess
principal main, chief; **puerta—** front door
príncipe *m.* prince
principio beginning; **al—** at the beginning; **desde un—** from the beginning; **en un—** at first
prisa haste, urgency; **darse—** to hurry
prisión prison
prisionero prisoner
prismáticos: —de campaña field glasses, binoculars
privado private
privar to deprive
privilegiado privileged person
privilegio privilege
probar to prove; to try (*out*); to taste; **—fortuna** to try one's luck
proceder to proceed; to come from; to behave
proclamar to proclaim
procurar to procure; to try to; to see to it; to manage
pródigo prodigal
producir to produce; to cause
profesión profession
profesor *m.* professor, teacher
profundidad depth
profundo deep, profound
programa *m.* program
progresivo progressive
progreso progress
prohibir to prohibit
prójimo fellow man, neighbor

prolongar to prolong; —**se** to last

promesa promise

prometer to promise

pronosticar to foretell

pronto prompt, fast; soon; **de**— suddenly

pronunciado marked; sharp

pronunciar to pronounce

propaganda propaganda; advertising

propiamente typically

propiedad property

propietario owner, landlord

propinar to give (*a beating*)

propio one's own; suitable; proper; the very same; —**de** peculiar to

proponer(se) to propose; to intend; to suggest

proporcionar to furnish, give

propósito aim, intention

propuesta proposal

prorrumpir to burst out

proseguir to continue, carry on; to follow

prospecto prospect; bulletin

protector protective; *n.* protector

proteger to protect, defend

protestar to protest, complain

provecho gain; **de**— useful

proveedor supplier, supply agent

proveer to provide, supply (*with provisions*)

provenir to come from, arise

provincia province

provisiones food, provisions

provisto (*p.p. of* **proveer**) stocked, supplied

provocar to provoke, to cause; to stimulate

proximidad proximity; approach

próximo next; close; nearby

proyectar to project; to plan

proyectil *m.* projectile

proyecto project; plan

prudencia prudence

prueba proof; test; exercise

público public

puchero pot; pouting; **hacer**—**s** to pout

pueblo town

puente *m.* bridge

puerco filthy, dirty; *n. m.* pig; *n. f.* sow

puerta door

puertecilla little door

pues well; then; since; because

puesto (*p.p. of* **poner**) put; *n.* stand; position, post; —**que** since, although

pulga flea

pulgar *m.* thumb

pulmón lung

pulmonía pneumonia

pulpo octopus

pulsar to throb; to propel; to play (*an instrument*)

pulular to swarm

pulverizador spray; atomizer

pulla wisecrack, "dig"

punta end, tip; **de**— on end; on tiptoe

puntapié *m.* kick; **a**—**s** by kicking

puntear to dot; to mark with dots or points

puntería aim

puntillas: de (en)— on tiptoes

punto point, dot; **a**—**de** on the point of, about to; **de**— at once; **en**— exactly

puntuar to punctuate

puñadito fistful, handful; **a**—**s** by the handful

puño fist

pupila pupil (*of the eye*)

pureza purity

puro pure; sheer; absolute

Q

que *adj. & rel. pron.* that, which, who, whom, *adv.* than, as; *conj.* that, for, because; **el (la, los, las)**— he (she) who, the one(s) who (which, that), those who (which, that); **lo**— what, that which; **el**— the fact that, why; **a**— until; **más . . .**— more than

qué what?, which?, what a . . . !; how . . . !; **¿para—?** why?; **¿—tal?** how are you?, how is . . . ?

quebrada gap, gorge

quedar to remain, stay; to be; **—se** to remain; **—en** to agree (to); **—le a uno** to have (*something*) left

queja complaint

quejido moan

quejumbroso plaintive

quemar(se) to burn

querer to want; to love; **—decir** to mean

querido dearest, darling; *n*. lover, beloved

quicio: sacar de— to drive one wild

quien who, whom, the one who

quieto quiet, still; **¡—!** be quiet

quietud quietness, stillness

quimérico unreal, imaginary

quimono kimono

quinientos five hundred

quiosco kiosk (*newspaper stand*)

quitar to remove, take away

quizá maybe, perhaps

R

rabia anger, rage

rabillo: con el—del ojo out of the corner of one's eye

rabo tail; **de cabo a—** from cover to cover

racimo bunch, cluster

radiante radiant, beaming

radical radical; fundamental

radio *f*. radio

radiografiado radiographic

ráfaga gust (*of wind*); burst (*of gunfire*)

raído threadbare, frayed

raíz *f*. root; **de—** completely; **echar raíces** to take root

ralentir: al— in slow motion

rama branch, bough

rambla ravine; avenue, road; **—arriba** up the ravine, street, etc.

ramilla twig

ramo branch, bough; bouquet

rana frog

rancho mess; camp; hut; **caldero del—** kettle of rations

rapar to shave

rapaz grasping, greedy; *n. m.* boy

rape: al— cut very close

rapidez rapidity, speed

rápido rapid

rapsoda reciter (*of poetry*)

raro scarce, uncommon

ras; a—de flush with

rascar(se) to scratch, scrape

rasgar to tear

rasgo feature; trait

rasguño scratch

raso satin

rastro trace, trail

ratero pickpocket

rato little while

ratón mouse

ratoncillo little mouse

ratonzuelo mouse

rayo ray (*of light*); lightning flash

razón *f*. reason; **tener—** to be right

razonable reasonable

razonamiento reasoning

razonar to reason

reaccionar to react

real real, actual; royal; *n. m.* Spanish coin

realidad reality, actuality

realizar to fulfill, accomplish, carry out

reanudar to renew, resume

reaparecer to reappear

rebañar to eat up

rebaño flock, herd

rebasar to go beyond

rebelde rebellious; unmanageable; *n. m.* rebel

rebosar to overflow

rebotar to rebound

rebozo shawl

recámara chamber (*of a gun*)

recargar to embellish

recelo fear, foreboding, suspicion

recepción reception; questioning (*of a witness or prisoner*)
receptor receiver (*of a radio*)
receta prescription; recipe
recibir to receive
recién recently, just
reciente recent, new
recinto enclosure
recipiente *m.* receptacle
recitar to recite, deliver (*a speech*)
reclamar to claim, demand
recluir to shut in, seclude
recluta *m.* recruit
reclutar to recruit
recobrar to regain, recover
recodo turn, winding, bend
recoger to pick up; gather
reconocer to recognize; to examine carefully, to identify; to admit
reconocimiento reconnaissance, examination, recognition
recordar to remind; to remember
recorrer to examine, look over; to pass over; to tour; —**con la mirada** to scrutinize
recortar to cut off, shorten; to outline
recorte *m.* clipping; outline
recoveco turn, bend, twist
rectángulo rectangle
recto straight
recuerdo memory; keepsake
recuperar to recover, regain
recurso recourse; resource
rechazar to reject, push back
red *f.* network; snare; mesh
redactar to compose, write
redondo round; **en**— clearly, simply
reducir to reduce; to subdue
reemplazar to replace
reenganchar to reenlist
referente referring
refinado refined
reflejar to reflect, mirror
reflejo reflex; reflection
reflexión reflection, thought
reflexionar to reflect

reflexivo reflexive, thoughtful
refractario rebellious
refrescante cooling, refreshing
refrescar to refresh
refresco cold drink
refugiado refugee
refugiar to shelter; —**se** to take refuge
refugio refuge, shelter
refunfuñar to grumble; to mutter
regalar to give as a present; to present; to entertain
regalo gift
regañadientes: a— grudgingly
regañar to scold
regar to water; to irrigate
regatear to bargain
regazo lap
régimen *m.* set of exercises
regimiento regiment
regir to rule, govern; to control; to guide
registrar to examine, inspect; to record
registro examination; register (*in music*)
regla rule, regulation
reglamentario regulation
reglamento regulation
regresar to return
regreso return; **de**— back; **trayecto de**— return trip
reguero trickle, drip; furrow
regularidad regularity
reinante reigning, prevailing
reinar to reign; to prevail
reino reign; kingdom
reír(se) to laugh; —**se de** to laugh at
rejuvenecimiento rejuvenation
relación relation
relámpago lightning; flash
relato narrative, report; story
relente *m.* night dew; drizzle
reliquia relic
reloj *m.* clock, watch; —**de arena** hourglass; —**de cuco** cuckoo clock; —**de sol** sundial

reluciente   shining, flashing
relucir   to shine, glitter
rellano   landing
relleno   filled; stuffed
remangado   with rolled up sleeves
remangar   to roll up (*sleeves*)
remanso   backwater; slowness
rematar   to terminate, end
remedio   remedy, help; cure; **no hay—**   it can't be helped; **no tener—** to be unavoidable
remiendo   patch, mending
remilgos: tener—   to be fussy
remo   oar
remolinear   to whirl about
remolino   whirl; crowd; commotion
remontar(se)   to go back; to ascend again; to date from
remover   to shake; to stir; to change
renacuajo   tadpole
rendija   crack, crevice
renovar   to renew
renqueante   limping; lame
rentista   person who lives off income
renunciar   to renounce
reojo: de—   furtively, warily
repantigar   to stretch out
reparar (en)   to notice
repartir   to divide; to share
repasar   to go over
repente: de—   suddenly
repentino   sudden
repercutir   to have repercussions
repetición   repetition
repetir   to repeat
repicar   to chime, peal (*bell*)
repleto   full
replicar   to reply
repliegue *m.*   folding
reponer   to reply, answer
reposado   quiet
reposar   to rest, relax
reposición   replacement
reposo   rest; tranquillity
reprochar   to reproach, blame
reproche *m.*   reproach
reproducir   to reproduce
reptil *m.*   reptile

republicano   republican
repuesto: de—   spare, extra
repugnancia   repugnance
repugnar   to be repugnant; to disgust
reputado   well-known
requerir   to need, demand, require
requisar   to requisition
resaltar   to be evident, appear, stand out
resbalar   to slip, slide
rescatar   to rescue, recover; to uphold
reseco   thoroughly dry
resentimiento   resentment
resentirse (de)   to suffer (*from*)
residuo   residue, remainder
resignarse   to be resigned, resign oneself
resistencia   resistance;   opposition; force
resistir   to resist, oppose; to struggle
resolver(se)   to resolve, to determine
resollar   to pant
resonar   to resound
respaldo   back (*of a seat*)
respecto   respect; **—a**   towards, with regard to; **al—**   on (in) this matter
respetar   to respect
respeto   respect
respetuoso   respectful
respingo   muttering; grumbling
respiración   breathing, respiration
respirar   to breathe
responder   to answer, reply
responsable   responsible
respuesta   answer, response
resquebrajar   to crack
restablecer   to restore
restallar *m.*   exploding
restante   rest, remaining
restar   to take away
restaurar   to recover; to recuperate
restituir   to return
resto   rest, remaining
restregar   to rub, scrub
resucitar   to revive
resultado   result, effect, outcome
resultar   to follow, result
retaguardia   rearguard

retal *m.* remnant, piece
retama Spanish broom (*plant common in western Europe*)
retener to hold, keep back
retintín *m.* ringing (*in the ears*); tone of reproach
retirada retreat
retirar(se) to retire; to withdraw; to remove
retorcer to twist
retransmisión broadcast(ing)
retransmitir to broadcast
retrasar to delay; to postpone
retrasmitir to broadcast
retratar to photograph
retrato picture
retroceder to back away, back down
reuma *m.* rheumatism
reunión meeting
reunir(se) to assemble; to gather up; to unite
revelación revelation
reventar to crush; to die; to burst, blow up
reverberar to reverberate
reverbero reflection
reverencia bow
reverendo holy, revered
revestir to cover, cloak
revisar to examine, look over
revisión revision, check
revista magazine
revivir to revive
revolotear to flutter
revoloteo fluttering
revoltillo jumble, mass
revolucionar to incite to rebellion
revolver to turn upside down; to examine
revólver *m.* revolver
revuelo fluttering
rey *m.* king; —**es magos** wise kings
rezagado remnant
rezar to pray; to read
rezongar to grumble, growl
ribetear to border, edge, trim
rico rich
ridículo ridiculous

rienda rein; **dar**—**suelta a** to give free rein to
riesgo risk
rígido rigid, stiff
riguroso rigid, strict
rincón corner, nook
riñón kidney
río river
risa laughter, laugh
ritmo rhythm
rival *m.* rival, enemy
rizo lock, curl
robar to rob, steal
roble *m.* oak
robo robbery, theft
robusto robust, vigorous
roca rock
roce *m.* rubbing; scratching
rocío dew
rodar to roll
rodear to go around; to surround
rodeo detour; **dar un**— to take a roundabout way
rodilla knee; **de**—**s** kneeling; **caer de**— to fall on one's knees
roedor rodent
rogar to beg, beseech
rojizo reddish
rojo red
rollo roll
rombo rhombus (*a parallelogram*)
rompecabezas *m.* puzzle
romper to break; —**a** to begin to, to burst out in (*into*)
roncar to snore
ronco hoarse, husky
ronda night patrol, round, beat; **hacer la**— to do one's rounds
rondar to haunt; to roam; to flutter around
ropa clothes, clothing
ropaje *m.* robe, gown
rosa rose
rosado rose-colored
rosal *m.* rosebush
rosca twisted roll
rosetón carved rose
rostro face

rotatorio rotary
roto (*p.p. of* **romper**) broken
rótulo inscription; label
rozar to touch lightly; to caress
rubio blond; golden
rudo hard, severe; rough
rueda wheel
ruedo turn; edge, rim
ruido noise
ruidoso noisy, loud
ruina ruin
ruinoso dilapidated
rumbo direction; way
rumor *m.* noise; report; rumble;
sound of voices
ruptura break
rústica: en— paperbound
ruta route, road

S

sábana sheet (*of a bed*)
saber to know (*how*); to find out; to
be to one's taste; *n. m.* knowledge;
taste; **—a** to taste like
sacacorchos *m.* corkscrew
sacar to extract; to take out; to get;
to stick out; **—de quicio** to drive
one wild
saco sack, bag
sacrificar to sacrifice
sacudida jolt,   jar;   **a—s** shaken
(*with sobs*)
sacudir to shake, shake off; to flick
sal *f.* salt
sala hall, living room; **—de espectá-**
culos auditorium;   **—de espera**
waiting room
salamandra salamander
salario salary, wages
salida exit; way out
saliente projection
salir to go out, come out, leave
salita small room
salón large hall
salpicar to splash, splatter; to scatter
salsa sauce, gravy

saltar to jump, leap; to crack, burst;
—se to burst out
salto jump, leap; **de un—** at a jump;
dar—s to jump, leap over; **—de**
mata flight from fear of punishment
saludar to salute; to greet; to wave
saludo salute, greeting
salvación salvation; escape
salvaje savage; wild
salvar to save; to overcome; to stagger across
salvo saved; safe
salvoconducto pass, safe-conduct
sandalia sandal
sangrante bloody
sangrar to bleed
sangre *f.* blood
sangriento bloody
sanguijuela leech
sano sound, healthy
santo holy; *n.* saint, Saint's day
saña rage, fury
sapo toad
saquito little bag
sarcasmo sarcasm
sarcástico sarcastic
sardina sardine
sarga serge (*cloth*)
sargento sergeant
sarpullido rash
satisfacción satisfaction; pleasure
satisfacer to satisfy
satisfecho (*p.p. of* **satisfacer**) satisfied, contented
saturar to saturate
saúco elderberry
secar to dry
seccionar to section
seco dry; **a secas** merely, simply;
en— abruptly
secretario secretary
secreto secret
sed *f.* thirst
seda silk
segar to cut off, mow down; to snuff
out
segmentar to divide into segments

seguida: en— at once, immediately
seguidamente immediately
seguir to follow, pursue; to take (*a course*)
según according to; according as, as
segundo second, moment
seguridad certainty
seguro certain, sure; —que es it must be
seleccionar to select
selecto select, choice
sello seal; stamp; —de correos postage stamp; —urgente special delivery stamp
semana week
semanario weekly (*publication*)
semblante *m.* face; look, appearance
sembrar to sow, seed; to scatter
semejante like, similar; such (*a*); *n. m.* fellow man
semejar to look like, resemble
semilla seed
sencillo simple, plain
sendero path
seno bosom, breast
sensación sensation
sensatez good sense
sensible sensitive
sentar to sit, seat; —se to sit down
sentencia sentence
sentenciar to sentence; to state as an opinion
sentido sense, meaning; direction; en—inverso in the opposite direction
sentir(se) to feel; to hear; to regret
seña sign; signal; —s address
señal *f.* sign, mark; trace, signal
señalar to show, indicate, point out; to fix
señor *m.* lord, master; Señor God
señora lady
señorito young gentleman
separar to separate, remove
sepultura tomb, grave
ser to be; *n. m.* being, person; a no— que unless it be; sea lo que sea whatever it may be

serie series; list
serio serious
serpentear to wind, meander
serpentina paper chain
serpiente serpent, snake
servicio service; —costero coast guard; —de Defensa Defense Service
servilleta napkin
servir to serve, be of use; —de to serve as, for; —se de to use; para— le at your service
sesión meeting; levantar la— to adjourn the meeting
seso brain, intelligence
setenta seventy
seto fence
sevillano Sevillan
si if, whether
sí yes; indeed; —que really
siempre always; —que whenever; provided
sien *f.* temple
siesta nap; dormir la— to take a nap
siete *m.* tear, rip
sigilo concealment
sigiloso silent; stealthy
significación meaning
significado meaning
significar to signify, mean; to point out
signo sign; indication
siguiente following, next
sílaba syllable
silbar to whistle
silbido whistle, whistling
silencio silence; guardar— to keep silent
silencioso silent, quiet
silueta silhouette
silvestre wild
silla chair
sillón armchair
símbolo symbol
simple simple, mere
simular to simulate
sin without; —que without

sindicato union, labor union
siniestro sinister; left
sino but, except
síntesis *f.* synthesis
síntoma *m.* symptom
sintonía tune, tuning
sinuoso winding
siquiera at least; even; although; **ni —** not even
sirena siren
sirvienta maid
sirviente servant
sistema *m.* system
sitio place, location
situación situation
situar to situate, locate
soberbio proud; haughty
sobra: de — more than enough, well enough
sobrante left over
sobrar to be left over
sobre on, over, above; *n. m.* envelope
sobrepasar to exceed
sobresalir to stand out
sobresaltar to attack; to startle; to terrify
sobresalto fright, scare; shock
sobrino nephew
sociedad society
socorro help; relief; **— rojo** Red Cross
sol *m.* sun; **tomar el —** to bask in the sun
solapa lapel
solar *m.* ground; ancestral mansion
soleado sunny; sun-bathed
solear to sun
soledad solitude; loneliness
solemne solemn
soldado soldier
soler to be accustomed to
solicitar to ask for; to seek, search
solícito solicitous
sólido solid, firm
solitario lonely; *n.* a lonely person
solo alone; single; only; **a solas** all alone
sólo only, solely

soltar to let loose, let go (*of*); to discharge
soltero single, unmarried; *n. m.* bachelor; *n. f.* spinster
solventar to solve
sollozar to sob
sollozo sob
sombra shade, shadow
sombrear to shade
sombrero hat; **— de ala ancha** wide-brimmed hat
sombrilla parasol
someter to submit, subject
sonámbulo sleepwalking; *n.* sleep walker
sonar to sound; to play (*an instrument*)
sonido sound, noise
sonoroso loud
sonreír to smile
sonriente smiling
sonrisa smile
sonrojarse to blush
soñar to dream; **— en (con)** to dream of
soñoliento sleepy
sopa soup
sopetón: de — suddenly
soplar to blow; to whisper
soplo breeze; wind
soplón informer
sopor *m.* sleepiness; stupor
soporífero sedative
soportable bearable
soportar to support; to tolerate
soporte *m.* support
sorber to suck, absorb
sorbo sip
sordamente softly
sordera deafness
sordina: en — muffled
sordo deaf; low, muffled
sorna slowness; scorn
sorprendente surprising
sorprender to surprise; to come upon
sorpresa surprise
sosegar(se) to calm down, quiet down

sospecha suspicion
sospechar to suspect; to mistrust
sospechoso suspicious
sostén *m.* support
sostener to sustain, maintain; to hold up
sotana cassock
sótano basement
suave soft, smooth, gentle
suavidad smoothness, easiness
subido high, *n. f.* rise, elevation; —a lo alto perched at the top of
subir to rise, go up; to get in; **subírsele a uno a la cabeza** to go to one's head
súbito sudden
suboficial *m.* noncommissioned officer
suceder to happen, take place
sucedido event, happening
sucesivamente successively, in turn
sucio dirty, filthy
sudar to sweat
sudor *m.* sweat
suelo ground, earth; floor
suelto loose, free
sueño sleep; dream; **tener—** to be sleepy
suerte *f.* fate; luck; **tener—** to be lucky
suficiente sufficient
sufrir to suffer
suicidarse to commit suicide
sujetar to hold fast, grasp; to subdue
sujeto fastened, subjected
suma sum
sumergir to submerge
sumir to sink
sumiso submissive, meek
sumo high, great, extreme; **a lo—** at most
suntuosidad sumptuousness
superficie *f.* surface; area
súplica request
suplicar to beg, ask
suponer to suppose, assume
suposición assumption
sur *m.* south; southern

surcar to furrow, cut through
surco furrow; wrinkle
surgir to rise up; to come forth
suscrito subscribed
suspender to suspend
suspicaz suspicious
suspirar to sigh
suspiro sigh
sustento support
sustituir to substitute, replace
susto fright
sustraer to remove; to steal; —se to withdraw
susurrante whispering
susurrar to murmur, whisper
susurro whisper, murmur
sutil subtle
suyo his, hers, yours, theirs, its, one's; **los suyos** his (*her, their*) people, men, kinsmen, etc.

T

tabaco tobacco; cigar
tabalear to drum with one's fingers
tabla board; table; bench; —de socorro lifesaver
tableta tablet; piece
tableteo rattle; burst
tablilla tablet, slat
taburete *m.* stool
taciturno silent; melancholy
tacón heel (*of the shoe*); **de—** with heels
taconazo heel-clicking
táctica tactics
tacto tact
taimado sly, cunning
tal such, such a; **con—(de) que** provided; **un—** a certain; —vez perhaps; **¿qué—?** how is (*are*)?
talón heel (*of the foot*)
talud *m.* slope; ridge
tallo stem, stalk
tamaño size
tambalearse to stagger, reel
también also, too

tambor *m.* drum
tamizado filtered
tampoco neither, not either
tamujo broom (*a shrub*)
tan so, as; such
tanda lot, pack
tanque *m.* tank
tantear to test; to feel; to scrutinize
tanto as (*so*) much; *pl.* as (*so*) many;
 en— while, as long as; **otro—**
 the same; **por (lo)—** therefore;
 — ... como both ... and
tapa cover (*of book*); lid; hood (*of car*)
tapar to cover; to hide; to seal; **—la**
 boca to seal one's lips
tapete *m.* rug; table scarf
tapir tapir (*an animal*)
tapiz *m.* tapestry
tapizar to cover (*with tapestry*)
tapón stopper, bottlecap; **—de hoja-**
 lata bottletop
taponar to cork; to seal
tardar to be long, delay
tarde late; *n. f.* afternoon; **de—en—**
 from time to time; **por la—** in the
 afternoon
tarea task, job
tarjeta card
tarro a glazed earthen pan
tartajear to stutter, stammer
tartana a two-wheeled carriage
tatuaje *m.* tattooing, tattoo
tatuar to tattoo
taza cup
té *m.* tea
teatro theatre; **hacer—** to act
técnico technical
techo roof, ceiling
tedio boredom
tejado roof
tejer to weave
tela cloth; **—de araña** cobweb;
 —metálica chicken wire
telaraña spider web, cobweb
teléfono telephone
telón curtain
temblar to tremble, shiver
temblor *m.* trembling

tembloroso shaking
temer to fear, be afraid
temeroso fearful, afraid
temor *m.* dread, fear
temperamento temperament
tempestad storm
templado temperate, moderate
templete *m.* pavilion
temporada season, period
temprano early
tenaz strong, stubborn
tender to spread, stretch out; to extend; to tend; to hand (*over*); to
 draw (*blinds*)
tendido laying (*of cables*)
tenedor fork
tener to have, hold, keep; **— ...**
 años to be ... years old; **—ganas**
 de to be anxious; **—que** must, to
 have to; **—que ver con** to have to
 do with; **—hambre** to be hungry;
 —razón to be right; **—suerte** to
 be lucky; **se tiene** one has
teniente *m.* lieutenant; **—comisario**
 supply officer
tensión tension
tenso tense, taut
tentación temptation
tentáculo tentacle
tentativa attempt
tenue light, soft
teñir to color; to stain
teoría theory
terciopelo velvet
terminar to end, finish
término term; end; completion; **al—**
 de after; **en primer—** in the fore-
 ground; close up
ternura tenderness
terracota terra cotta, mud brown
terrateniente landlord
terraza terrace, veranda
terreno land, ground, terrain
territorio territory
Teruel *city in eastern Spain*
tesoro treasure (*term of endearment*)
testigo witness
testimonio testimony

tía aunt; —**abuela** great aunt

tictac *m.* tick-tock

tiempo time; weather; **a**— at the right time, on time

tienda store

tientas: a— groping

tierra earth, ground

tieso stiff; tight; stubborn

tiesto potsherd

tijeras scissors

timbre *m.* bell; tone, ring

timidez timidity, fear

tímido timid

tinta paint, ink, dye

tinte *m.* dye; coloring

tintero inkwell

tintineo jingle

tío uncle; old man; —**s** uncle and aunt

tipo fellow, guy

tirabuzón corkscrew curl

tirador rifleman; —**de goma** sling shot

tirar to throw; to pull; to go on

tiro shot; shooting; target practice; **pegar un**— to shoot

tirón pull; **dar tirones** to pull at; **de un**— all at once

titilar to twinkle

tiznar to stain, spot; to paint

tizne *m.* soot, grime

tizón firebrand; ember

tobillo ankle

tocado: —**con** wearing (*a hat*)

tocador dressing table

tocar to feel; to touch; to be one's turn; to play (*an instrument*); —**en suerte** to fall to one's lot

tocón tree stump

todavía yet; still

todo all, every, whole; —**el mundo** everybody; **del**— completely; —**s los días** everyday

tolvanera cloud of dust

toma taking; capture

tomar to take, seize; to eat; to drink; —**el pelo** to pull one's leg; —**asiento** to take a seat

tomillo thyme (*a seasoning herb*)

tonada tune, song

tonadilla tune

tonel *m.* barrel, cask

tono tone; manner

tontería foolishness

tonto stupid

tope *m.* top; deadline

torácico thoracic

torcer to turn; to twist; to screw up (*one's face*)

tornar to return; to turn; to change

tornasolado iridescent

tornillo screw

torniquete *m.* tourniquet

torno: en— around oneself; **en**—**suyo** around him, her, etc.; **en**—**a (de)** around, about

torpe clumsy, awkward

torpeza awkwardness, stupidity

torrente *m.* stream, torrent; crowd; —**abajo** down to the river, downstream

torrentera ravine

tortuga turtle

tortuoso winding

tortura torture

tostada piece of toast

totalidad whole

tozudo stubborn

trabajar to work

trabajo work; labor; effort; hardship

traer to bring

tráfico traffic

tragar to swallow

trágico tragic

trago swallow

traición treachery; treason

traidor traitor

traje *m.* dress, gown, suit; —**de gala** Sunday clothes

trama weft or woof (*of cloth*); plot

tramontana north wind

trampa trap; trick; **hacer**—**s** to cheat

tranquilidad tranquillity

tranquilizador soothing

tranquilizar to calm

tranquilo calm, quiet, tranquil
transcurrir to pass, elapse; *n. m.*
  passing
transcurso course (*of time*)
transformar to transform
tránsito passing; transitoriness
transmitir to transmit
transparente transparent
tranvía *m.* street car
trapo rag; reprimand; **soltar el—** to
  burst out crying
traquetear to shake
tras after, behind
trasera buttocks
trasero back, rear
trasladar to transport, move
traslado change (*of place*)
traslucirse to guess; to reveal
traspasar to stick, pierce
traste: dar al—con to upset
trastornar to disturb, upset
trastos *n. pl.* utensils; junk
trasver to see through
tratar to treat; to deal with; to try;
  —de to try to; to treat as; **—se de**
  to be a question of, deal with
través: a (al)—de through, across
travieso: a campo— across country
trayecto stretch; distance, trip; way
trayectoria path
trazar to mark out; to plan
trazo outline; stroke; plan
trecho stretch; while; **a—s** at intervals
tregua truce; letup
treinta thirty
tren *m.* train
trenza braid
trenzar to braid
trepar to climb, mount
trepidación throbbing
trepidar to throb
trescientos three hundred
treta trick
trigo wheat
trinchera trench; ditch
triste sad
tristeza sadness

triunfal triumphant
triunfante triumphant
triunfo triumph
trocar(se) to change
trompa trumpet; horn; trunk (*of elephant*)
trompo spinning top
tronar to thunder; to roar out
tronco tree trunk
trono throne
tropa troop(s)
tropel *m.* rush; jumble
tropezar to stumble; to hit; **—con**
  to meet, run into
trozo piece
tubería tubing, piping
tufillo vapor
tul *m.* tulle (*a cloth netting*)
tumba tomb, grave
tumbado prostrate
tumbar to tumble; to fall; to knock
  down; **—se** to lie down
tumbo tumble, fall
túmulo grave mound
tumultuoso noisy
tunante *m.* rascal, rogue
túnel *m.* tunnel
tupido dense
turbación disturbance; confusion;
  embarrassment
turbio disturbing
turismo tourism; **hotel de—** tour-
  ist hotel
turnarse to take turns with
turno turn; **estar de—** to be on
  watch
tuya thuja (*an evergreen shrub*)

U

u or (*before* **o—** *and* **ho—**)
¡uf! pshaw! heck!
ultimar to finish; to carry out
último last; latest
ultramarinos *m.* delicatessen; over-
  seas food
umbral *m.* threshold, doorsill
umbroso shady

unción devotion
único sole, only; **lo—** the only thing
unidad unit
uniformado wearing a uniform
uniforme *m.* uniform; **—de colegial** schoolboy's uniform
unir to unite, join
unísono: al— in unison, together
universo universe
uno one; **—a—** one by one; **—y otro** both
untar to anoint; to smear
uña fingernail
uralita bead
urgente urgent
urgir to be urgent
usar to use
usurpar to usurp
útil useful; profitable
utilidad use; usefulness
utilizar to use
utópico utopian

V

vaciar to empty, leave empty
vacilante hesitating; quivering
vacilar to hesitate
vacío empty; *n.* void, emptiness
vagabundear to rove about; to loiter around
vagabundo tramp, vagabond
vagar to loiter about; to rove
vago roving; vague; *n.* tramp
vagón car (*of a train*)
vaguada waterway; canyon
vaharada exhalation
vaina sheath; knife case
valentía bravery
valer to be worth; to cost; **—la pena** to be worthwhile; **—se de** to make use of
valiente valiant; excellent
valor *m.* value, worth
valorizar to appraise, value
vals *m.* waltz

valle *m.* valley
¡vamos! come!; come on!; go on
vanguardia vanguard
vano useless; **en—** in vain
vara stick; rod
variar to change
varilla thin stick; rod
vario various; *pl.* several
vasar *m.* kitchen shelf
vascongado Basque
vaso glass
vecindad neighborhood; vicinity
vecino neighboring; *n.* neighbor
vedijoso matted, tangled
vegetación vegetation, growth
vehículo vehicle
vela candle; vigil
velada evening; visit
velar to watch over, guard
velatorio place where wake is held
velo veil
velocidad speed; **a toda—** at full speed
veloz quick, rapid
velludo hairy
vena vein
vencer to conquer; to win
venda bandage
vendar to blindfold
vendaval *m.* hurricane
vender to sell
veneno poison
vengar to avenge; **—se (de)** to take revenge (*on*)
venida coming; arrival; **bien—** welcome
venido: bien— welcome
venir to come
venta sale
ventajoso advantageous
ventana window; nostril
ventilador fan
ver to see; **—se** to be; **tener que— con** to have to do with
veraneante *m.* summer vacationer
verano summer
veras: de— in truth
verdad *f.* truth; **a decir—** to tell the

truth; **de—** really, truly; **es—** it is true

verdadero true, real

verdasca green twig or branch

verde green

verdemar sea green

verdinegro dark green

verdoso greenish

verdugo executioner

vergonzoso bashful; shameful

vergüenza shame; bashfulness

verosímil probable, likely

versión version; translation

verso verse

vértice *m.* apex; straight end

vertiente *m.* slope

vertiginoso giddy, dizzy

vértigo dizziness; whirlpool

vestíbulo entrance, hallway

vestido clothing

vestigio mark, sign

vestir to dress; to wear; **—se** to get dressed, dress up

vez (*pl.* **veces**) time; **alguna—** once; **a veces** sometimes, at times; **a su—** in his turn; **de—en cuando** from time to time; **de una—** at one time; **hacer las veces de** to act as; **las más de las veces** most of the time; **otra—** again; **por—primera** for the first time; **tal—** perhaps

viajar to travel

viaje *m.* trip

viajero traveler

vibrar to vibrate, shake

vicio vice

víctima victim

victoria victory

vida life; **cobrar—** to come alive; **de por—** for life

vidrio glass; window pane

viejo old; old man

viento wind

vientre *m.* belly, stomach

viga beam

vigilancia vigilance; **sin—** unguarded

vigilante *m.* watchman, guard

vigilar to keep watch; **¡vigile!** watch out!

vincular to tie; to link

viñedo vineyard

vilo: en— in the air

villa town; villa

violencia violence

virgen *f.* virgin

virtud virtue; **en—de** because of

vísceras innards, insides

viscoso sticky

visillo window curtain

visita visit; visitor

visitar to visit

vislumbrar to catch sight of

víspera eve

vista view; sight; **a—** at sight; **a simple—** with the naked eye; **corto de—** nearsighted; **en—de que** in view of the fact that

visto (*p.p. of* **ver**) seen

vitalizar to vitalize

vítor cheer; applause

vitrina showcase, glass case

viva *m.* cheer; **¡—!** long live

víveres *m. pl.* provisions

vivienda dwelling, house

viviente living

vivificar to enliven

vivir to live

vivo alive; lively, active; **vivito** alive

voladura explosion, blowing up

volante *m.* steering wheel

volar to fly; to blow up

volcar to overturn

volumen *m.* volume

voluntad will

voluptuoso voluptuous

voluta spiral

volver to turn; to return; **—a + inf.** to do something again; **—se** to turn (*around*); to become

vomitar to vomit

voracidad voracity

voraz voracious

voz *f.* voice; **en—alta** aloud; **en—baja** quietly

vuelo flight, flying; **a—de pájaro** as the crow flies

vuelta return; turn; change; **dar—s** to spin, turn around

vuelto (*p.p.* *of* **volver**) turned, returned

vulgar common, ordinary

vulgaridad ordinary thing

vulgarizar to make common

Y

y and

ya already; now; right away; **—no** no longer; **—que** since

yacer to lie; to be buried

yanqui *m.* Yankee

yantar *m.* meal

yedra ivy

yegua mare

yema tip (*of finger*)

yermo empty; barren; dried up

yerto stiff, rigid

yeso gypsum; plaster

Z

zafarse (de) to escape; to get out of something

zaguán *m.* hall, entrance

zahorí *m.* seer, clairvoyant

zancadilla trip, tripping; trick

zanja ditch, trench

zanjar to settle

zapatilla slipper

zapato shoe

zarza bramble, blackberry bush

zarzal *m.* underbrush

zócalo hallway; doorway

zona zone, area

zumbar to hum

zumbido hum, humming, buzzing

zurear to coo

B C D E F G H I J   5 4 3 2 1 7 0 6 9